A MULHER CONFIANTE

Comece hoje a viver corajosamente e sem medo

JOYCE MEYER

A MULHER CONFIANTE

Comece hoje a viver corajosamente e sem medo

Edição publicada mediante acordo com FaithWords, New York, New York. Todos os direitos reservados.

Diretor
Lester Bello

Autora
Joyce Meyer

Título Original
The Confident Woman: start today living boldly and without fear

Tradução
Idiomas e Cia, por Maria Lucia Godde Cortez

Revisão
Idiomas & Cia, por Glaucia Victer

Design capa (Adaptação)
Ronald Machado

Impressão e Acabamento
Promove Artes Gráficas

BELLO
PUBLICAÇÕES

Rua Vera Lúcia Pereira, 122
Goiania - CEP 31.950-060
Belo Horizonte/MG - Brasil
contato@bellopublicacoes.com.br
www.bellopublicacoes.com.br

© 2006 Joyce Meyer
Copyright desta edição:
FaithWords

Publicado pela Bello Com. e Publicações Ltda-ME com devida autorização de FaithWords, New York, New York.

Todos os direitos autorais desta obra estão reservados.

1ª Edição Agosto 2008
3ª Reimpressão Setembro 2016

Todas as citações bíblicas, salvo indicação contrária, foram extraídas da Bíblia Sagrada, Nova Versão Internacional (NVI), Editora Vida, 2000, todos os direitos reservados.

Nas citações com indicação AMP foi utilizada a versão *The Amplified Bible*, publicada somente nos Estados Unidos. A fim de manter a idéia contida no original, foi utilizado o texto da NVI como base, e traduzidos os termos que aparecem entre parênteses e colchetes diretamente a partir da AMP. O uso desses acréscimos para explicar o texto é uma característica da AMP, que busca "ampliar" a compreensão da passagem.

Outras versões utilizadas: A Bíblia na Linguagem de Hoje (BLH) e Nova Versão King James (NKJV).

M612

Meyer, Joyce
   A mulher confiante / Joyce Meyer; tradução de Idiomas e Cia. – Belo Horizonte: Bello Publicações, 2016.
   284p.
   Título original: The Confident Woman
   ISBN: 978-85-61721-11-4

   1. Mulheres – Vida cristã. 2. Auto-confiança - Aspectos religiosos. I. Título.

CDD: 248.843
CDU: 231.11

ÍNDICE

Introdução 7

PARTE I – O DOM DA CONFIANÇA ORDENADO POR DEUS
1. Confiança   17
2. Acabando com os Mal-Entendidos   32
3. Deus Usa Mulheres no Ministério?   45
4. Os Sete Segredos de Uma Mulher Confiante   58
5. A Mulher de Quem Eu Não Gostava   75
6. Vencendo as Dúvidas a Respeito de Si Mesma   99
7. O Poder da Preparação   112
8. Quando o Mundo Diz Não   130
9. As Mulheres São Mesmo o Sexo Frágil?   140
10. Passos para a Independência   159

PARTE II – VIVENDO CORAJOSAMENTE E SEM MEDO
11. A Anatomia do Medo   181
12. O Medo Tem Parentes   199
13. A Relação Entre Estresse e Medo   219
14. Escolhendo a Ousadia   228
15. Os Vencedores Nunca Desistem   239
16. Torne-se uma Mulher de Coragem   250
17. Vá em Frente, Garota!   266

Notas Finais 277

INTRODUÇÃO

Já Chegamos Bem Longe
(Mas Ainda Temos um Longo Caminho Pela Frente)

"Uma mulher precisa ser duas vezes melhor que um homem para chegar até a metade de onde ele chegou"
– FANNIE HURST

Durante a maior parte da existência do mundo, as mulheres não conseguiram ser respeitadas de forma adequada, nem ocuparam o seu lugar de direito na sociedade. Embora muito dessa injustiça tenha sido corrigida no mundo ocidental, ainda existem muitas culturas onde as mulheres são terrivelmente maltratadas. Isso é trágico.

As mulheres são uma dádiva preciosa de Deus para o mundo. Elas são criativas, sensíveis, compassivas, inteligentes, talentosas, e, de acordo com a Bíblia, são iguais aos homens.

Deus criou o homem primeiro – mas logo descobriu que ele precisava de uma auxiliadora. Não de uma escrava, mas de uma auxiliadora. Ele criou a mulher de uma das costelas de Adão, e chamou-a Eva. Observe que Eva foi tirada do lado de Adão – de algo que estava próximo ao coração dele – e não da sola de seus pés. Nunca foi intenção de Deus que as mulheres fossem pisadas, desrespeitadas, ameaçadas ou menosprezadas. Eva foi criada porque Adão precisava dela. Deus disse que Adão não estava completo sem ela. O mesmo acontece hoje; os homens precisam das mulheres, e precisam delas para serem mais do que cozinheiras, donas de casa, parceiras sexuais ou máquinas de fazer bebês.

Apenas para ter certeza de que ninguém interpretará mal o meu comentário de que Adão não estava completo sem Eva, deixe-me esclarecer que nem todas as pessoas precisam estar casadas para serem completas. E uma vez que 43% de todos os primeiros casamentos terminam em divórcio – e 60% destes divorciados contraem novos matrimônios – fica claro que o casamento não é o objetivo supremo de uma existência feliz.[1]

Embora a maioria das pessoas deseje se casar e ter um parceiro por toda a vida, Deus chama e principalmente capacita muitos homens e mulheres a permanecerem solteiros. Uma vez que este livro foi escrito especialmente para as mulheres, quero dizer enfaticamente que, como mulher, você não precisa ser casada para gostar de sua própria vida e fazer grandes coisas. Apenas porque a maioria das mulheres se casa, isto não significa que alguma coisa está errada com você ou que está perdendo alguma coisa se não o fizer.

Homens e Mulheres: Trabalhando Lado a Lado

Acredito que a maioria das mulheres possui um sexto sentido que Deus não deu ao homem. Ele geralmente é chamado de intuição feminina, e isso não é um mito. É algo real e funciona assim: os homens em geral são muito racionais, ao passo que as mulheres tendem a ser mais dirigidas pelos "sentimentos". Por exemplo: um gerente pode olhar o currículo de um candidato para um emprego, seu histórico escolar, sua experiência profissional e sua solicitação de emprego, e estar pronto para contratá-lo com base nos "fatos". No entanto, uma gerente na mesma posição poderia ser guiada mais pelo instinto, pela intuição. Ela poderia avaliar o mesmo candidato e intuitivamente prender-se a peculiaridades de personalidade ou a atitudes sutis, porém destrutivas, que não estão evidentes no papel.

Introdução

Isso não significa que as mulheres são melhores líderes natas do que os homens ou que os seus instintos se baseiam em uma sintonia especial entre Deus e a mulher que não foi dada aos homens. Na verdade, as emoções de uma mulher também podem lhe trazer problemas, e ela necessita, com freqüência, da lógica do lado esquerdo do cérebro de um homem para ajudá-la a ver as coisas com clareza.

O ponto é que a mulher e o homem precisam um do outro; eles podem se completar – assim como os gerentes do exemplo acima. Nem o homem nem a mulher viram todo o quadro de forma clara ou completa. É por isso que o homem e a mulher devem trabalhar juntos, lado a lado, em harmonia, respeitando-se mutuamente como iguais.

Em prol da ordem, Deus instruiu que, se uma mulher é casada, ela deve ser submissa a seu marido. Sei que muitas mulheres não gostam, em particular, da palavra submissão. Mas pense nela deste modo: não é possível duas pessoas dirigirem um carro ao mesmo tempo, lutando pelo volante e competindo para pisarem no pedal do freio. Por uma questão de necessidade, apenas uma pessoa deve ocupar o banco do motorista. Entretanto, nunca foi intenção de Deus que a mulher fosse dominada e levada a sentir que suas opiniões não têm valor. (Afinal, como meu esposo Dave lhe dirá, é ótimo ter alguém dentro do carro que pode perceber quando estamos perdidos – e que não é orgulhoso demais para parar e pedir informação!)

Qual o Seu Nível de Conhecimento do Mundo das Mulheres?

Pesquisas recentes em toda a nação americana sobre as mulheres resultaram em algumas revelações intrigantes sobre elas. Faça o teste abaixo de Verdadeiro / Falso para ver como sua experiência pessoal e suas atitudes se comparam com as de outras mulheres.

1. A maioria das mulheres americanas dorme adequadamente todas as noites.
2. Os finais de semana são os únicos momentos em que as mulheres conseguem fazer um intervalo em suas tarefas e responsabilidades.
3. O segundo casamento, em sua maioria, não envolve filhos.
4. A maioria das mães diz que passa mais tempo de qualidade com seus filhos do que suas mães passaram com elas quando eram crianças.
5. A principal coisa para a qual as mulheres gostariam de ter mais tempo são os exercícios físicos.
6. A maioria das mulheres casadas está satisfeita com a quantidade de tempo que passa com seu marido.
7. Com relação à época em que ainda não tinham filhos, a coisa de que as mulheres casadas mais sentem falta é tempo para o sexo.
8. A maioria das mulheres diz que seus maridos são o tipo de pai que elas imaginaram que seriam.
9. A maioria das mães diz que elas – e não seus maridos – são as que dão solução aos problemas da família.
10. A grande maioria das mães diz não ter tempo suficiente para si mesma.

Respostas a "Qual o Seu Nível de Conhecimento do Mundo das Mulheres?"

1. Falso. Somente 15% das mulheres conseguem ter pelo menos 8 horas de sono por noite.[2]
2. Falso. A metade das mulheres de hoje passa os finais de semana realizando tarefas e cuidando de outras responsabilidades domésticas.[3]
3. Falso. 65% dos novos casamentos envolvem filhos dos casamentos anteriores.[4]
4. Verdadeiro. 70% das mães dizem passar mais tempo com seus filhos do que suas mães passavam com elas.[5]
5. Falso. 69% das mães gostariam de ter mais tempo para desfrutar de momentos de diversão com seus filhos. Exercícios físicos vêm imediatamente depois, em segundo lugar – 67%.[6]
6. Falso. 79% das mulheres querem ter mais tempo com seus maridos.[7]
7. Falso. As mães de hoje sentem falta de mais tempo na cama com seus maridos, mas muitas delas sentem mais falta de sono (69%) do que de sexo (22%).[8]
8. Verdadeiro. 56% das mães dizem que seus maridos são os pais que elas imaginaram – embora elas confessem que isso nem sempre é um fator positivo. Por outro lado, algumas dentre as 44% que deram a resposta oposta observam que seus maridos superaram as expectativas delas como pais.[9]
9. Verdadeiro. Esta resposta poderá chocar alguns homens, mas 60% das mães dizem que são elas quem solucionam os problemas da família.[10]
10. Verdadeiro. Uma taxa esmagadora de 90% das mães de hoje anseiam ter mais tempo para si mesmas.[11]

> Pergunte às mulheres do século XXI como elas se sentem a respeito de si mesmas, e muitas confessarão: "Eu me odeio".

Devido a anos de abuso e de conceitos equivocados, em nível mundial, a respeito das mulheres, muitas de nós perdemos a confiança que Deus quer que tenhamos. A nossa sociedade passa por uma epidemia de pessoas inseguras em seu meio. Esse problema gera uma grande dificuldade nos relacionamentos e é uma das causas do divórcio ser tão predominante hoje em dia.

Pergunte às mulheres do século XXI como elas se sentem a respeito de si mesmas, e muitas confessarão: "Eu me odeio". Ou, talvez, a opinião delas a respeito de si mesmas não seja tão rigorosa, mas admitirão que realmente não se gostam. Três fatores contribuem para essa atitude negativa:

1. Uma longa história de maus-tratos dos homens para com as mulheres deixou muitas de nós com um sentimento vago de que, de algum modo, somos "menos" que os homens. Menos valiosas. Menos dignas.
2. O nosso mundo criou uma imagem falsa e irrealista de como as mulheres devem ser e agir. Mas a verdade é que nem toda mulher foi criada por Deus para ser magra, ter uma pele perfeita e longos cabelos. Nem toda mulher foi destinada a fazer malabarismo entre uma carreira e todas as demais obrigações como esposa, mãe, cidadã e filha. As mulheres solteiras não deveriam ser obrigadas a se sentir como se estivessem perdendo alguma coisa pelo fato de não serem casadas. As mulheres casadas não deveriam ser obrigadas a sentir que precisam ter uma carreira para serem completas. Se elas decidirem fazê-lo, será maravilhoso, mas precisamos ter a liberdade para sermos quem de fato somos, individualmente.

Introdução

3. Muitas mulheres odeiam a si mesmas e não têm autoconfiança porque foram abusadas, rejeitadas, abandonadas, ou, de alguma forma, prejudicadas emocionalmente. As mulheres precisam passar por uma restauração no sentido de conhecerem a sua dignidade e o seu valor infinito. Espero poder ajudar a iniciar essa restauração através deste livro.

Durante a minha infância, enfrentei muitos anos de abuso sexual. Esse abuso afetou profundamente minha autoconfiança e a imagem que eu tinha de mim mesma. Interiormente eu era muito medrosa, mas exteriormente eu me apresentava como uma pessoa dura e ousada que não dava a mínima para o que os outros pensavam. Criei uma "Joyce de faz-de-conta" para que ninguém descobrisse "a verdadeira Joyce". Eu estava cheia de vergonha e me autocensurava por algo que um homem me havia feito, e devo confessar que, por muitos anos, tive uma opinião bastante ruim a respeito dos homens como resultado disso.

Hoje, porém, acredito que sou uma mulher bastante equilibrada. Tenho um marido maravilhoso e quatro filhos adultos. Sou a presidente e fundadora de um ministério mundial de mídia que está ajudando milhões de pessoas a encontrarem a salvação através de Jesus Cristo, assim como libertação e integridade em suas vidas. Meu marido, meus filhos e eu trabalhamos juntos nesse ministério.

Aprendi muito em minha caminhada sobre o que é a "verdadeira segurança", e será um grande prazer compartilhar com você qualquer coisa de meu conhecimento que possa ajudá-la a ser a mulher que Deus planejou. O desejo dEle é que você seja ousada, corajosa, confiante, respeitada, admirada, apoiada, procurada, e, acima de tudo, amada.

Deus tem um plano maravilhoso para a sua vida, e oro para que a leitura deste livro a ajude a abraçar esse plano mais plenamente do que nunca. Você pode levantar a cabeça e caminhar, cheia de confiança em si mesma e no seu futuro. Você pode ser ousada e sair para fazer coisas novas – até mesmo coisas que nenhum homem ou mulher jamais fez. Você tem o que precisa!

PARTE I

O Dom da Confiança Ordenado por Deus

■ *Capítulo Um* ■

CONFIANÇA

O que é confiança? Creio que diga respeito a ter uma atitude positiva com relação ao que você pode fazer – e não ficar preocupada com o que você não pode fazer. Uma pessoa confiante é aberta a aprender porque sabe que a sua autoconfiança lhe permite entrar pelas portas da vida, ansiosa por descobrir o que a está esperando do outro lado. Ela sabe que cada nova situação desconhecida é uma chance de aprender mais sobre si mesma e desencadear as suas habilidades.

Pessoas confiantes não se concentram em suas fraquezas; elas desenvolvem e maximizam seus pontos fortes.

Por exemplo, em uma escala de 1 a 10, posso me considerar um 3 em termos de tocar piano. Agora, se eu praticasse por bastante tempo e me esforçasse – e se meu marido conseguisse agüentar a barulheira – eu poderia, talvez, me transformar em uma pianista média, de nível 5. No entanto, como palestrante em público, posso me considerar no nível 8. Então, se eu investisse meu tempo e meus esforços nessa habilidade, poderia chegar ao nível 10. Quando você olha as coisas dessa forma, é fácil ver onde precisa investir suas energias.

O mundo não está sedento de mediocridade. Nós realmente não precisamos de um monte de gente níveis 4 e 5 por aí, fazendo um trabalho médio na vida. Este mundo precisa de pessoas de nível 10.

Acredito que todos podem estar no nível 10 em alguma coisa, mas o problema é que geralmente nos esforçamos tanto tentando vencer as próprias fraquezas que nunca desenvolvemos nossos pontos fortes. Aquilo em que nos concentramos aumenta aos nossos olhos – e aumenta muito, na verdade. Podemos transformar algo em um enorme problema quando, na verdade, poderia ser uma perturbação mínima se apenas o contemplássemos a partir da perspectiva de nossos pontos fortes. Digamos, por exemplo, que você não seja o tipo de pessoa que gosta de "números". Você tem de se esforçar para calcular uma gorjeta de 15% no restaurante e não verifica o saldo do seu talão de cheques desde 1987.

Você poderia ficar obcecada com a sua incapacidade de lidar com a matemática. Poderia comprar o livro *Matemática para Leigos* e outros livros sobre o assunto, e talvez até tomar aulas no colégio comunitário. Mas a sua obsessão pela matemática acabaria consumindo um tempo que deveria ser dedicado a coisas nas quais você é ótima – ensinar na Escola Dominical, escrever de forma criativa, ou levantar fundos para a caridade. Em outras palavras, você pode roubar tempo e esforço dos níveis 10 da sua vida apenas para sair de um baixíssimo 3 e passar para um medíocre 5.

Não seria muito melhor delegar as coisas ligadas à matemática a outra pessoa? Ou usar um sistema on-line para pagamento de contas que possui formas embutidas de captar erros ou retiradas em excesso? E você pode sempre pedir aos seus colegas à mesa para ajudá-la a calcular a gorjeta. Existem até manuais sobre esse assunto que você pode levar sempre consigo.

Lembro-me de entrevistar um homem e sua esposa no programa de televisão de nosso ministério. Perguntei ao homem, que por coincidência era um ministro, quais eram as suas fraquezas. A resposta dele foi: "Sabe, não me concentro nelas. Estou certo de que tenho algumas, mas eu não conseguiria lhe dizer, neste instante, quais são porque simplesmente não coloco o meu foco nelas". Sorrindo, respondi que perguntaria à esposa dele mais tarde. Eu estava certa de que ela conheceria as fraquezas do homem com quem casara, ainda que ele não pudesse fazê-lo. Quando ela se juntou a nós no programa, prontamente lhe fiz a pergunta. Ela respondeu: "Para mim, meu marido é perfeito; não me concentro nas fraquezas dele. Ele tem tantos pontos fortes, que apenas coloco o meu foco neles, e o ajudo a ser tudo o que ele pode ser".

Não levei muito tempo para entender por que aqueles dois eram tão felizes e otimistas o tempo todo – e por que tinham um casamento tão maravilhoso. Pessoas confiantes têm o hábito de pensar e agir positivamente. Portanto, elas apreciam a vida e realizam muito.

Uma pessoa sem autoconfiança é como um avião parado em uma pista com o tanque de gasolina vazio. O avião tem capacidade de voar, mas sem um pouco de combustível, ele não sairá do chão. A autoconfiança é o nosso combustível. Nossa autoconfiança, a convicção de que vamos ter êxito, é o que dá a partida para nos movermos e nos ajuda a concluir cada desafio que enfrentamos na vida. Sem autoconfiança, a mulher viverá com medo e nunca se sentirá realizada.

> A autoconfiança nos permite enfrentar a vida com coragem, franqueza e honestidade. Ela nos capacita a viver sem preocupação e a nos sentirmos seguras. Ela nos permite viver de forma autêntica.

A autoconfiança nos permite enfrentar a vida com coragem, franqueza e honestidade. Ela nos capacita a viver sem preocupação e a nos sentirmos seguras. Ela nos permite viver de forma autêntica. Não temos de fingir ser quem não somos porque estamos seguras sendo quem somos – mesmo que sejamos diferentes daqueles que nos cercam. Acredito firmemente que a autoconfiança nos permite ser diferentes, únicas. Deus criou cada pessoa de modo ímpar, no entanto, a maioria das pessoas passa sua vida tentando ser como os outros – e, conseqüentemente, sentindo-se infeliz. Você pode confiar no que lhe digo: Deus nunca a ajudará a ser outra pessoa. Ele quer que você seja você! Pode ter certeza disso!

Pessoas que possuem um baixo nível de autoconfiança, por outro lado, não têm certeza de nada. São indecisas, têm uma mente vacilante e se frustram constantemente com a vida. Quando tomam uma decisão, são atormentadas pela dúvida. Elas imaginam como teria sido se tivessem optado por decidir dessa ou daquela outra maneira. Como resultado disso, não vivem audaciosamente. Têm perspectivas limitadas, estreitas, e perdem a oportunidade de desfrutar da vida ampla e recompensadora que Deus tem para elas.

Você pode ter conhecimento de algumas das promessas de Deus para o Seu povo – promessas de paz, felicidade, bênçãos, e daí por diante. Mas você sabia que todas elas são para todas as pessoas indistintamente?

Isso mesmo – no que diz respeito a cumprir promessas, Deus não faz discriminação. Entretanto, Ele impõe certas condições à realização de algumas delas, assim como um pai pode prometer levar seu filho para passear como recompensa por suas boas notas no boletim escolar.

Do mesmo modo, Deus exige que nos aproximemos dEle em fé – a profunda certeza interior de que Deus é digno de confiança e que sempre cumprirá Suas promessas. Deus a ama e quer que você relaxe por conhecer esse amor. Ele quer que você experimente a paz de espírito que vem quando descansamos no Seu amor e vivemos sem o tormento do medo e da dúvida. Muitas pessoas se encolhem de medo diante da simples menção do nome de Deus porque acham que Ele está sentado em Seu trono, lá no céu, apenas esperando que elas vacilem para que possa puni-las. Não estou dizendo que nunca teremos de enfrentar as conseqüências de nossos atos, mas Deus não tem prazer em nos punir. Em vez disso, Ele quer nos abençoar e tornar prósperas. Ele é misericordioso e, se formos capazes de receber a Sua misericórdia, nos dará constantemente a Sua bênção quando, pela lei, merecíamos ser punidas. Felizmente, Ele vê a disposição do nosso coração e a nossa fé em Jesus, e não apenas as nossas atitudes.

Quando temos confiança em Deus, no Seu amor e bondade, podemos passar a viver de modo seguro e a desfrutar da vida que Ele quer para nós. Observe que eu disse confiança *em Deus*, não em nós mesmas. Geralmente, quando as pessoas pensam em autoconfiança, elas pensam que isso diz respeito a confiar em si mesmas. Pense em quantas vezes você ouve os gurus da auto-ajuda ou atletas na TV incentivando-a a "acreditar em si mesma!" Peço licença para discordar. Quero deixar claro, desde o princípio, que a nossa confiança precisa estar firmada somente em Cristo, e não em nós mesmas, nem nas outras pessoas, nem no mundo e seus ideais. A Bíblia declara que somos suficientes na suficiência de Cristo (Filipenses 4.13), portanto, também podemos dizer que temos confiança por meio da confiança de Deus. Ou, uma outra forma de dizer isto seria: "Temos autoconfiança somente porque Ele vive em nós e é a confiança dEle que recebemos".

Imagine que você é membro de um time de basquete cuja capitã é a jogadora mais talentosa e experiente em quadra que há no mundo. Essa atleta não apenas pode jogar melhor do que qualquer uma em quadra, como pode também extrair o melhor de suas colegas de equipe. Você pode entrar em cada jogo com confiança, sabendo que a líder do seu time tem o conhecimento e a técnica para levá-la à vitória. É claro, você terá de fazer a sua parte, exercer o seu papel no time, mas ainda que cometa uma falha, a "estrela" lhe dará cobertura. Ela estará na sua retaguarda. E, à medida que os jogos se sucedem, você descobre que a confiança da sua líder é contagiante. Você pode jogar com coragem porque a capitã de seu time a inspira.

Então, se digo que sou confiante, o que faço com freqüência, isso não significa que confio em mim mesma ou na minha capacidade. Quero dizer que sou confiante no meu líder, Deus, e nos dons, talentos e conhecimentos que colocou dentro de mim. Sei que sem

Ele não sou nada (João 15.5), mas com Ele posso ser uma campeã, porque Ele extrai o que há de melhor em mim.

> ...*gloriamos-nos e nos orgulhamos em Cristo Jesus, e não colocamos nossa confiança ou dependência [no que somos] na carne e nos privilégios e vantagens físicas, ou na aparência externa. (Filipenses 3.3, AMP)*

Você Está Sofrendo de Falta de Confiança?

A insegurança é um distúrbio: pode até ser considerada uma doença. E assim como muitas doenças, a insegurança é causada pela deficiência de uma coisa (confiança) e pelo excesso de outra, neste caso, o medo. Refiro-me ao medo como um vírus emocional porque ele começa como um pensamento em sua mente e depois afeta suas emoções e comportamento – assim como o vírus da gripe pode invadir seu corpo através de um aperto de mão ou de um espirro e depois fazer com que todo o seu corpo se sinta péssimo.

O medo é um vírus perigoso porque uma pessoa medrosa não tem confiança e nunca poderá atingir o seu potencial na vida. Ela não sairá da sua zona de conforto para fazer nada – principalmente algo novo ou diferente. O medo é um dominador cruel, e seus súditos vivem em tormento constante.

Parte meu coração ver pessoas que vivem com medo porque, sem confiança, elas nunca poderão conhecer e experimentar a verdadeira alegria. O próprio Espírito Santo sofre porque Ele foi enviado para as nossas vidas para nos ajudar a cumprir os nossos destinos ordenados por Deus. Mas você não pode procurar cumprir o seu destino se permitiu que o medo batesse à porta da sua vida e a trancasse. Em vez disso, você se encolhe atrás da porta, cheia de autodepreciação, condenação, medo de ser rejeitada, medo do fracasso, e medo dos outros.

Muitas vítimas do medo acabam sendo pessoas que vivem para agradar os outros, propensas a serem controladas e manipuladas. Elas abrem mão do direito de serem elas mesmas e geralmente passam a vida tentando ser o que acham que deveriam ser aos olhos alheios.

Infelizmente, quando tentamos ser algo ou alguém que não fomos feitos para ser, sufocamos a nós mesmas e também o poder de Deus em nós. Quando temos confiança, podemos alcançar alturas realmente espantosas; sem confiança, até mesmo as simples realizações ficam além do nosso alcance.

Você pode ter lido o parágrafo anterior – sobre "alturas espantosas" e pensado consigo mesma: *Sim, claro, Joyce. Eu não sou capaz de fazer nada de espantoso (E tenho medo de altura também.)* Se você tiver pensamentos assim, não se desespere. Ao longo da história, Deus usou pessoas comuns para fazer coisas incríveis, extraordinárias. No entanto, todas elas tiveram de dar um passo de fé primeiro. Elas tiveram de seguir avançando confiantemente em direção ao desconhecido ou ao inusitado antes de fazerem qualquer progresso. Tiveram de acreditar que podiam fazer o que estavam tentando fazer. No dicionário, "realizar" vem depois de "acreditar".

É importante observar que, em muitos casos, pessoas de sucesso tentaram diversas vezes e falharam antes de finalmente alcançarem êxito. Elas não tiveram apenas de começar com confiança, elas tiveram de permanecer confiantes quando todas as circunstâncias pareciam gritar "Fracasso! Fracasso! Fracasso!"

Veja o caso do inventor Thomas Edison. Certa vez, ele disse: "Não exagero quando digo que construí três mil teorias diferentes com relação à luz elétrica, sendo cada uma delas razoável e aparentemente provável de ser verdadeira. No entanto, somente em dois casos meus experimentos provaram a verdade da minha teoria".

Isso quer dizer que Edison desenvolveu 2.998 teorias desastradas no caminho para chegar ao sucesso. Na verdade, a verdadeira história da lâmpada é um longo e monótono relato de repetidas tentativas e erros. Imagine como Edison deve ter se sentido enquanto os fracassos se amontoavam às dezenas, depois, às centenas, e depois, aos milhares. No entanto, no meio de tudo isso, continuou seguindo em frente. Ele acreditava na sua idéia brilhante, por isso não perdeu a determinação.[1]

Só pelo fato de que pessoas comuns dão passos para realizar coisas extraordinárias, isso não quer dizer que elas não sintam medo. Acredito que Ester, a heroína do Antigo Testamento, sentiu medo quando lhe disseram para deixar sua vida familiar confortável e passasse a fazer parte do harém do rei para que pudesse ser usada por Deus e salvar a sua nação. Acredito que Josué sentiu medo quando, depois da morte de Moisés, recebeu a incumbência de conduzir os israelitas até a Terra Prometida. Sei que tive medo quando Deus chamou-me para deixar meu emprego e preparar-me para o ministério. Ainda posso me lembrar que meus joelhos tremeram e minhas pernas ficaram tão fracas que achei que fosse cair. Lembro-me do medo que senti, na ocasião, mas assusta-me mais hoje pensar como seria minha vida se eu não o tivesse enfrentado e seguido em frente para fazer a vontade de Deus. Ter medo não quer dizer que você é um covarde. Quer dizer apenas que você precisa estar pronto para sentir medo e ao mesmo tempo fazer o que precisa ser feito, haja o que houver.

Se eu tivesse deixado o medo que senti me paralisar, onde estaria hoje? O que eu estaria fazendo? Será que estaria feliz e realizada? Será que estaria escrevendo um livro agora sobre ser uma mulher confiante – ou estaria sentada em casa, deprimida e me perguntando por que minha vida havia sido tão decepcionante? Creio que muitas pessoas infelizes são indivíduos que deixaram o medo dominar suas vidas.

E quanto a você, minha querida leitora? Você está fazendo o que realmente acredita que deveria estar fazendo a essa altura da vida ou permitiu que o medo e a falta de confiança a impedissem de se lançar em coisas novas – ou alcançar níveis mais altos nas coisas antigas? Se você não gosta da sua resposta, deixe-me dar-lhe uma boa notícia:

Confiança

nunca é tarde demais para começar de novo! Não passe mais um dia vivendo uma vida estreita que só tem espaço para você e seus medos. Tome agora mesmo a decisão de aprender a viver corajosa, decidida e confiantemente. Não permita mais que o medo a governe.

É importante compreender que você não pode simplesmente se sentar e esperar que o medo desapareça. Você terá de sentir medo e tomar uma atitude de qualquer jeito. Ou, como dizia John Wayne, "Coragem é estar morto de medo, mas montar o cavalo assim mesmo". Em outras palavras, coragem não é a ausência de medo; é a ação na presença do medo. Pessoas corajosas fazem o que sabem que devem fazer – não o que sentem vontade de fazer.

> Coragem não é a ausência de medo; é a ação na presença do medo. Pessoas corajosas fazem o que sabem que devem fazer – não o que sentem vontade de fazer.

Enquanto escrevo estas palavras, sinto-me muito entusiasmada por sua causa. Acredito realmente que este livro será um instrumento de transformação de vida para muitas que o lerem. Ele poderá ser apenas uma boa lembrança para algumas, mas para outras, ele irá ajudá-las a entrar decididamente no caminho da sua verdadeira vida. A vida que tem esperado por você, mulher, desde o princípio dos tempos – e a vida da qual pode estar sentindo falta por causa do medo e da intimidação. Satanás é o mestre da intimidação, mas uma vez que tenha entendido que é ele quem está por trás de todas as suas incertezas, você pode assumir sua autoridade sobre ele simplesmente pondo a confiança em Jesus Cristo e saindo corajosamente para ser tudo o que você pode ser. Deus disse a Josué: "Não temas, pois Eu Sou contigo!" Ele está enviando esta mesma mensagem a você hoje: NÃO TEMA! Deus está com você, e Ele nunca a deixará nem a abandonará.

Disseram a Abraão: "Deus está contigo em tudo o que fazes" (Gênesis 21.22). Isto para mim soa como viver em grande escala. Você está pronta para uma vida em larga escala, uma vida que a enche de satisfação e realização? Acredito que sim, e quero fazer tudo o que puder para ajudá-la em sua jornada.

Sei o que é viver com medo. O medo pode realmente fazer você sentir dor de barriga. Ele pode tornar você tão tensa e nervosa que todos à sua volta percebem que algo está errado; ele fica evidente nas suas expressões faciais e na sua expressão corporal. E mais, assim como a confiança é contagiante, a falta de confiança também o é. Quando não temos confiança interior, ninguém mais acredita em nós também. Imagine uma jogadora de basquete tímida, encolhida, de pé no canto da quadra com os braços cruzados. Será que alguém vai lhe passar a bola? Será que alguém vai torcer por ela e incentivá-la a fazer alguma jogada?

Quando achamos que as pessoas estão nos rejeitando, sentimo-nos feridas por elas. A jogadora de basquete do exemplo acima poderia achar que suas colegas de equipe a odeiam ou que têm algo contra ela. Mas a raiz do problema das pessoas medrosas e inseguras é que elas estão rejeitando a si mesmas. Elas estão repelindo a pessoa que Deus pretendia que fossem.

Um Caso Clássico de Confiança

Assim como a insegurança vem com uma lista de sintomas, o mesmo é verdadeiro com relação à confiança. Uma pessoa confiante se sente segura. Ela acredita que é amada, valorizada, cuidada, e se sente segura em relação à vontade de Deus para sua vida. Quando nos sentimos amparadas e protegidas, é fácil sairmos e tentarmos coisas novas. Durante a construção inicial da Ponte Golden Gate, não foram usados aparatos de segurança, e vinte e três homens despencaram para a morte. Na parte final do projeto, porém, uma grande rede foi utilizada como medida de segurança. Pelo menos dez homens caíram nela e foram salvos da morte certa. O mais interessante, porém, é o fato de que se observou uma porcentagem de produtividade superior em 25% depois da instalação da rede. Por quê? Porque os homens passaram a ter certeza da sua segurança e se sentiram livres para servir ao projeto com dedicação total. [2]

Quando as pessoas se sentem seguras, elas são livres para correr o risco de falhar a fim de tentar acertar. Quando sabemos que somos amados por quem somos e não apenas pelas nossas realizações ou desempenho, não precisamos mais temer o fracasso. Entendemos que falhar em algo não faz de nós um fracasso em tudo. Somos livres para explorar e descobrir para que tipo de coisa somos mais adequados. Somos livres para descobrir o nosso próprio nicho na vida, o que não é possível sem nos lançarmos nessa descoberta. A tentativa e o erro são a estrada para o sucesso, e você não pode andar nessa estrada enquanto seu carro estiver estacionado. Portanto, comece a se mexer, e Deus lhe dará a direção. Quando as pessoas são confiantes, elas tentam coisas novas, e continuam tentando até que encontrem um meio de serem bem-sucedidos naquilo que Deus as chamou para fazer.

Claro que às vezes a vida faz com que nos sintamos impotentes diante de determinadas situações, mas a verdade é que, sem Deus, seremos sempre impotentes mesmo.

Por exemplo, uma garotinha de três anos de idade se sentia segura nos braços do pai enquanto ambos estavam no meio de uma piscina. Mas seu papai, só para se divertir, começou a andar lentamente em direção à parte mais funda, cantando bem suave: "Mais fundo, e mais fundo, e mais fundo", enquanto a água subia mais e mais sobre a criança. O rosto da menina registrava graus crescentes de pânico, enquanto ela se agarrava cada vez mais forte a seu pai, que, naturalmente, alcançou o fundo com facilidade. Se a menininha fosse capaz de analisar sua situação, ela poderia perceber que não havia razão para pânico. A profundidade da água em QUALQUER parte da piscina era superior à sua cabeça. Para ela, a segurança em qualquer ponto daquela piscina dependia de seu pai.

Todos nós, em diversos momentos de nossas vidas, sentimos que "perdemos o chão sob os nossos pés" ou que "somos uns completos incapazes". Há problemas por toda parte: a perda de um emprego, a morte de alguém, brigas na família, ou o diagnóstico ruim de um médico. Quando essas coisas acontecem, a tentação é de entrar em pânico porque sentimos que perdemos o controle. Mas pense nisso – assim como a criança na piscina, e verdade é que nunca estivemos no controle no que diz respeito aos elementos mais essenciais da vida. Sempre fomos sustentados pela graça de Deus, o nosso Pai, e isso não vai mudar. Deus nunca está além de Sua própria profundidade. Portanto, estaremos tão seguros no "lado fundo" da vida quanto estaremos na piscina dos bebês.

Um Pouco de Confiança em Deus Pode Levar Muito Longe

Katie Brown pesa apenas quarenta e três quilos e mede apenas um pouco mais de um metro e meio de altura. Mas ela fica muito mais alta que isso quando sobe com agilidade uma parede de escalada de 30 metros (equivalente a um prédio de 10 andares).

Katie é uma "alpinista de dificuldade", uma modalidade na qual ela é campeã mundial e ganhadora de diversas medalhas de ouro nos "X Games" – que você deve ter visto através de canais de TV a cabo como o ESPN.

Como você pode imaginar, é assustador para uma pessoa pequena encarar paredes de escalada e penhascos que medem vinte vezes a sua altura, mas Katie diz que a sua fé radical lhe traz paz, mesmo quando enfrenta desafios extremamente perigosos.

"Sei que não poderia ter feito o que fiz se não fosse cristã", explica ela. "A minha fé em Deus não descarta o meu medo saudável

Confiança

ou minha precaução ao escalar alturas extremas, mas me ajuda a lidar com essas coisas. Minha fé alivia em muito a pressão, pois você sabe que Deus não vai condená-la se você não vencer. Então, não há por que se preocupar. Quando vejo outras pessoas competindo, pergunto-me como eu poderia competir se não tivesse fé em Deus".

As "paredes" que você enfrenta na sua vida podem não ser literais ou físicas. Elas podem ser emocionais ou relacionais. E não há nada demais em se sentir intimidada ou assustada com as paredes da sua vida. Como Katie observa, não apreciar a importância de um grande desafio seria um tanto prejudicial.

Mas, assim como Katie, você pode estar segura da verdade de que Deus não a condenará se não conseguir chegar ao topo da sua parede – ou se precisar fazer cem tentativas. Deus está mais preocupado com o seu esforço fiel – um esforço construído sobre a confiança de que Ele realmente a ama.[3]

Se Não Conseguir da Primeira Vez, Tente, Tente de Novo

Acredito que o fracasso é parte de todo sucesso. Como diz John Maxwell, "Podemos cair sempre!". A história está cheia de exemplos de pessoas que são famosas por fazerem coisas grandes – no entanto, se estudarmos suas vidas, descobriremos que falharam brutalmente antes de obterem êxito. Algumas delas fracassaram inúmeras vezes antes de serem bem-sucedidas em alguma coisa. A verdadeira força delas não era tanto o seu talento, mas a sua tenacidade. Uma pessoa que se recusa a desistir conseqüentemente alcançará o sucesso.

Vejamos estes exemplos:

- Henry Ford fracassou e ficou sem dinheiro cinco vezes antes de alcançar o sucesso.[4]

- Michael Jordan, a estrela da NBA, uma vez foi eliminado do time de basquete de sua escola.
- Depois de seu primeiro teste como ator, Fred Astaire, a lenda das telas, recebeu a seguinte avaliação de um executivo da MGM: "Não sabe representar. Ligeiramente calvo. Sabe dançar um pouco".
- O escritor de best-sellers Max Lucado teve seu primeiro livro rejeitado por 14 editoras antes de encontrar uma que estivesse disposta a lhe dar uma chance.
- Um suposto especialista em futebol disse certa vez a respeito do técnico Vince Lombardi, duas vezes ganhador do Super Bowl: "Ele possui um conhecimento mínimo de futebol. Falta-lhe motivação".
- Walt Disney foi despedido de um jornal porque lhe faltavam idéias. Mais tarde, foi à falência diversas vezes antes de construir a Disneylândia.
- Por ocasião de sua eleição como presidente dos Estados Unidos, Abraham Lincoln foi chamado de "babuíno" por um jornal de Illinois, seu estado natal. O periódico prosseguiu dizendo na nota que o povo americano "estaria em melhor situação se ele fosse assassinado".
- Quando jovem, Burt Reynolds ouviu o veredito de que não sabia atuar. Ao mesmo tempo, disseram a seu colega Clint Eastwood que ele jamais teria sucesso no cinema porque seu pomo de Adão era grande demais.[5]

As pessoas relacionadas nos exemplos acima obtiveram êxito em uma série de empreendimentos diferentes, mas elas tinham uma coisa em comum: perseverança. Outro exemplo brilhante de perseverança é o renomado pastor John Wesley. Vamos dar uma olhada em seu diário...

Domingo, 5 de maio, manhã
Preguei na Igreja de St. Anne. Pediram-me que não retornasse.
Domingo, 5 de maio, tarde
Preguei na Igreja de St. Jude. Também não posso mais voltar lá.
Domingo, 19 de maio, manhã
Preguei na Igreja de St. Qualquer Coisa. Os diáconos convocaram uma reunião especial e disseram que eu não poderia retornar.
Domingo, 19 de maio, tarde
Preguei na rua. Fui expulso da rua.
Domingo, 26 de maio, manhã
Preguei na campina. Fui expulso da campina quando um touro foi solto durante o culto.
Domingo, 2 de junho, manhã
Preguei ao ar livre, nos limites da cidade. Fui expulso da estrada.
Domingo, 2 de junho, tarde
Preguei em um pasto. Dez mil pessoas vieram ouvir-me.[6]

Você percebeu que o Sr. Wesley precisou ter firmeza — e um grande senso de humor — para continuar seguindo em frente diante da rejeição e do fracasso? E, finalmente, ele foi bem-sucedido porque sofria de um caso clássico de autoconfiança. A recusa em desistir é um dos sintomas da autoconfiança. Eu a incentivo a continuar tentando e, se a princípio você não tiver êxito, tente, tente de novo!

Capítulo Dois

ACABANDO COM OS MAL-ENTENDIDOS

Deus nunca pretendeu que as mulheres fossem menos que os homens na avaliação de ninguém. Nem que estivessem acima dos homens. Ambos os gêneros devem trabalhar juntos para o bem-estar de todos. O espírito competitivo que existe na nossa sociedade hoje entre homens e mulheres é uma completa tolice. Quando as mulheres começaram a perceber que teriam de lutar por seus direitos, algumas delas passaram a tomar atitudes radicais. Parece que nós, seres humanos imperfeitos, sempre estamos na pior – de um lado ou de outro. Assim como um motorista amador, começamos a nos desviar para um lado da estrada e, depois, querendo corrigir a rota, fazemos isso tão bruscamente que acabamos desviando completamente para o lado oposto!

A chave para a paz entre os sexos é o equilíbrio. Vejamos o que Deus tem a dizer sobre este assunto.

Uma Visão de Deus Sobre as Mulheres

Deus criou as mulheres e disse que tudo quanto criara era muito bom. Aprenda a acreditar no que Deus diz sobre você, e não no que as outras pessoas dizem a seu respeito. Deus a criou, e Ele olhou para você e declarou: "Muito bom!" Você é uma das obras de arte de Deus, e o Salmo 139 declara que todas as Suas obras são maravilhosas. Portanto, você deve ser maravilhosa!

Pelo fato de Eva ter desobedecido a Deus em primeiro lugar e tentado Adão, as mulheres têm sofrido uma acusação injusta desde então. Acredito que Adão deveria ter tomado uma atitude e se recusado a fazer o que Eva o estava tentando a fazer – em vez de fazê-lo e depois culpá-la pela confusão em que se meteram. Afinal, Deus criou Adão primeiro, e foi a Adão que Ele deu a ordem para não comer do fruto da árvore do conhecimento do bem e do mal.

Estou certa de que Adão contou a Eva sobre a ordem de Deus, mas certamente não foi por culpa dela que ele não fez uso da disciplina quando a tentação veio. Na verdade, a Bíblia afirma que o pecado entrou no mundo através de um homem, Adão (Romanos 5.12; 1 Coríntios 15.21,22). Não estou dando desculpas para Eva. Ela fez uma escolha errada, teve de responsabilizar-se pela sua parte, mas não foi a única causa daquele grande pecado. Houve um esforço em equipe.

Você conhece a história. Para começar, Satanás tentou Eva e depois a usou para tentar Adão. Cada um deles é responsável. Infelizmente, homens e mulheres têm culpado um ao outro por criarem problemas desde o Jardim do Éden. É tempo de mudar.

Você já se perguntou por que Satanás abordou Eva com suas mentiras, em vez de se dirigir a Adão? Pode ser que ele tenha achado que poderia brincar com as emoções dela mais facilmente do que com as de Adão. Embora nem sempre seja este o caso, as mulheres em geral são mais levadas pela emoção, ao passo que os homens são mais racionais.

De todo modo, Satanás teve êxito em fazer com que Eva fizesse o que ela sabia que não deveria fazer. Ele a seduziu para pecar por meio do engano e continua agindo dessa mesma maneira hoje com qualquer pessoa que lhe dê ouvidos.

Quando Deus tratou com Adão e Eva acerca do que haviam feito, Ele tratou não apenas com o casal, mas também com Satanás. Deus disse a Satanás: "Porei inimizade entre você e a mulher, entre a sua descendência e o descendente dela; este lhe ferirá a cabeça, e você lhe ferirá o calcanhar" (Gênesis 3.15).

Loren Cunningham e David Joel Hamilton fazem uma observação interessante em seu livro *Why Not Women?* (Por que Não as Mulheres?): "Desde o Jardim do Éden, quando Deus disse a Satanás que a semente da mulher lhe feriria a cabeça, o diabo tem atacado ferozmente as mulheres em todo o mundo".[1]

Gênesis 3 deixa claro que Satanás e a mulher estão em conflito. Por quê? Satanás tem odiado as mulheres praticamente desde o princípio, pois seria uma mulher quem finalmente daria à luz Jesus Cristo, aquele que derrotaria Satanás e todas as suas obras malignas. Assim como Deus dissera, o descendente dela feriu-lhe a cabeça (sua autoridade).

Olhando em Retrospectiva

Na antiga mitologia e literatura gregas, as mulheres geralmente são descritas como uma maldição maligna que os homens têm de suportar. Platão, o filósofo, por exemplo, ensinou que o Hades não existia. Ele dizia que a verdadeira punição do homem era ter de suportar a mulher (Você não adoraria vê-lo ser entrevistado no programa da Oprah Winfrey?) Ele dizia que os homens não podiam entrar no mundo sem as mulheres – mas que não sabiam como aturá-las depois disso. Platão é visto por muitos como um grande filósofo e muitas de suas idéias influenciaram a nossa cultura. Será que algumas das atitudes femininas que perduraram ao longo do tempo poderiam ter sido registradas já no ano 400 a.C.?

Em um dos documentos mais antigos da literatura européia, a Ilíada de Homero, ele sustentava que as mulheres eram a causa de todos os conflitos, de todo sofrimento e infelicidade. Elas eram propriedades a serem conquistadas e não tinham qualquer valor intrínseco.[2]

O poeta Hesíodo é outra personalidade que não seria convidada para falar em uma convenção da *Organização Nacional Pelas Mulheres* (N.O.W, por suas siglas em inglês). Ele sustentava que Zeus, o deus supremo da mitologia grega, odiava as mulheres.[3] Hesíodo também afirmava que Zeus havia criado as mulheres de uma entre dez fontes: da fêmea cabeluda do javali, da raposa malvada, de uma cadela, do pó da terra, do mar, do burro empacado e teimoso, da doninha, da égua delicada e de crina comprida, da macaca ou da abelha. Não é exatamente o melhor dos elogios, concorda?

Para piorar as coisas, Hesíodo pintava as mulheres como a fonte de toda tentação e de todo mal. Para ele, as mulheres eram uma maldição, criada para tornar os homens infelizes.

> Eis o ponto principal: o homem precisa da mulher e a mulher precisa do homem

Dos três exemplos acima, podemos ver que a misoginia ocidental – a aversão às mulheres – tem raízes profundas. Acredito que Satanás tem operado metodicamente através dos séculos para construir um pensamento errado a respeito das mulheres e incuti-lo na sociedade. Esse pensamento errado fez com que as mulheres fossem maltratadas, e, por sua vez, com que perdessem a confiança em si mesmas. Parece que as mulheres ou não possuem autoconfiança alguma ou são feministas radicais tentando corrigir um problema real de modo extremista, o que acaba por criar mais problemas do que resolvê-los.

Eis o ponto principal: o homem precisa da mulher e a mulher precisa do homem. Isso não significa que todos os homens e mulheres têm de se casar, mas sim que o mundo precisa tanto do homem quanto da mulher para girar harmoniosamente. Deus nos criou para precisarmos uns dos outros. A feminista radical tem a mesma atitude com relação aos homens que os homens tiveram com relação a ela no passado. Ela os odeia e sente que pode passar muito bem sem eles.

É certo que as mulheres têm sofrido abusos e difamações e têm sido tratadas com desprezo e desrespeito ao longo da história. Mas uma atitude amarga e vingativa não é a forma de corrigir este erro.

Deixe-me colocar isto no nível pessoal: fui abusada sexualmente por meu pai por muitos anos. Também sofri abuso nas mãos de outros homens ao longo dos primeiros 25 anos de minha vida. Desenvolvi uma postura de durona com relação a todos os homens e adotei um estilo áspero, rude. Eu agia como se não precisasse de ninguém. Desenvolvi uma personalidade falsa que na verdade eu detestava, mas desempenhava aquele papel porque tinha um medo terrível de ser ferida de novo – ou que tirassem vantagem de mim. Muitas feministas radicais foram abusadas de formas inimagináveis. Elas estão magoadas, feridas, como meninas presas dentro de corpos adultos – temendo ir para fora e ser machucadas de novo.

Compreendo os sentimentos dessas mulheres. Mas quero que todas saibam que, através da Palavra de Deus e da ajuda do Espírito Santo, fui curada no meu espírito, nas minhas emoções, na minha mente, na minha vontade e na minha personalidade. Foi um processo que se desenrolou por diversos anos, e tenho experiências em primeira mão suficientes para recomendar firmemente os caminhos de restauração e cura de Deus, em vez dos caminhos do mundo. É muito melhor deixar Deus curá-la do que passar a vida com amargura por causa do passado.

Estatísticas Chocantes

Por todo o nosso mundo, crimes horríveis e atos inconcebíveis acontecem todos os dias a mulheres e crianças que são impotentes para impedi-los. Uma tendência perturbadora que parece ter

Acabando com os mal-entendidos 37

aumentado nos últimos dez a vinte anos é a indústria do tráfico sexual – seres humanos sendo raptados e vendidos no mercado do sexo, geralmente em círculos de prostituição ou pior. O Departamento de Estado dos Estados Unidos calculou, em 2004, que de um número avaliado entre 600.000 a 800.000 homens, mulheres e crianças comercializados por meio do tráfico através das fronteiras internacionais a cada ano, aproximadamente 80% são mulheres e crianças, e mais de 50% são menores.[4]

Neary é uma dessas estatísticas. Ela cresceu na zona rural do Camboja. Seus pais morreram quando ela era criança, e,

> *em um esforço para proporcionar-lhe uma vida melhor, sua irmã casou-a quando ela tinha dezessete anos. Três meses depois, eles foram visitar um vilarejo de pescadores. Seu marido alugou um quarto no que Neary pensava ser uma pensão. Mas quando ela acordou na manhã seguinte, seu marido havia partido. O proprietário da casa disse-lhe que ela havia sido vendida por seu marido por 300 dólares, e que ela estava na verdade em um bordel. Durante cinco anos, Neary foi estuprada por cinco a sete homens por dia. Além do abuso físico brutal, Neary foi infectada com o vírus HIV e contraiu AIDS. O bordel jogou-a na rua quando ficou doente, e ela finalmente chegou a um abrigo local. Ela morreu de AIDS aos vinte e três anos.*[5]

E as coisas podem piorar ainda mais. Calcula-se que entre 114 milhões e 130 milhões de mulheres em todo o mundo passem pela experiência da circuncisão genital feminina (CGF), uma antiga prática ainda usada hoje em dia para manter as jovens "puras" e controladas por suas famílias. O ritual, que geralmente apresenta risco de morte, torna a relação sexual e o parto experiências extremamente dolorosas e traumáticas. É praticado principalmente na África e no Oriente Médio.[6]

Vamos nos aproximar um pouco mais da nossa realidade.

A cada dois minutos e meio, em algum lugar da América, alguém é atacado sexualmente e uma entre seis mulheres americanas já foi vítima de uma tentativa de estupro ou de um estupro completo. Dois terços dos estupros que ocorrem são realizados por pessoas que a vítima conhece.[7]

Dez por cento dos crimes violentos em 2003, inclusive ataques físicos e agressões, foram cometidos pelo parceiro íntimo da vítima, e as mulheres foram vitimizadas por seus companheiros em uma taxa maior do que os homens.[8] No mesmo ano, 9% das vítimas de assassinato foram mortas por seus maridos ou companheiros. A maioria das vítimas, 79% para ser exata, eram mulheres.[9]

É importante observar que cada uma das estatísticas tristes e chocantes acima afeta a vida de uma pessoa preciosa, criada à imagem de Deus. Nunca devemos ver apenas números; devemos ver pessoas.

Estivemos recentemente ministrando na África, e enquanto estávamos lá, visitamos um programa de assistência a crianças afetadas pela pandemia da AIDS. Durante nossa visita, observamos uma fileira de cabanas em uma rua principal, e uma de nossas anfitriãs mencionou que se uma criança do sexo feminino não conseguisse encontrar alimento ou um abrigo para aquele dia, ela podia se dirigir a uma dessas cabanas para ser usada como prostituta em troca de dinheiro suficiente para conseguir comida e uma cama para dormir. Muitas das meninas reduzidas a este horrível estilo de vida tinham a idade de oito e nove anos.

A degradação da mulher é um problema mundial. E é ainda pior nas partes do mundo que não têm nenhuma herança cristã. Essa situação trágica violenta os padrões de justiça de Deus. Jesus disse que não há macho nem fêmea – todos somos um nEle (Gálatas 3.28). A soma total da nossa dignidade e valor baseia-se em quem somos em Cristo, e não em se temos ou não um cromossomo Y.

Nosso gênero não determina o nosso valor; o nosso Deus, sim.

O Movimento pelos Direitos das Mulheres

Devemos admirar as mulheres que lutaram pelos direitos femininos. As mudanças positivas que surgiram desde 1848, por exemplo, são maravilhosas. O movimento que mais tarde iria trazer importantes mudanças para o segmento começou quando cinco mulheres se encontraram para tomar chá. A conversa delas voltou-se para a situação feminina de então. Uma das cinco, Elizabeth Stanton, desabafou seu descontentamento com as limitações impostas às mulheres sob a nova democracia da América.[10] Afinal, pensava ela, a Revolução Americana não havia sido feita setenta anos antes para a conquista da liberdade sobre a tirania? As mulheres haviam assumido riscos iguais aos dos homens, no entanto, não haviam ganho liberdade alguma. Elas ainda não eram capazes de exercer um papel atuante na nova sociedade.

Então, aquelas cinco mulheres decidiram fazer a primeira Convenção pelos Direitos das Mulheres. A reunião teve lugar em Sêneca Falls, Nova Iorque, na Capela Wesleyana, nos dias dezenove e vinte de julho de 1848.

No documento "Declaration of Sentiments", que surgiu como resultado do evento, Stanton relacionou cuidadosamente as áreas da vida onde as mulheres eram tratadas de forma injusta. Ela usou o padrão da Declaração de Independência como modelo e declarou: "Sustentamos tais verdades, por serem evidentes em si mesmas, de que todos os homens *e mulheres* (ênfase acrescentada) foram criados iguais; que foram dotados por Seu Criador de certos direitos inalienáveis; e que entre esses direitos estão a vida, a liberdade e a busca da felicidade".

A versão de Stanton dizia: "A história da humanidade é uma história sucessiva de danos e usurpações por parte do homem com relação à mulher, tendo como objetivo direto o estabelecimento de uma tirania absoluta sobre ela. Para provar isto, deixemos que os fatos passem pela análise de um mundo imparcial". Então, o documento especificava:

> As mulheres casadas eram consideradas legalmente mortas aos olhos da lei.
> As mulheres não tinham permissão para votar.
> As mulheres tinham de se submeter às leis quando não tinham voz na criação das mesmas.
> As mulheres casadas não tinham direito à propriedade.
> Os maridos tinham autoridade legal e responsabilidade sobre as esposas – a ponto de poderem aprisioná-las ou bater nelas impunemente.
> As leis do divórcio e da custódia de filhos favoreciam os homens, não dando qualquer direito às mulheres.
> As mulheres tinham de pagar impostos sobre a propriedade, mas não tinham qualquer representatividade na arrecadação desses impostos.
> A maioria das profissões era vedada às mulheres, e quando trabalhavam, recebiam apenas uma fração do que era pago aos homens.
> As mulheres não tinham permissão para ingressar em profissões como Medicina e Direito.
> As mulheres não tinham meios de adquirir educação, uma vez que nenhum colégio ou universidade aceitava estudantes do sexo feminino.
> Com poucas exceções, às mulheres não era permitido participar dos assuntos da igreja.

Em outras palavras, as mulheres estavam sendo roubadas de sua autoconfiança e respeito próprio, e ficavam inteiramente dependentes dos homens.

Entretanto, a mudança estava no ar, e Stanton e suas colegas tinham esperanças de que o futuro poderia e seria mais brilhante para as mulheres.

Acabando com os mal-entendidos

A história nos conta, naturalmente, que a luta pelos direitos das mulheres foi longa e exaustiva. A princípio, as pessoas ficaram chocadas e escandalizadas pelo fato de as mulheres exigirem votar. Até mesmo muitas mulheres se posicionaram decididamente contra isso. Os jornais lançaram um ataque cruel ao movimento; entretanto, ele continuou a crescer rapidamente.

Onde Estamos Hoje?

Como sabemos, as mulheres já percorreram um longo caminho, e eu pessoalmente admiro aquelas que lutaram o bom combate e prepararam o caminho para a liberdade que tenho hoje. É triste dizer, porém, que a discriminação contra a mulher ainda é aparente em muitas áreas. Li recentemente que, nos Estados Unidos, as mulheres ainda ganham 77% do salário que um homem ganha para fazer o mesmo serviço.[11]

Como uma mulher no ministério, já tive de lidar com a minha quota de crítica e julgamento por nenhuma outra razão senão o fato de ser mulher, pois, segundo muitas pessoas acreditam, "as mulheres não deviam pregar ou ensinar a Palavra de Deus e, principalmente, não aos homens".

Responderei a esta alegação mais tarde e mostrarei que Deus sempre usou as mulheres no ministério. Na verdade, o Salmo 68.11 diz: "O Senhor dá a palavra (de poder); as mulheres que publicam (as boas novas) são uma grande falange" (AMP).

Por causa da discriminação prolongada, muitas mulheres ainda agem com insegurança. Elas vivem com medo de dar um passo além daquilo que sentem ser um comportamento "feminino" aceitável. Lembro-me de pensar que eu não era "normal" porque era decidida, tinha sonhos e alvos, e queria fazer grandes coisas. Eu continuava tentando me acalmar e ser uma mulher "normal", mas isso simplesmente não funcionava para mim. Estou satisfeita agora que encontrei coragem para fazer algo radical e correr atrás dos meus sonhos.

É tempo de a verdade ser dita e as pessoas entenderem que o ataque sobre as mulheres na verdade vem do próprio Satanás. Ele trabalha por meio de pessoas, mas ele é a fonte do problema. E a sua obra entulha a nossa história com todo tipo de lixo. As mulheres têm sido habitualmente discriminadas, o que contraria a vontade de Deus. Em Gênesis, a Bíblia simplesmente declara:

> *"Criou Deus, pois, o homem à Sua imagem, à imagem de Deus o criou; homem e mulher os criou. E Deus os abençoou e lhes disse: Sede fecundos, multiplicai-vos, enchei a terra e sujeitai-a [usando todos os seus vastos recursos a serviço de Deus e do homem]; dominai sobre os peixes do mar, sobre as aves dos céus e sobre todo animal que rasteja pela terra." (Gênesis 1.27, 28)*

Com certeza este trecho soa aos meus ouvidos como se Deus estivesse falando ao homem e à mulher igualmente, dando a ambos direitos e autoridade e dizendo aos dois que vivam vidas frutíferas.

Vemos em outras partes da Bíblia que Deus estabeleceu a forma como a autoridade deveria fluir dEle para o homem e depois para a mulher. As Escrituras declaram que o marido é o cabeça da mulher assim como Cristo é o cabeça da Igreja. A mulher deve submeter-se ao seu esposo conforme convém ao Senhor. No entanto, na minha avaliação e compreensão da natureza de Deus, essa prerrogativa nunca teve a intenção de incluir abuso, controle, manipulação ou maus-tratos de qualquer espécie. Na verdade, o homem é instruído na Palavra de Deus a amar sua esposa como ama o seu próprio corpo; a alimentá-la e a tratá-la com bondade e ternura (Efésios 6.21-33).

Deus é um deus de ordem, e Ele estabeleceu limites de autoridade que permitem uma existência ordenada e pacífica. Ele espera que nos submetamos um ao outro e que haja respeito mútuo. Se um casal puder andar do jeito que Deus deseja, o seu relacionamento

Acabando com os mal-entendidos 43

será maravilhoso e incrivelmente frutífero. Entretanto, o orgulho destrói a maioria dos relacionamentos. É o grande problema do "eu". Pessoas egoístas e egocêntricas fazem o que for preciso para que as coisas sejam do seu jeito, inclusive abusando daqueles que deveriam alimentar e proteger.

Se uma pessoa que tem autoridade administra essa autoridade do jeito de Deus, ela se torna uma rede de proteção e de segurança para os que estão debaixo dela. Mas se alguém que esteja no comando abusa dessa posição, usando-a para obter poder e ganho pessoal, seus subordinados resistirão e se rebelarão, ou, na melhor das hipóteses, ficarão cheios de ressentimento. Exerço muita autoridade, e aprendi que "a autoridade não precisa ser autoritária". As pessoas admiram pessoas que ocupam posições de chefia e na verdade querem ter alguém a quem respeitar – desde que sejam bem tratadas.

Está claro hoje que muitas pessoas não sabem como usar a sua autoridade com responsabilidade e amor. As estatísticas de abuso infantil de todo tipo são impressionantes – e aumentam em escala alarmante. Nós nos perguntamos: "Como alguém poderia abusar de uma criança inocente e indefesa?" No entanto, isso acontece em algum lugar do mundo, a cada minuto, todos os dias. Por quê? Alguns adultos simplesmente são egoístas. Meu pai abusava de mim sexualmente para satisfazer um desejo sexual egoísta. Ele estava em posição de autoridade e ninguém podia fazê-lo parar; portanto, ele fazia o que queria. Não pensava em qual seria a conseqüência para mim; só pensava no que queria naquele momento.

O abuso também pode assumir outras formas. Alguns pais descontam a sua frustração em seus filhos, verbal e fisicamente, privando-os da proteção emocional de que precisam. Os filhos são acusados, são alvos de ressentimento e culpa, e vistos como uma inconveniência. Muitas crianças são queimadas, espancadas, levadas à inanição, aprisionadas e tratadas de outras formas incrivelmente cruéis. Eu poderia lhe contar uma história após a outra que partiria o seu coração, mas este não é o meu propósito neste livro. Meu propósito é encorajá-la como mulher, dizer-lhe que é hora de você assumir o seu lugar de direito na família e na sociedade. É tempo de você ter um respeito próprio saudável, um amor próprio equilibrado e uma confiança firme e imutável em Deus e nos dons, talentos e capacidades que Ele colocou dentro de você. Você é mulher! Deus a ama! Você está em posição de igualdade com os homens; você tem um destino. Está mais do que na hora de alguém perceber quem você realmente é!

Capítulo Três

DEUS USA MULHERES NO MINISTÉRIO?

O debate sobre se as mulheres devem ou não ser usadas no ministério ainda é veemente hoje em dia, pelo menos em alguns círculos. Esta é uma pergunta particularmente melindrosa: "Uma mulher pode pastorear uma igreja?"

Ao tratar desta questão, quero enfatizar desde o princípio que não estou tentando generalizá-la com relação aos homens, porque alguns realmente apóiam a idéia de que as mulheres sejam usadas por Deus. Eles estudaram a fundo o que a Bíblia diz sobre o assunto e aprenderam que Deus sempre usou e sempre usará mulheres em papéis-chave de liderança. Conheço muitos homens que de fato lutaram para restaurar os direitos das mulheres na igreja.

Entretanto, há homens – e denominações inteiras – que são radicalmente contra a idéia de as mulheres ocuparem posições-chave na liderança da igreja, ou fazerem algo que possa ser definido como pregar ou ensinar qualquer coisa além das aulas da Escola Bíblica infantil.

Historicamente, de um modo geral, foi permitido às mulheres fazer muito do trabalho relacionado à oração e às funções serviçais da igreja, senão todo ele. Enquanto isso, aqueles mesmos homens que se recusavam a deixá-las pregar ou ensinar ficavam em casa descansando.

Visite qualquer igreja americana típica e você verá mais mulheres ensinando na Escola Bíblica do que homens. Esse fato é importante porque, se formos interpretar literalmente a famosa declaração de Paulo de que as mulheres deveriam ficar caladas na igreja, neste caso elas não deveriam estar fazendo todo esse trabalho de ensino aos domingos.

> Pastores sempre me dizem que se as mulheres parassem de comparecer à igreja e de fazer todo o trabalho que fazem, a maioria das igrejas não sobreviveria.

Não é de admirar que a maioria das mulheres com quem falo sobre este assunto sintam-se confusas com tudo isso. Principalmente aquelas que acreditam que Deus as está chamando para fazer algo para Ele, mas que costumam ouvir que fazer isso seria contrário às Escrituras. Para confundir ainda mais a questão, a maioria das igrejas de hoje vê mais mulheres do que homens freqüentando os cultos e as reuniões de oração. Pastores sempre me dizem que se as mulheres parassem de comparecer à igreja e de fazer todo o trabalho que fazem, a maioria das igrejas não sobreviveria.

Quero dizer mais uma vez que sou realmente grata pelos homens que lutam de verdade pelos direitos das mulheres e por aqueles que tentaram trazer uma compreensão equilibrada acerca dos papéis da mulher na igreja. Há muitos deles, e eu os admiro a todos. Recebi demonstrações de respeito e honra por parte de milhares de homens, mas ainda existem alguns em posição de autoridade espiritual que são capazes de impedir que as mulheres assumam o papel que lhes cabe. Isso me entristece. Por que as mulheres deveriam ser impedidas de cumprir o seu destino, ordenado por Deus, por homens que possuem um ego excessivamente grande e que se recusam a ver tudo o que Ele tem a dizer sobre as mulheres?

Se alguns homens querem ter toda a autoridade, eles também devem assumir toda a responsabilidade. Ninguém deveria receber autoridade sem arcar também com a responsabilidade que vem junto com ela. É triste dizer que muitas mulheres são os cabeças espirituais de seus lares. Algumas mulheres precisam que seus esposos se levantem e sejam verdadeiros homens, e acredito que isto significa ser um homem que busca a Deus regularmente e que conduz sua família em justiça e piedade. Sei, com absoluta certeza, que muitos bons homens estão fazendo isso – inclusive o meu próprio marido – mas eu gostaria de ver mais homens progredirem nessa área.

Encorajo as mulheres a orarem por seus maridos, para que eles realmente assumam o seu lugar como cabeça espiritual do lar. Também encorajo as mulheres a deixarem que os homens façam isso sem se oporem a eles. Algumas mulheres dizem que querem que seus maridos sejam o cabeça do lar, mas quando eles tentam, elas oferecem resistência.

Quanto Trabalho os Críticos Estão Realizando?

Esta é uma verdade que foi comprovada com o tempo: a maioria das pessoas que critica outras pelo que estão fazendo geralmente não está fazendo *nada*. É triste quando não se tem mais nada a fazer além de criticar aqueles que estão tentando fazer alguma coisa para tornar o mundo um lugar melhor.

Lembro-me que fui membro de uma igreja cujo pastor acreditava que as mulheres só deveriam ser usadas de determinada forma. Qualquer mulher que quisesse fazer alguma coisa além de orar, limpar ou trabalhar no berçário tinha de submeter o seu caso à aprovação dele e dos presbíteros da igreja. Eu estava dando um estudo bíblico em casa, com excelentes resultados, quando começamos a freqüentar aquela igreja, e, certo domingo, quando Dave e eu saíamos do prédio da igreja, o pastor veio ao nosso encontro. Ele olhou para Dave e disse: "Irmão, você deveria estar ministrando aquele estudo em sua casa, e não sua esposa!" Como queríamos ser obedientes à autoridade sob a qual estávamos, nas semanas seguintes Dave tentou ensinar e eu tentei ficar calada. Nenhum dos dois estava feliz, nem as pessoas que freqüentavam as aulas. O pastor tinha suas regras, mas o problema era que Deus havia me chamado para ensinar e não havia chamado Dave daquela forma. Meu marido é maravilhoso em outras áreas, tem dons preciosos e é uma parte muito importante do nosso ministério, mas ele será o primeiro a lhe dizer que não foi chamado para ensinar. Com certeza, se Deus não tivesse me chamado para ensinar, Ele não teria me dado o talento para fazê-lo – nem me dado o desejo de fazê-lo. Pelo que posso discernir das Escrituras, Deus não está nesse ramo de frustrar e confundir as pessoas.

O pastor que mencionei possui uma formação religiosa que proíbe a ordenação de mulheres ou o exercício de qualquer função pública na igreja. Não é permitido que elas ensinem, preguem ou pastoreiem. O estranho é que na maioria das igrejas onde as mulheres não podem exercer tais funções, permite-se que elas sejam missionárias em terras distantes. Não consigo imaginar como uma mulher pode ser uma missionária bem-sucedida sem jamais ter ensinado. É impossível levar pessoas a Cristo sem pregar o Evangelho a elas. Podemos considerar que isso seja "testemunhar", mas o princípio é o mesmo, que eu saiba. Naturalmente, um crítico diria que está certo que as mulheres falem de Cristo, desde que seja na igreja. Mas a igreja é um prédio ou um organismo vivo que consiste de pessoas de todo o mundo que seguem a Jesus? Com certeza a igreja é mais do que tijolos, cimento, janelas de aço inoxidável e um órgão.

Quando freqüentava essa mesma igreja, também reuni um grupo de mulheres e incentivei-as a saírem comigo uma vez por semana para distribuir folhetos evangélicos. Colocávamos a literatura nos pára-brisas dos carros e a entregávamos às pessoas nos shoppings e nas ruas. Em poucas semanas, tínhamos distribuído dez mil folhetos, por nenhuma outra razão além do nosso desejo de servir a Deus. Fui chamada à presença dos presbíteros da igreja e advertida publicamente por distribuir esse material sem a autorização dos mesmos.

Aqueles que me criticaram não queriam ajudar-me a entregar os folhetos, mas queriam impedir-me de fazê-lo. Sinto muito ter de dizer isto, mas acredito que a reprovação deles não era nada além de ego masculino ferido. Viram uma mulher fazer o que eles deveriam estar fazendo, então me atribuíram culpa para apaziguar suas próprias consciências culpadas.

Mulheres no Ministério: Uma Tradição Ordenada por Deus

Se olharmos para Miriam, Débora, Ester e Rute no Antigo Testamento – ou para Maria, a mãe de Jesus, Maria Madalena ou Priscila no Novo Testamento –, poderemos ver facilmente que Deus sempre usou as mulheres no ministério. Quando precisou de alguém para salvar os judeus da destruição que o perverso Hamã havia planejado para eles, chamou Ester (Ester 4.14b). Se Deus é contra usar mulheres, por que Ele não chamou um homem para fazer esse trabalho? Ester sacrificou seus planos de jovem mulher e permitiu-se deixar levar para o harém do rei a fim de estar na posição de falar em favor do povo de Deus quando chegasse a hora. Por causa de sua obediência, Deus lhe deu favor junto ao rei, e ela lhe expôs a existência de um plano para matar todos os judeus. Ela salvou sua nação, tornou-se uma rainha que se preocupava com os pobres e ocupou uma alta posição de liderança na terra.

> Se Deus não queria usar as mulheres no ministério, por que Ele as incluiu nos acontecimentos mais importantes da vida de Jesus?

Débora era profetiza e juíza. Como profetiza, ela era porta-voz de Deus. Como juíza, tomava decisões em nome de Deus (Juízes 4.5).

Maria Madalena e algumas outras mulheres foram as primeiras a visitar o túmulo no Domingo da Ressurreição (João 20.1). Elas o encontraram vazio, mas um anjo lhes apareceu e lhes deu estas instruções: "Ide e dizei a Seus discípulos que Ele ressuscitou". "Ide e dizei". Isso me soa como pregação do Evangelho. Na verdade, Lucas registra que quando Maria e suas amigas encontraram os outros discípulos, foram os discípulos que não acreditaram que Jesus havia ressuscitado dos mortos e que a sepultura estava vazia. Pergunto-me por que alguns deles ainda não tinham ido até o túmulo. Por que somente as mulheres se arriscaram a fazê-lo?

Uma mulher deu à luz o nosso Salvador, e muitas mulheres ajudaram a cuidar de Jesus e a sustentá-lo durante sua vida e ministério. As mulheres estavam junto à cruz quando Ele morreu, e foram as primeiras a ir ao túmulo vazio. Se Deus não queria usar mulheres no ministério, por que Ele as incluiu nos acontecimentos mais importantes da vida de Jesus?

Parece-me que Deus deu às mulheres um lugar de honra – em vez de excluí-las como alguns homens tentaram fazer.

Você quer mais exemplos? Priscila e seu marido Áquila tinham uma igreja em casa e, uma vez que ela é mencionada em pé de igualdade com ele, é possível que tenha pastoreado a igreja ao seu lado (Atos 18.2-26). É interessante que o nome dela seja mencionado primeiro, o que alguns eruditos dizem poder indicar que Priscila possuía um papel pastoral maior que o de seu marido.

As mulheres ministravam de Jesus e com Jesus. O mesmo verbo grego que é traduzido como diácono e aplicado a sete homens no Novo Testamento, também é aplicado a sete mulheres. São elas: a sogra de Pedro; Maria Madalena; Maria, a mãe de Tiago e José; Salomé, a mãe dos filhos de Zebedeu; Joana, a esposa de Cusa; Susana; e Marta, irmã de Maria e Lázaro.

Deus usa mulheres no ministério?

Quando Lucas menciona as viagens de Jesus, ele também menciona os doze homens que estavam com ele e algumas mulheres. É possível que essas mulheres tivessem um papel reconhecido publicamente, semelhante ao dos homens? Pelo menos um erudito acredita que sim. Elas sustentavam Jesus com aquilo que possuíam, segundo Lucas 8.3.

Quando as 120 pessoas se reuniram no cenáculo no dia de Pentecostes, esta contagem incluiu as mulheres (Atos 1.14,15). Se as mulheres não precisavam de poder para divulgar o Evangelho, por que elas foram incluídas no derramamento do Espírito Santo? Atos 1.8 afirma claramente que "recebereis poder, ao descer sobre vós o Espírito Santo, e sereis minhas testemunhas tanto em Jerusalém como em toda a Judéia e Samaria e até aos confins da terra".

Quando Joel profetizou sobre o futuro derramamento do Espírito Santo, ele disse que Deus derramaria o Seu Espírito sobre toda carne. Sobre os Seus servos e as Suas servas Ele derramaria o Seu Espírito (Joel 2.28,29). Ele disse que "todos eles" profetizariam. Não disse que apenas os homens profetizariam. Profetizar pode significar o mesmo que ensinar e pregar. Significa simplesmente proclamar a Palavra inspirada de Deus.

Dos trinta e nove colaboradores que Paulo menciona em seus escritos, pelo menos ¼ eram mulheres. Em Filipenses 4, Paulo encoraja Evódia e Síntique a continuarem colaborando e afirma que elas trabalharam com ele para divulgar as boas novas do Evangelho.

Além dos exemplos bíblicos mencionados acima, eu poderia criar uma lista bastante longa de mulheres que foram usadas com sucesso ao longo da história da igreja para fazerem grandes coisas no Reino de Deus. Algumas delas são Julian de Norwich, Madame Guyon, Joanna d'Arc, Aimee Semple McPherson, Kathryn Kuhlman, Maria Woodworth Etter, Madre Teresa, Catherine Booth, do Exército da Salvação, Corrie ten Boom, e Joni Eareckson Tada.

Mas, e Quanto a Paulo?

A mulher aprenda em silêncio, com toda a submissão. E não permito que a mulher ensine, nem exerça autoridade de homem; esteja, porém, em silêncio [nas assembléias religiosas]. (1 Timóteo 2.11,12, AMP)

Em quase toda entrevista que dou, perguntam-me o que acho do que Paulo disse sobre as mulheres ficarem em silêncio na igreja e não lhes ser permitido ensinar aos homens. Felizmente, depois que tiver terminado de escrever este livro, poderei simplesmente dizer às pessoas para comprarem um exemplar antes que saia a próxima entrevista. Assim elas saberão o que penso.

Em primeiro lugar, precisamos entender que existem verdades absolutas nas Escrituras e verdades que são relativas à época em que foram escritas. Em 1 Coríntios 14, quando Paulo disse às mulheres que ficassem caladas, ele já havia dito a outros dois grupos que ficassem calados. Foi aos que falavam em línguas e aos que profetizavam (ver 1 Coríntios 14.28,32,34). Todas essas instruções destinavam-se a trazer ordem ao culto – e não a fazer as pessoas se calarem para sempre ou impedi-las de ensinar e pregar o Evangelho de Jesus Cristo. Para ser sincera, supondo que tantas pessoas precisem ouvir o Evangelho, não consigo imaginar Deus proibindo qualquer pessoa que esteja disposta a pregar de fazê-lo. O Senhor nos instruiu a orarmos para que Ele enviasse trabalhadores para a seara. Ele disse que a seara está madura e que os trabalhadores são poucos (Lucas 10.2). Ele não disse: "Orem para que Eu envie trabalhadores homens para a colheita".

Agora, voltemos à nossa passagem problemática de Paulo. Parece que aqueles que falavam em línguas, aqueles que profetizavam e algumas das mulheres estavam atrapalhando o culto por várias razões. Eles não tinham domínio próprio e não estavam fazendo uso da sabedoria para falar na igreja. As mulheres eram mal-educadas e talvez fizessem perguntas em momentos inoportunos. Muitas pessoas que estavam se tornando cristãs haviam estado envolvidas na adoração pagã, que incluía abundância de barulhos em alto volume durante os cultos aos deuses pagãos. É possível, segundo estudiosos, que algumas das mulheres, em sua empolgação e entusiasmo, possam ter retomado algumas de suas práticas pagãs.

A partir desses referenciais, vamos dar uma olhada melhor no que Paulo disse.

> *Conservem-se as mulheres caladas nas igrejas, porque não lhes é permitido falar; mas estejam submissas como também a lei o determina. Se, porém, querem aprender alguma coisa, interroguem em casa, a seu próprio marido; porque para a mulher é vergonhoso falar na igreja [para usurpar e exercer autoridade sobre os homens na igreja!] Porventura a Palavra de Deus se originou no meio de vós [Coríntios] ou veio ela exclusivamente para vós outros? (1 Coríntios 14.34-36, AMP)*

A igreja de Corinto e Paulo se correspondiam mutuamente, com os líderes da igreja fazendo perguntas e Paulo respondendo. Alguns eruditos indicam que Paulo parece repetir uma pergunta feita pelos Coríntios nos versículos 34 e 35 – e então, no versículo 36, ele responde com "Porventura a Palavra de Deus se originou no meio de vós (Coríntios) ou veio ela exclusivamente para vós outros?" Parece que Paulo está surpreso com a pergunta deles e lembra-os de que a Palavra de Deus veio para todas as pessoas. Estou inclinada a concordar com esta linha de pensamento; de outro modo, o comentário de Paulo no versículo 36 não faria sentido. Ele prossegue explicando que os Coríntios deveriam desejar ardentemente e de coração profetizar, falar em línguas e interpretar – e não proibir ou impedir esses dons. Ele conclui dizendo que todas as coisas devem ser feitas com vistas à decência e ao decoro, e de forma ordenada.

Você deve ter percebido que Paulo diz que as mulheres não devem usurpar a autoridade dos homens. É verdade que algumas mulheres que pregam ou ensinam podem desenvolver uma atitude errada. Elas podem pensar que sua posição lhes permite exercer autoridade sobre as pessoas. Não sou responsável pelo que as outras mulheres fazem, mas, quanto a mim, posso dizer sinceramente que quando ensino a Palavra de Deus, não me vejo exercendo autoridade sobre homens ou mulheres. Eu apenas uso o dom da comunicação que Deus me deu para cumprir o chamado de minha vida para ensinar. Quero ajudar as pessoas a entenderem a Palavra de Deus para que elas possam aplicá-la com facilidade às suas vidas diárias. Quando faço uma reunião pública, acredito que tenho autoridade sobre aquela reunião e que sou responsável por manter a ordem, mas, repito, nunca senti estar exercendo autoridade sobre as pessoas. Pode ser que a igreja de Corinto estivesse lidando com uma mulher ou com algumas mulheres que tinham uma postura antibíblica, mas entendo que todas as mulheres não deveriam ser punidas permanentemente por isso.

É difícil saber exatamente o que estava acontecendo quando Paulo escreveu essa carta, mas não podemos usar esse versículo para dizer que as mulheres estavam proibidas para sempre de falar na igreja. Precisamos olhar todas as outras passagens que indicam claramente que Deus usava as mulheres regularmente.

Paulo também reconheceu que as mulheres tinham o direito de aprender e de se educar quando lhes disse que aprendessem com seus esposos em casa. Como mencionei anteriormente, acredito que o comentário paulino de permanecerem caladas na igreja tinha a intenção de manter a ordem, e não de impedir que as mulheres participassem de forma adequada. Elas deviam simplesmente submeter-se à autoridade presente, assim como esperava-se que os outros fizessem.

Em 1 Coríntios 11.5, Paulo deu instruções para que a mulher tivesse a cabeça coberta enquanto orava ou profetizava publicamente (ensinando, refutando, reprovando, advertindo ou consolando). Por que Paulo instruiria uma mulher quanto à forma de se vestir quando orava ou profetizava (lembre-se, parte da definição de profetizar significa ensinar), se exigia que as mulheres ficassem sempre caladas na igreja? É impossível profetizar e ficar calada ao mesmo tempo (Casualmente, era costume da época as mulheres cobrirem a cabeça durante esses momentos em sinal de respeito e submissão à autoridade. Este não é mais um costume na nossa sociedade e não é algo que seja ensinado às mulheres atualmente).

Então, recapitulando, em 1 Timóteo 2, Paulo disse que não permitia às mulheres ensinar. Este único versículo impediu que milhares de mulheres cumprissem o seu destino ordenado por Deus ao longo dos anos. Priscila, juntamente com seu marido, Áquila, foi uma líder fundadora dessa mesma igreja à qual Paulo estava escrevendo. Em vista disso, será que ele realmente pretendia que as mulheres ficassem caladas e não ensinassem? Será que Paulo estava dizendo que as mulheres nunca poderiam ser líderes na igreja, quando foi ele quem pediu à igreja de Roma que recebesse a ministra Febe com a honra e o respeito devidos? (Romanos 16.1,2)

Talvez nunca saibamos exatamente com que tipo de coisas Paulo estava lidando e por que ele se expressou da forma que fez nessa passagem tão controversa, mas é evidente que ele estava arbitrando sobre uma situação específica para um período específico da história – e que não pretendia se tornar uma regra "eterna".

Lembre-se, Paulo disse em 1 Timóteo 2.9 que as mulheres deviam se enfeitar modesta e adequadamente e com sensibilidade; não com penteados elaborados ou ouro ou pérolas ou roupas caras. Isto significa que qualquer mulher hoje que use ouro ou pérolas está desobedecendo ao que Paulo disse? Este não é o caso, absolutamente, porque, uma vez mais, vemos que o que Paulo escreveu destinava-se a situações específicas relacionadas aos costumes da época. Os romanos apreciavam as pérolas mais do que qualquer outra jóia, e usá-las era uma demonstração de vaidade das mais pomposas. Paulo sentia que as mulheres cristãs não deveriam fazer qualquer coisa que fizesse com que elas parecessem mundanas. Éfeso era uma cidade pecaminosa, e as mulheres que usavam jóias e roupas sofisticadas, ou que tinham penteados extravagantes, eram consideradas vaidosas, se não completamente imorais. Paulo queria que as mulheres se concentrassem na beleza interior, mais do que na aparência exterior.

> Nunca deixe ninguém lhe dizer que Deus não pode ou não vai usá-la somente porque você é mulher.

Se ficássemos presos a todos os costumes do tempo em que Paulo escreveu sua carta, então os homens teriam de usar mantos ou túnicas, porque naqueles dias eles não usavam calças. O estilo muda, os tempos mudam, e deixe-me repetir: muito do que Paulo disse com relação às mulheres diz respeito a uma época específica da história da igreja. E essa época passou.

Finalmente, quero dizer que alguns eruditos acreditam que Paulo se dirigia a uma determinada mulher que estava iludida e perturbada. Ele queria que ela aprendesse a forma correta de se portar, mas isso teria de ser feito em casa, e não durante o culto da igreja. Até que ela aprendesse, estaria proibida de falar na igreja ou de ensinar de um modo geral.

Não sou especialista em teologia para discutir este assunto em profundidade. Li muito sobre o que outras pessoas mais instruídas que eu escreveram, e esforcei-me para compartilhar, em parte, o que sinto que aprendi com elas. Tudo o que sei é que Deus sempre usou – e ainda usa – mulheres como líderes e mestras, pregadoras, ministras, missionárias, escritoras, evangelistas, profetas, e daí por diante. Você encontrará, no final deste capítulo, uma relação de outros livros sobre o assunto que você poderá ter a opção de ler se achar que precisa de mais informações além do que as que incluí nesta parte do livro.

Apenas lembre-se que Deus a ama e quer usá-la de forma poderosa para ajudar outras pessoas. Nunca deixe ninguém lhe dizer que

Deus não pode ou não vai usá-la somente porque você é mulher. Como mulher, você é criativa, confortadora, sensível, e pode ser uma tremenda bênção. Você pode dar muitos frutos bons na sua vida. Você não tem de passar meramente pela vida sem ser notada, sempre nos bastidores. Se Deus a chamou para ser líder, você precisa liderar. Se Ele a chamou para o ministério, você precisa ministrar. Se Ele a chamou para os negócios ou para ser uma dona de casa, então você precisa ter coragem para ser tudo o que Ele a chamou para ser.

Fontes Recomendadas

Why Not Women? A Fresh Look at Scripture on Women in Missions, Ministry and Leadership, por Loren Cunningham and David Joel Hamilton, com Janice Rogers. YWAM Publishing, 2000.

Are Women Human?, por Dorothy L. Sayers, William B. Eermans Publishing Company, Grand Rapids, 1971.

Beyond Sex Roles: What the Bible Says About a Woman's Place in Church and Family, por Gilbert Bilezikian, Baker Book House, Grand Rapids, segunda edição, 1993.

Female Ministry: Woman's Right to Preach the Gospel, por Catherine Booth, The Salvation Army Supplies Printing and Publishing Department, N. Iorque, 1859, reimpresso em 1975.

What Paul Really Said About Women: An Apostle's Liberating View on Equality in Marriage, Leadership, and Love, por John Temple Bristow, Harper and Row, S. Francisco, 1988.

Who Said Women Can't Teach?, por Charles Trombley, Bridge Publishing, Inc., South Plainfield, 1985.

■ *Capítulo Quatro* ■

OS SETE SEGREDOS DE UMA MULHER CONFIANTE

Toda causa tem um efeito. Se algumas mulheres são confiantes enquanto outras não o são, deve haver razões para isso. Quero examinar algumas delas para ajudá-la a explorar elementos que podem ajudá-la a viver de forma mais confiante e corajosa.

SEGREDO Nº 1 – A mulher confiante sabe que é amada.

Ela não teme não ser amada porque sabe, acima de tudo, que Deus a ama incondicionalmente. Para sermos inteiros e completos, precisamos saber que somos amados. Todos desejam e precisam do amor e da aceitação de Deus e dos outros. Embora nem todos nos aceitem e amem, alguns nos aceitarão e nos amarão. Eu a encorajo a concentrar-se naqueles que a amam e a esquecer aqueles que não a amam. Deus com certeza nos ama, e Ele pode nos dar pessoas que também nos amem – se esperarmos nEle e pararmos de fazer escolhas erradas com relação a quem incluímos no nosso círculo de amigos. Acredito que precisamos ter o que chamo de "conexões divinas". Em outras palavras, ore pelo seu círculo de amigos. Não decida apenas a que grupo social você quer pertencer, para depois tentar ingressar nele. Em vez disso, siga a direção do Espírito Santo para escolher com quem você deseja ter uma ligação mais íntima.

Há mulheres que se sentem tão mal acerca de si mesmas que se envolvem com homens que irão machucá-las, pois acreditam que é isso que merecem. Você precisa estar perto de pessoas seguras, e não de pessoas que continuem a feri-la. Deus a ajudará a aprender a reconhecer essas pessoas se você der ouvidos à Sua sabedoria.

> O amor é o bálsamo de cura de que o mundo precisa, e Deus o oferece gratuita e continuamente.

Se você precisa ser amada, o primeiro lugar para começar é com Deus. Ele é um Pai que quer derramar amor e bênçãos sobre Seus filhos. Se o seu pai natural não a amou o bastante, você agora pode obter de Deus o que perdeu na infância. O amor é o bálsamo de cura de que o mundo precisa, e Deus o oferece gratuita e continuamente. O Seu amor é incondicional. Ele não nos ama 'SE'; Ele simplesmente nos ama, e para sempre. Ele não nos ama porque merecemos; Ele nos ama porque é bom e quer nos amar.

> *Assim como [no Seu amor] nos escolheu nele [na verdade nos separou para Ele como propriedade Sua], antes da fundação do mundo, para sermos santos [consagrados e separados para Ele] e irrepreensíveis perante Ele; e em amor nos predestinou para Ele [nos destinou, planejou em amor por nós], para a adoção de filhos [para sermos revelados como Seus próprios filhos] por meio de Jesus Cristo, segundo o beneplácito da Sua vontade [porque lhe agradou e era sua boa intenção]. (Efésios 1.4,5, AMP)*

Em todos os meus livros, incluo algo sobre o amor de Deus e sobre como é importante que nós o recebamos plenamente. Faço isso porque acredito que receber o dom gratuito do amor incondicional de Deus é o começo da nossa cura e a base da nossa nova vida em Cristo. Não podemos amar a nós mesmos a não ser que entendamos o quanto Deus nos ama, e se não amamos a nós mesmos, não podemos amar as outras pessoas. Não podemos manter relacionamentos bons e saudáveis sem esta base de amor em nossas vidas.

Muitas pessoas falham no casamento porque simplesmente não amam a si mesmas, e assim, não têm nada a dar no relacionamento. Elas passam a maior parte do tempo tentando extrair de seus cônjuges o que só Deus pode lhes dar, que é um senso da sua própria importância e valor.

Cresci em uma atmosfera abusiva e confusa, e, por volta dos meus dezoito anos, eu estava cheia de vergonha, culpa e desonra. Casei-me muito jovem porque tinha medo de que ninguém me quisesse. Um garoto de dezenove anos demonstrou interesse por mim, e embora eu não soubesse o que era o amor, casei-me com ele porque estava desesperada. Ele tinha seus próprios problemas e não sabia realmente como me amar – então, aquele padrão de dor em minha vida continuou. Fui repetidamente magoada naquele relacionamento, que depois de cinco anos terminou em divórcio.

Na época em que conheci o homem com quem estou casada desde 1967, eu estava desesperadamente em busca de amor, mas não sabia como recebê-lo, mesmo quando ele estava disponível para mim. Dave (meu esposo) realmente me amava, mas eu constantemente me desviava de seu amor devido ao modo como me sentia interiormente a respeito de mim mesma. Quando entrei em um relacionamento sério e comprometido com Deus através de Jesus Cristo, comecei a aprender sobre o amor de Deus. Mas levei muito tempo para aceitá-lo completamente. Quando você se sente indigna de ser amada, é difícil colocar em sua cabeça e em seu coração que Deus a ama perfeitamente – muito embora você não seja perfeita e nunca venha a ser enquanto estiver na terra.

Só há uma coisa que você pode fazer com um dom gratuito – recebê-lo e ser grata. Eu a encorajo a dar um passo de fé agora mesmo e a dizer bem alto: "Deus me ama incondicionalmente, e eu recebo o Seu amor!" Você pode precisar dizer isto cem vezes por dia, como eu fiz por meses, antes que finalmente esta verdade penetre fundo em você, mas quando isso acontecer, será o dia mais feliz da sua vida. Saber que você é amada por alguém em quem pode confiar é o melhor e mais reconfortante sentimento do mundo. Deus não irá apenas amá-la desse modo, mas também lhe dará outras pessoas que a amarão sinceramente. Quando Ele o fizer, não se esqueça de ser grata por suas vidas. Ter pessoas que a amam genuinamente é um dos presentes mais preciosos do mundo.

A Bíblia diz em 1 João 4.18 que o perfeito amor de Deus lança fora o medo. Quando o medo não nos governa, somos livres para sermos ousadas e confiantes.

Deus ama você! Deus ama você! Deus ama você! Creia e receba!

SEGREDO Nº 2 – A mulher confiante se recusa a viver com medo.

"Não temerei" é a única atitude aceitável que podemos ter para com o medo. Isso não quer dizer que nunca *sentiremos* medo, mas significa que não permitiremos que ele governe as nossas decisões e ações. A Bíblia diz que Deus não nos deu espírito de medo (2 Timóteo 1.7). O medo não vem de Deus; ele é o instrumento do diabo para impedir que as pessoas apreciem sua vida e progridam. O medo faz com que a pessoa fuja, recue, ou se retraia. A Bíblia diz em Hebreus 10.38 que devemos viver por fé e não retroceder por causa do medo – se assim o fizermos, Deus não terá prazer em nós. Isso não significa que Deus não nos ama; mas apenas que Ele está decepcionado porque quer que experimentemos todas as coisas boas que planejou para nós. Só podemos receber de Deus pela fé.

Devemos nos esforçar para fazer tudo com um espírito de fé. Fé é confiança em Deus e a convicção de que Suas promessas são verdadeiras. Quando uma pessoa começa a andar por fé, Satanás imediatamente tenta impedi-la através de muitas coisas, inclusive do medo. A fé fará com que a pessoa avance, tente coisas novas, e seja pró-ativa. Creio que o medo é a principal força maligna que Satanás usa contra as pessoas. O medo faz com que elas enterrem seus talentos pelo temor do fracasso, do julgamento, ou da crítica. Faz com que recuem dolorosamente e vivam em tormento.

A não ser que tomemos a firme decisão de "não temer", nunca ficaremos livres do seu poder. Encorajo-a a ser firme na sua decisão de fazer o que for preciso, ainda que precise *"fazê-lo com medo!"* Fazer algo com medo significa sentir medo e, ainda assim, fazer o que você acredita que deve fazer. A única coisa que de fato precisamos fazer é temer a Deus, reverentemente.

Satanás é um mentiroso. Ele mente para as pessoas e coloca imagens que mostram derrota e constrangimento na tela das suas mentes. Por esse motivo, precisamos conhecer as promessas de Deus (Sua Palavra) para que possamos lançar fora as mentiras do inimigo e nos recusarmos a lhe dar ouvidos.

O medo parece ser uma epidemia em nossa sociedade. Você tem medo de alguma coisa? Da rejeição, do fracasso, do passado, do futuro, da solidão, de dirigir, de envelhecer, do escuro, de altura, da vida, ou da morte? A lista de medos que as pessoas experimentam pode ser infinita. Satanás nunca esgota o seu repertório de novos medos para colocá-los na vida de um indivíduo. Pelo menos não até que ele decida firmemente não viver mais com medo. Você pode trocar dor e paralisia por poder e entusiasmo. Aprenda a viver além dos seus sentimentos. Não permita que sentimentos de qualquer espécie a dominem, mas, em vez disso, lembre-se de que eles são inconstantes. Estão sempre mudando. Os maus estão ali quando você gostaria que eles não estivessem, e os bons desaparecem quando você mais precisa deles.

Deus quer nos ensinar a andar no Espírito, e não na carne, e isso inclui as emoções. Não podemos andar na vaidade da nossa própria mente, nos nossos sentimentos ou na nossa própria vontade e experimentarmos vitória em nossas vidas. Deus diz "Não temas", e precisamos estar determinados a obedecer-lhE nessa área. O medo pode se apresentar como um sentimento, mas se nos recusarmos a nos curvar diante dele – ele não passará disso... um sentimento! Pense nisto: "Você vai se deixar intimidar por um mero sentimento?" (A questão do medo será abordada extensamente mais adiante neste livro).

SEGREDO Nº 3 – A mulher confiante é positiva.

Autoconfiança e negatividade não combinam. Elas são como óleo e água; simplesmente não se misturam. Eu costumava ser uma mulher muito negativa, mas, graças a Deus, finalmente aprendi que ser positiva é muito mais divertido e frutífero. Ser positiva ou negativa é uma escolha – é um modo de pensar, de falar e de agir. As duas vêm de um hábito que foi formado em nossas vidas através de um comportamento repetitivo. Você pode ser como eu. Eu simplesmente vim de um mau começo na vida. Cresci em uma atmosfera negativa, em meio a pessoas negativas. Elas eram os meus modelos de comportamento, e eu me tornei como elas. Eu nem mesmo percebia que minha atitude negativa era um problema até que me casei com Dave em 1967. Ele era muito positivo e começou a me perguntar por que eu era tão negativa. Nunca havia pensado nisso realmente, mas quando comecei a fazê-lo, percebi que eu estava sempre daquele jeito. Não é de admirar que minha vida fosse tão negativa. Comecei a entender que eu não esperava nada de bom – e era exatamente isso que eu recebia.

Como as pessoas não gostam de estar perto de alguém negativo, com freqüência eu me sentia rejeitada – o que se somou aos meus medos e à minha falta de autoconfiança. Ser uma pessoa negativa abriu a porta para muitos problemas e decepções, os quais, por sua vez, alimentavam minha negatividade. Levou tempo até que eu mudasse, mas estou convencida de que, se eu posso mudar, qualquer pessoa pode. O medo é o quarto escuro onde toda a sua negatividade é desenvolvida; então por que não olhar para o lado mais resplandecente da vida? Por que não acreditar que algo de bom vai acontecer com você? Se você acha que está se protegendo da decepção não esperando nada de bom, está enganada. Se você age assim, está vivendo em decepção. Se todos os seus pensamentos e expectativas são negativos, cada dia é repleto de desapontamentos. O que há de errado em olhar para o sol em vez de olhar para as nuvens? O que há de errado em ver que o copo está cheio pela metade em vez de vazio pela metade?

Quando são encorajadas a pensar positivamente, as pessoas geralmente respondem: "Isto não é a realidade". Mas a verdade é que o pensamento positivo pode mudar a sua realidade atual. Deus é positivo, e esta é a realidade dEle. É a Sua forma de ser, de pensar, e é a forma que Ele nos encoraja a ser. Ele diz que todas as coisas podem contribuir para o bem se O amamos e quisermos a Sua vontade em nossas vidas (Romanos 8.28). Ele diz que devemos sempre acreditar no melhor de cada pessoa (1 Coríntios 13.7).

Alguém disse que 90% das coisas com que tanto nos preocupamos nunca acontecem. Por que as pessoas presumem que ser negativo é mais realista do que ser positivo? É uma mera questão de querermos ver as coisas do ponto de vista de Deus ou do de Satanás. Quem está dirigindo seus pensamentos? Você está direcionando seus pensamentos, escolhendo-os cuidadosamente, ou está agindo passivamente, deixando todo tipo de pensamento povoar sua mente? Qual é a origem dos seus pensamentos? Eles estão de acordo com as Escrituras? Se não estão, então não se originaram em Deus.

Pensar negativamente torna você infeliz. Por que ser infeliz quando você pode ser feliz?

Pensar negativamente a impede de ser decidida, ousada e confiante. Por que não pensar positivamente e andar com confiança?

> Uma pessoa não é um fracasso porque tentou algumas coisas que não deram certo. Ela só fracassa quando pára de tentar.

SEGREDO N° 4 – A mulher confiante se recupera das derrotas.

Não precisamos ver as derrotas como fracassos. Uma pessoa não é um fracasso porque tentou algumas coisas que não deram certo. Ela só fracassa quando pára de tentar. A maioria das pessoas que se tornaram enormes sucessos falharam no meio do caminho. Em vez de permitir que os erros a paralisem, deixe que eles a treinem. Sempre digo que se eu tentar alguma coisa que não funciona, pelo menos saberei que não devo fazer aquilo de novo.

Muitas pessoas estão confusas quanto ao que devem fazer com suas vidas. Elas não sabem qual é a vontade de Deus para elas; estão sem direção. Um dia também me senti assim, mas descobri meu destino tentando diversas coisas. Tentei trabalhar no berçário da igreja e logo descobri que não fui chamada para trabalhar com crianças. Tentei ser a secretária do meu pastor e, um dia, fui despedida sem nenhuma explicação, exceto "Simplesmente não está dando certo". Inicialmente fiquei arrasada, até que, pouco depois, pediram-me que começasse uma reunião semanal às quintas-feiras pela manhã na igreja e ensinasse a Palavra de Deus. Rapidamente descobri onde eu me encaixava. Eu poderia ter passado a vida confusa, mas agradeço a Deus por ter sido confiante o bastante para tomar uma atitude e descobrir qual era a coisa certa para mim. Eu o fiz pelo processo de eliminação e passei por algumas decepções – mas tudo deu certo no final.

Se você não está fazendo nada com sua vida porque não sabe o que fazer, recomendo que ore e comece a tentar algumas coisas. Não demorará até que se sinta confortável com alguma coisa. Será a combinação perfeita para você. Pense na coisa deste modo: Quando você sai para comprar uma roupa nova, você provavelmente experimenta várias roupas até descobrir a que lhe cai bem, que seja confortável e lhe dê uma aparência melhor. Por que não tentar a mesma coisa para descobrir o seu destino? Obviamente há algumas coisas que você não pode simplesmente "tentar" – como ser um astronauta ou o presidente dos Estados Unidos –, mas uma coisa é certa: você não pode dirigir um carro estacionado. Tire sua vida do "ponto morto" e comece a mover-se em alguma direção. Não sugiro que você mergulhe em dívidas para descobrir se deve abrir um negócio, mas você poderia começar com algo pequeno e, se funcionar, passar para o próximo nível. Quando damos passos de fé, nosso destino se desenvolve. Uma mulher confiante não tem medo de cometer erros, e, se o fizer, ela se recupera e vai em frente.

Uma das grandes coisas acerca de um relacionamento com Deus é que Ele sempre nos oferece novos começos. A Bíblia diz que a Sua misericórdia é nova a cada dia. Jesus escolheu discípulos que tinham fraquezas e cometiam erros, mas continuou a trabalhar com eles e a ajudá-los a se tornarem tudo o que podiam ser. Ele fará o mesmo por você, se você o permitir. O apóstolo Paulo disse enfaticamente que era importante deixar o que ficou para trás e avançar para as coisas que estão à frente (Filipenses 3.13). Não tenha medo do seu passado; ele não tem poder sobre você, a não ser aquele que você mesma lhe dá. Não deixar que o seu passado dite o seu futuro é parte do estilo de vida confiante.

Recuperar-se de dores e decepções de todo tipo não é algo que simplesmente acontece a algumas pessoas e a outras não. É uma decisão! Você decide deixar aquilo para trás e segue em frente. Você aprende com os seus erros. Você recolhe os pedaços e os entrega a Jesus, e Ele garante que nada se perderá (João 6.12). Você se recusa a pensar no que perdeu e, em vez disso, faz um inventário do que ainda lhe resta e começa a usá-lo. Você pode não apenas se recuperar, como também ser usada para ajudar outras pessoas a se recuperarem.

Seja um exemplo vivo de uma mulher confiante que sempre se recupera das derrotas, não importa o quanto elas sejam difíceis ou freqüentes. Nunca diga: "Não posso mais prosseguir". Em vez disso, diga: "Posso fazer o que for preciso por meio de Cristo que me fortalece. Nunca desistirei porque Deus está do meu lado".

SEGREDO N° 5 – A mulher confiante evita comparações.

A autoconfiança não é possível enquanto nos comparamos com outras pessoas. Não importa se temos a melhor aparência, o quanto somos talentosas ou inteligentes, ou quanto sucesso temos, sempre haverá alguém melhor, e mais cedo ou mais tarde esbarraremos com essa pessoa. Creio que a autoconfiança está em fazermos o melhor que pudermos com o que temos para trabalhar e não em nos compararmos com outros e competir com eles. A nossa alegria não deve estar em sermos melhores que os outros, mas em sermos o melhor que pudermos ser. Esforçar-se sempre para manter a posição número 1 é muito difícil. Na verdade, é impossível.

A publicidade sempre é voltada para fazer com que as pessoas se esforcem para terem a melhor aparência, para serem as melhores e possuírem o máximo. Se você comprar "este" carro, você será realmente o número 1! Se você usar "esta" marca específica de roupas, as pessoas realmente a admirarão! Experimente "esta" nova dieta e perca aqueles quilinhos extras – e então você será aceita e notada. O mundo sistematicamente nos dá a impressão de que precisamos ser diferentes do que somos – e que um produto, programa ou receita pode nos ajudar a fazer isso. Como a maioria das pessoas, eu me esforcei durante anos tentando ser como minha vizinha, meu marido, a esposa do meu pastor, minha amiga, e daí por diante. Minha vizinha era muita criativa para fazer decorações, costura, e muitas outras coisas, enquanto eu mal podia pregar um botão e ter certeza de que ele não cairia. Tomei algumas aulas e tentei costurar, mas detestei aquilo.

Meu esposo é muito calmo e sereno, e eu era exatamente o oposto. Então tentei ser como ele, e isso também não funcionou. A esposa de meu pastor era doce, cheia de compaixão, delicada, graciosa e loura. Eu, por outro lado, era dinâmica, ousada, não tão graciosa – e morena (isto é, se meu cabelo tivesse sido pintado recentemente).

Em geral, eu estava sempre me comparando a alguém, e, nesse processo, rejeitando e reprovando a pessoa que Deus havia me criado para ser. Depois de anos de infelicidade, finalmente compreendi que Deus não comete erros. Ele faz cada um de nós diferentes propositalmente, e diferente não é ruim; é Deus mostrando a Sua criativa variedade. O Salmo 139 nos ensina que Deus formou cada um de nós de forma complexa no ventre de nossa mãe com a Sua própria mão e que Ele escreveu todos os nossos dias no Seu livro antes que nem um só deles existisse. Como disse, Deus não comete erros; então devemos nos aceitar como criação de Deus e deixar que Ele nos ajude a sermos o indivíduo único e precioso que Ele pretende que sejamos.

A autoconfiança começa com a auto-aceitação, que é possível através de uma fé sedimentada no amor e no plano de Deus para as nossas vidas. Creio que o nosso Criador (Deus) se sente insultado quando nos comparamos com outros e desejamos ser o que eles são. Tome a decisão de nunca mais se comparar com alguém. Aprecie os outros pelo que são e admire a pessoa maravilhosa que você é.

Um dos Dez Mandamentos é "Não cobiçarás" (Êxodo 20.17). Isso significa que não devemos desejar ter o que as outras pessoas têm, a aparência delas, seus talentos, sua personalidade, ou qualquer outra coisa. Creio que a cobiça está presente quando queremos tanto alguma coisa que não conseguimos ser felizes sem ela. É possível ficar ressentido com alguém porque ele tem o que nós não temos. Essas atitudes não agradam a Deus. A outra pessoa pode ser um exemplo para nós, mas nunca deve ser o nosso padrão. A Bíblia diz em Romanos 8.29 que estamos destinados a ser moldados à imagem de Jesus Cristo e a compartilharmos interiormente da Sua semelhança. Outra passagem diz que temos a mente de Cristo (1 Coríntios 2.16). Podemos pensar, falar e aprender a nos comportar como Jesus, e Ele com certeza nunca Se comparou com ninguém nem desejou ser em nada diferente do que o Seu Pai planejou para Ele. Jesus viveu para fazer a vontade do Pai, não para competir com os outros e comparar-se a eles.

Encorajo-a a estar contente com quem você é. Não quero dizer com isso que não possa progredir e melhorar sempre, mas quando permite que outras pessoas se tornem uma lei (norma ou regulamento), você vive constantemente desapontada. Deus nunca a ajudará a ser outra pessoa. Lembre-se que ser "diferente" é bom; não é uma coisa má. Celebre a sua singularidade e alegre-se no futuro que Deus planejou para você. Seja confiante e comece a gostar de si mesma!

SEGREDO Nº 6 – A mulher confiante age.

Ouvi dizer que há dois tipos de pessoas no mundo. As que esperam que algo aconteça e as que fazem as coisas acontecerem. Algumas pessoas são naturalmente tímidas, enquanto outras são naturalmente ousadas, mas com Deus ao nosso lado podemos viver no sobrenatural, e não no natural. Todas temos algo a superar. Uma pessoa naturalmente ousada precisa vencer o orgulho, a agressividade excessiva e a falsa autoconfiança, ao passo que a naturalmente tímida precisa vencer a ansiedade, a timidez, a tentação de recuar dos desafios e a baixa auto-estima.

Uma pessoa ousada, em geral, pode ser enfática a ponto de se tornar rude. Gosto de pessoas arrojadas que não têm medo de mim, mas não gosto das que não me respeitam e que têm maus modos. O que algumas pessoas acham que é ousadia é, na verdade, orgulho – que é uma das coisas que a Palavra de Deus diz que Ele odeia. Sou do tipo ousada e precisei lutar contra o orgulho. Parece que as pessoas assim naturalmente presumem que estão certas com relação à maior parte das coisas e não se importam de dizer aos demais o quanto estão certas. E, embora a autoconfiança seja algo bom, a vaidade não o é. Graças a Deus por podermos aprender a ter equilíbrio em nossas vidas. Podemos nos beneficiar dos nossos pontos fortes e superar nossas fraquezas com a ajuda do Senhor.

> Deus opera através da nossa fé, e não através do nosso medo.

Uma pessoa tímida recua diante de muitas coisas que deveria confrontar. Há tanto que ela gostaria de dizer ou fazer, mas se sente paralisada pelo medo. Acredito que precisamos aprender a nos lançar nas coisas e descobrir o que Deus tem para nós. Uma conduta mais tímida pode proteger as pessoas impedindo-as de cometer erros, mas o resultado é que elas passam a vida se perguntando "como teria sido se..." Pessoas ousadas, por outro lado, cometem mais erros, mas se recuperam e finalmente descobrem o que é certo para elas e o que mais as preenche.

Cometer erros não é o fim do mundo. Podemos nos recuperar. Na verdade, um dos poucos erros dos quais não podemos nos recuperar é o erro de nunca estarmos dispostos a cometer um erro, para início de conversa! Deus opera através da nossa fé, e não através do nosso medo. Não fique sentado no acostamento da vida desejando ter feito as coisas que vê as outras pessoas fazerem. Entre em ação e ganhe vida nova!

Se uma pessoa é naturalmente introvertida ou extrovertida, ela sempre terá uma tendência maior em direção à sua característica natural – e isso não está errado. Como mencionamos anteriormente, Deus nos criou diferentes uns dos outros. Então consulte o seu coração e pergunte a si mesma o que você acha que Deus quer que você faça – e em seguida, faça-o. Por onde Deus nos guia, há sempre a Sua provisão. Se Deus está pedindo que se lance em alguma coisa desconfortável para você, posso lhe assegurar que, quando der o passo de fé, descobrirá que Ele está caminhando bem ao seu lado.

Quando você quiser fazer alguma coisa, não se permita pensar em todas as coisas que poderiam dar errado. Seja positiva e pense nas coisas empolgantes que podem acontecer. A sua atitude faz toda a diferença em sua vida. Tenha uma atitude positiva, dinâmica, empreendedora, e você apreciará mais a sua vida. Pode ser difícil a princípio, mas no fim valerá a pena.

Realmente acredito que é mais difícil uma pessoa ousada vencer o orgulho do que uma pessoa tímida vencer a timidez. Se você é envergonhada e tímida, apenas lembre-se de que poderia ser pior. Tome a decisão de que, com a ajuda de Deus, você será a pessoa que Ele planejou e terá a vida que Ele quer que você tenha.

Deus Honra a Fé

A fé honra a Deus e Deus honra a fé! A história da vida dos missionários Robert e Mary Moffat ilustra esta verdade. Durante dez anos, esse casal trabalhou em Bechuanaland (hoje chamada Botswana) sem um raio de incentivo para iluminar seu caminho. Eles não conseguiam registrar um único convertido. Finalmente, os diretores da sua Junta de Missões começaram a questionar se era sábio dar continuidade ao trabalho. O pensamento de deixarem seu posto, entretanto, trouxe uma grande tristeza a esse dedicado casal, pois eles tinham certeza de que Deus estava naquele trabalho, e que veriam as pessoas se voltarem para Cristo no tempo certo.

Eles ficaram; e durante mais um ano ou dois, as trevas reinaram. Então, certo dia, um amigo na Inglaterra enviou uma palavra aos Moffats dizendo que queria enviar-lhes um presente e perguntou o que eles gostariam de receber. Confiando que, com o tempo, Deus abençoaria o trabalho deles, a Sra. Moffat respondeu: "Envie-nos um conjunto de utensílios para servir a Santa Ceia; estou certa de que em breve será necessário". Deus honrou a fé daquela preciosa mulher. O Espírito Santo moveu os corações dos aldeões, e logo um pequeno grupo de seis convertidos se uniu para formar a igreja cristã naquelas terras. O kit para a Santa Ceia vindo da Inglaterra ficou retido nos correios; mas no dia anterior à primeira comemoração da Ceia do Senhor em Bechuanaland, ele chegou.[1]

SEGREDO Nº 7 – A mulher confiante não vive dizendo "Se ao menos..." nem "E se..."

O mundo está cheio de pessoas que se sentem vazias e não realizadas porque passaram a vida se lamentando pelo que não tiveram, em vez de usarem o que têm. Não viva na tirania do "se ao menos". Se ao menos eu tivesse tido mais instrução, mais dinheiro, mais oportunidades, ou alguém para me ajudar. Se ao menos eu tivesse tido um começo melhor na vida; se ao menos eu não tivesse sido abusada; se ao menos eu fosse mais alta. Se ao menos eu não fosse *tão* alta. Se, se, se...

Um dos maiores erros que podemos cometer na vida é olhar para o que não temos ou para o que perdemos e deixar de reconhecer o que possuímos. Quando Jesus quis alimentar 5.000 homens – mais as mulheres e crianças – os discípulos disseram que tudo o que tinham era o almoço de um garotinho, que consistia de cinco pães pequenos e dois peixes. Eles lhe garantiram que não era o suficiente para uma multidão do tamanho daquela. Entretanto, Jesus pegou o almoço e multiplicou-o. Ele alimentou milhares de homens, mulheres e crianças e encheu doze cestos com as sobras (Mateus 14.15-21). A lição para nós é: se apenas dermos a Deus o que temos, Ele irá usá-lo e nos devolverá mais do que aquilo que tínhamos quando começamos. A Bíblia diz que Deus criou tudo o que vemos "das coisas que não se vêem". Então decidi que se Ele pode fazer isso, com certeza pode fazer algo com o pouco que tenho – não importa o quanto este pouco seja inexpressivo.

Quando Deus chamou Moisés para conduzir os israelitas para fora do Egito, Moisés sentiu-se inadequado e ficou dizendo a Deus o que ele não podia fazer e o que ele não tinha. Deus perguntou o que trazia na mão, e Moisés respondeu: "Uma vara". Era uma vara comum, usada para tocar as ovelhas. Deus lhe disse para jogá-la no chão, dando a entender que Moisés precisava entregá-la a Ele. Quando Deus devolveu a vara a Moisés, ela estava cheia de poder para operar milagres e foi usada pelo grande líder para abrir o Mar Vermelho e fazer outros milagres. Repito: se você der a Deus o que tem, não importa o quanto você ache que é pequeno ou inútil, Deus o usará e lhe devolverá mais do que você deu a Ele.

Em outras palavras, Deus não quer as nossas capacidades, e sim a nossa disponibilidade. Ele quer que nós vejamos as possibilidades e não os problemas. Não passe a sua vida pensando que "se ao menos" você tivesse algo mais, então você poderia fazer algo que valesse a pena. O "se ao menos" é um ladrão do que poderia ser.

O "e se" pode ser tão destruidor quanto o "se ao menos", caso o "e se" seja empregado de forma negativa. Prever negativamente um acontecimento futuro é mais destruidor do que realmente passar pelo problema.

Veja minha amiga Heather. Um dia, ela sentou-se em uma cafeteria com lágrimas nos olhos. Embora tivesse muitas qualidades e fosse uma mulher atraente, vivia com medo e permitia que ele roubasse sua vida. Ela estava infeliz a maior parte do tempo, pois o medo traz tormento. Deus não nos criou para vivermos com medo e pavor. Para Heather, havia sempre algo novo a temer. Naquele momento específico, enquanto conversávamos, ela lamentava o fato de que sua mãe e sua tia haviam morrido de problemas no coração – e agora receava ter de encarar o mesmo destino. Ela era mãe de três filhos pequenos e se apavorava com a idéia de não chegar a vê-los crescerem. Perguntei-lhe se ela tinha tido algum sintoma que pudesse fazê-la pensar que estava tendo problemas no coração. Ela disse que uma sensação de aperto no peito a incomodava. Compartilhou que havia ido ao médico e que, depois de passar pelos exames adequados, ele lhe disse que ela estava tendo sintomas de estresse induzido pelo seu medo de adquirir uma doença do coração.

Encorajei-a com sete trechos bíblicos sobre viver pela fé em vez de viver com medo, mas ela insistia, dizendo: "E se eu morrer e meu marido ficar sozinho com as crianças?"

Devo admitir que minha paciência com Heather estava se esgotando – não porque eu não tivesse empatia por ela, mas porque na última vez em que estivemos juntas, ela teve a mesma atitude, mas com um novo conjunto de problemas. Daquela vez, era o medo com relação ao novo emprego de seu marido, que lhe exigia estar longe de casa em viagens de negócios. Ela disse: "*E se* ele encontrar outra pessoa e se envolver com ela enquanto está fora? *Se ao menos* esse novo emprego não incluísse viagens..."

Heather criava seus próprios problemas vivendo no "se ao menos" e no "e se". Com esse tipo de pensamento, qualquer pessoa pode ser infeliz. Ela precisava decidir pensar de forma diferente. Havia uma fortaleza de medo em sua mente, que provavelmente teve início na infância, mas Heather poderia renová-la estudando a Palavra de Deus e meditando nela. Geralmente, as pessoas querem que seus problemas desapareçam, mas não estão dispostas a fazer o que precisa ser feito para ajudarem a si mesmas. Eu tinha muitos medos em minha vida, e eles ainda aparecem de tempos em tempos. Mas eu reajo a eles correndo para a Palavra de Deus, que me fortalece para dar passos de fé, independentemente de como eu me sinta.

Para onde a mente vai, o homem a segue. Se você prestar mais atenção aos seus pensamentos e decidir pensar em coisas que a ajudarão em vez de atrapalhá-la, isto liberará o poder de Deus para ajudá-la a ser a mulher confiante que Deus quer que você seja. Pense confiantemente e você será alguém confiante!

Esses sete segredos a ajudarão em sua jornada para se tornar alguém plenamente confiante. Ainda há muito a aprender, mas essas dicas são um bom começo.

Capítulo Cinco

A MULHER DE QUEM EU NÃO GOSTAVA

Quem pode competir com a mulher descrita em Provérbios 31? Ela pode fazer tudo. É uma ótima esposa e mãe, administra a casa, dirige um negócio, cozinha, costura – o que ela parece não fazer é ficar cansada! Parece absolutamente perfeita. Talvez seja por isso que minha primeira reação ao ler sobre ela tenha sido: "Não gosto de você". Você já se sentiu assim depois de ler essa passagem? O estilo de vida dessa mulher me desafiava em tantas áreas que eu simplesmente preferia nunca tê-la conhecido. Pelo menos, essa foi a minha atitude há trinta anos, quando comecei a estudar minha Bíblia com seriedade.

A mulher em questão era famosa por sua autoconfiança, e, no entanto, seu nome não é mencionado. Acredito que é porque Deus deseja que cada mulher possa inserir o seu nome na história dessa mulher. Quero que você também leia a respeito dela. Em seguida, compartilharei algumas percepções práticas que acredito que a ajudarão a se tornar a mulher confiante que você deseja ser.

Provérbios 31.10-31

10. Mulher (capaz, inteligente e) virtuosa, quem a achará? O seu valor muito excede o de finas jóias, (e é maior do que o valor dos rubis ou das pérolas).
11. O coração do seu marido confia nela (conta com ela e acredita nela com firmeza), e não haverá falta de ganho [honesto] (nem necessidade de saque desonesto).
12. Ela (o conforta, encoraja e) lhe faz bem e não mal todos os dias da sua vida.
13. Busca lã e linho e de bom grado trabalha com as mãos [para desenvolvê-lo].
14. É como o navio mercante (carregado de alimentos): de longe traz o seu pão.
15. É ainda noite e já se levanta, e dá mantimento [espiritual] à sua casa e a tarefa às suas servas.
16. Examina uma propriedade [nova] e adquire-a [expandindo-se com prudência e não negligenciando suas tarefas atuais assumindo outras]; planta uma vinha com as rendas [de tempo e força] do seu trabalho. [Cantares de Salomão 8.12]
17. Cinge os lombos de força [preparo espiritual, mental e físico para a tarefa que lhe foi dada por Deus] e fortalece os braços.
18. Ela percebe que o seu ganho [do seu trabalho – com Deus e para Deus] é bom; a sua lâmpada não se apaga de noite, (mas brilha continuamente durante a noite [dos problemas, privações, ou aflição, espantando o medo, a dúvida e a falta de confiança]).
19. Estende as mãos ao fuso, mãos que pegam na roca.
20. Abre a mão ao aflito; e ainda a estende ao necessitado [de corpo, mente ou espírito].
21. No tocante à sua casa, não teme a neve, pois todos andam vestidos (duplamente) de lã escarlate.
22. Faz para si cobertas, (almofadas e tapetes de tapeçaria) veste-se de linho fino e de púrpura [como aquela de que eram feitas as roupas dos sacerdotes e as roupas consagradas do templo].

> 23. Seu marido é estimado entre os juízes, quando se assenta entre os anciãos da terra.
> 24. Ela faz roupas de linho fino e vende-as, e dá cinta aos mercadores.
> 25. A força e a dignidade são os seus vestidos, (e sua posição é forte e segura) e, quanto ao dia de amanhã, não tem preocupações [sabendo que ela e sua família estão prontas para ele!]
> 26. Fala com sabedoria, e a instrução da bondade está na sua língua [para dar conselho e instrução].
> 27. Atende ao bom andamento da sua casa, e não come o pão da preguiça (fofoca, insatisfação, e autocomiseração).
> 28. Levantam-se seus filhos e lhe chamam ditosa (feliz, afortunada e digna de ser invejada); seu marido louva-a, dizendo:
> 29. Muitas mulheres procedem virtuosamente (com nobreza e bem) [com a força de caráter que é constante na bondade], mas tu a todas sobrepujas.
> 30. Enganosa é a graça, e vã a formosura [porque ela não dura], mas a mulher que (com reverência e em adoração) teme ao Senhor, essa será louvada!
> 31. Dai-lhe do fruto das suas mãos, e de público a louvarão as suas obras [nos portões da cidade]! (AMP)

Espero que você tenha dedicado tempo para ler os versículos anteriores. Vamos nos aprofundar e examinar esta passagem, versículo por versículo, para que possamos dar uma boa olhada em cada qualidade que esta mulher representa.

Versículo 10

> Uma boa mulher é difícil de se encontrar; ela deve ser mais valorizada do que rubis ou pérolas. Boas mulheres são preciosas, mais preciosas do que jóias ou gemas de alto valor.

> Devemos trabalhar deliberadamente para incentivar nossos maridos com perguntas e declarações atenciosas e cuidadosas, porque, como este versículo indica, uma mulher capaz, inteligente e virtuosa é uma combinação rara. Qualquer homem que tenha uma esposa assim deve admirá-la e valorizá-la tremendamente.

Há outros versículos em Provérbios que deixam claro o quanto o nosso papel como mulher pode ser importante para o nosso papel como esposa. Uma boa mulher é a coroa de alegria de seu marido, mas uma mulher má é como podridão para os seus ossos (Provérbios 12.4). Uma esposa sábia, compreensiva e prudente é um presente do Senhor (Provérbios 19.14).

Versículo 11

> A confiança é a cola que mantém um casamento unido, e a Bíblia diz que o esposo da nossa mulher de Provérbios 31 pode confiar nela de todo o coração; ele conta com ela e acredita nela com segurança. Que coisa abençoada de se poder dizer! Vivemos em uma sociedade onde tantos relacionamentos carecem dessas qualidades que, quando elas estão presentes, devem ser valorizadas acima de todas as coisas. A confiança e a segurança trazem paz e descanso às nossas almas. Quando confiamos nos outros e eles também confiam em nós, isto aumenta nosso nível de autoconfiança. Tenho confiança em meu esposo; confio nele e ao seu lado sinto-me segura. Aprecio essas qualidades nele e creio que também pode dizer o mesmo a meu respeito. Nem sempre ele pôde dizer o mesmo de mim. Houve um tempo em minha vida em que eu era muito instável, mas graças a Deus porque Ele nos transforma quando estudamos a Sua Palavra. Podemos

A mulher de quem eu não gostava

> contar com a promessa que está em 1 Coríntios 3.18 – se permanecermos na Palavra de Deus, seremos transformados (mudados) à Sua imagem de glória em glória. Essa transformação não ocorre de uma vez, mas pouco a pouco.

Eu não gostava da mulher de Provérbios 31 até que entendi que ela era um exemplo para mim, um alvo que eu poderia procurar alcançar. Algo que o próprio Deus me ajudaria a realizar se eu colocasse minha confiança nEle e estivesse disposta a mudar. Por um período que durou muitos anos, esta mulher de quem um dia não gostei com veemência, tornou-se uma boa amiga. Muitas vezes, quando preciso tomar decisões, vou até ela para ver o que acho que ela faria em uma situação semelhante.

Versículo 12

Esta mulher incentiva seu marido e lhe faz bem todos os dias da sua vida. Muitos casamentos poderiam ser salvos do divórcio se a mulher tomasse a iniciativa de começar a incentivar e elogiar seu marido. O marido também tem a mesma responsabilidade, mas, se ele não está fazendo isso, eu a encorajo a dispor-se a tomar a iniciativa e ser a primeira a se mover na direção certa para o bem do seu casamento. Em nossa leitura de Provérbios 31.10-31, observamos que não há menção ao que o marido faz além do fato de que ele a louva e é bem conhecido na cidade por causa de sua boa esposa. Acredito que se você der os primeiros passos de obediência, Deus também irá tratar com seu marido e você verá mudanças positivas nele. Também acredito que isso aumentará o seu próprio nível de autoconfiança. Quando elogiamos os outros, começamos a ver a nós mesmos sob uma luz mais positiva também.

Uma mulher espiritualmente madura será a primeira a fazer o que é certo, ainda que ninguém mais esteja fazendo. Vivemos para Deus e não para o homem. Vivemos para agradar ao Senhor e não as pessoas.

Tudo quanto fizerdes, fazei-o de todo o coração [com a alma], como para o Senhor e não para os homens, Cientes [com toda certeza] de que recebereis do Senhor [e não dos homens] a [real] recompensa da herança. A Cristo, o Senhor [o Messias], é que estais servindo. (Colossenses 3.23,24)

Observe os versículos imediatamente anteriores à passagem citada acima (Colossenses 3.18-22), e encontraremos instruções para o viver diário, tais como:

Esposas, sede submissas ao próprio marido [subordinem-se e adaptem-se a ele], como convém no Senhor.

Maridos, amai vossa esposa [sejam carinhosos e receptivos com ela] e não a trateis com amargura.

Filhos, em tudo obedecei a vossos pais; pois fazê-lo é grato diante do Senhor.

Pais, não irriteis os vossos filhos [não sejam duros com eles nem os atormentem], para que não fiquem desanimados [nem mau-humorados e carrancudos ou se sintam inferiores ou frustrados. Não quebrantem o espírito deles].

Servos, obedecei em tudo ao vosso senhor segundo a carne, não servindo apenas sob vigilância, visando tão somente agradar homens, mas em singeleza de coração [de todo o coração], temendo ao Senhor [como sincera expressão da sua devoção a Ele].

Observe que há uma instrução para cada grupo de pessoas que compõem o ambiente familiar, e cada um deve agir em obediência como algo feito para o Senhor e não para o homem. Se todos obedecessem a essas instruções, pense na paz e na alegria que encheria cada lar. Não haveria divórcio.

> **Versículo 13**
>
> A nossa mulher de Provérbios 31 não é preguiçosa, nem procrastina. Ela busca (almeja, persegue e corre atrás com toda a sua força) lã e linho e trabalha com mãos determinadas (para criar). Uma coisa é certa: quer esteja fazendo roupas para sua família ou confeccionando objetos para vender no mercado, ela é definitivamente entusiasmada com isso! Não considera seu trabalho penoso, e nem é algo que ela deteste ou reclame por ter de fazer. Ele é parte do seu ministério para com sua família e ela o faz com zelo e com uma atitude positiva.

Observe também que não há qualquer recomendação para que um membro da família só faça o que é certo se os outros também o fizerem. Não, cada membro é responsável pela sua parte. Cada um de nós comparecerá diante de Deus, e prestaremos contas das nossas vidas (Romanos 14.2). Não nos será perguntado sobre outra pessoa, mas somente a respeito de nós mesmos. Individualmente, devemos nos esforçar por fazer a coisa certa, ainda que sejamos os únicos dispostos a fazê-lo. Isto honra grandemente a Deus e será recompensado no tempo oportuno.

> **Versículo 14**
>
> Ela planeja boas refeições que incluem muita variedade. Ela até importa coisas de países distantes para garantir que sua família não fique entediada por comer as mesmas coisas repetidamente.

Uau! Estou impressionada! Dei hambúrgueres para minha família comer de 1001 maneiras diferentes! Devo admitir que eu não era muito criativa. Nosso orçamento era escasso e eu usava isso como desculpa, só que mais uma vez a nossa dama de Provérbios nos desafia a caminhar a segunda milha e tornar as coisas melhores, tanto quanto possível. Esforçar-me para fazer tudo com excelência sempre faz com que eu me sinta melhor comigo mesma e aumenta minha autoconfiança.

> **Versículo 15**
>
> Ela se levanta antes do dia nascer para passar tempo com Deus. Ela sabe que nunca poderá ser uma boa esposa ou mãe a não ser que seja nutrida de alimento espiritual. Tenho certeza de que ela lia a Palavra de Deus, orava, adorava e louvava, e certificava-se de estar espiritualmente pronta para o dia que tinha pela frente.

Ela também se programava diariamente. Isso é muito importante porque não acredito que devamos ser indecisos ou descuidados, simplesmente nos levantando a cada dia e esperando para ver o que acontece. Pessoas que têm essa mentalidade raramente realizam alguma coisa; elas geralmente são frustradas e insatisfeitas. Tenha um plano e coloque-o em ação. Seja disciplinada com relação ao seu plano, a não ser que Deus lhe mostre que Ele quer que você faça outra coisa. Nosso planejamento não tem de se tornar uma lei, mas devemos seguir uma diretriz e ter um propósito a cada dia de nossas vidas.

A nossa mulher de Provérbios tinha ajuda doméstica, e estou certa de que muitas estão pensando agora mesmo: "Bem, se eu tivesse empregadas, poderia fazer alguma coisa também". Tenha cuidado para não usar isso como desculpa.

Certa vez, conheci muito bem uma mulher que estava no ministério em tempo integral junto com seu marido. Ela sempre lamentava o fato de Deus não ter lhe dado qualquer ajuda doméstica e achava que precisava de uma babá e de uma governanta, mas não tinha nenhuma das duas coisas. Quanto mais eu ficava perto dessa mulher, mais percebia que Deus não havia atendido à sua oração porque ela era preguiçosa, desorganizada, e estava sempre começando coisas que não terminava. Ela precisava se mostrar fiel nas pequenas coisas antes que Deus lhe desse a ajuda que ela achava que precisava. Sempre justificava sua desorganização e sua incapacidade de terminar seus projetos pelo fato de não ter ajuda, mas essa não era realmente a razão. Ela poderia ter feito menos coisas e fazê-las bem feitas, e então Deus a teria capacitado a fazer mais providenciando-lhe ajuda. Se fizermos o que podemos fazer, Deus sempre fará o que não podemos fazer.

> Tenha um plano e coloque-o em ação.
> Seja disciplinada com relação ao seu plano,
> a não ser que Deus lhe mostre que
> Ele quer que você faça outra coisa.

A maioria das mulheres talvez nunca tenha tido uma empregada, mas há formas de conseguir fazer o nosso trabalho e bem feito. Podemos recrutar a ajuda dos filhos que já têm idade para ajudar. Podemos cortar de nossa agenda algumas coisas que não estão dando bons frutos a fim de separar mais tempo para as coisas que realmente precisamos fazer. Quero encorajá-la a assumir o controle da sua vida. Não permita que a vida a administre, é você quem deve administrá-la! Decida o que quer fazer e, então, faça-o! Tenha cuidado para não dar desculpas, pois elas roubam das pessoas o seu destino mais do que qualquer outra coisa. Um tremendo gerador de autoconfiança é sentir que estamos fazendo com a nossa vida o que sabemos que devíamos estar fazendo, em vez de desperdiçá-la sendo desorganizadas e instáveis.

Observe as Escrituras abaixo:

> *Tenham cuidado com a maneira como vocês vivem; [vivam com um propósito, de maneira digna e determinada] que não seja como insensatos, mas como sábios [pessoas sensatas e inteligentes], aproveitando ao máximo cada oportunidade, porque os dias são maus.*
>
> *Portanto, não sejam [vagos, tolos e] insensatos, mas procurem compreender [e captar com firmeza] qual é a vontade do Senhor. (Efésios 5.15-17, AMP)*

Versículo 16

Este versículo é muito importante para mim. Sou uma pessoa dinâmica que quer estar envolvida em tudo, mas aprendi do modo mais difícil que isto não é sábio e nem mesmo possível. Não podemos fazer tudo e fazer bem. Qualidade é muito melhor que quantidade. A nossa mulher de Provérbios parece ser uma ótima mulher de negócios além de ser uma grande esposa e mãe. O versículo 16 começa dizendo que ela "examina" um novo terreno antes de comprá-lo. Ela considera as suas obrigações atuais e toma cuidado para não negligenciá-las assumindo mais uma. Em outras palavras, ela pensa seriamente sobre o que vai fazer e não age emocionalmente sem pensar antes.

Ah, como a vida seria melhor se todos dedicássemos tempo para pensar sobre o que vamos fazer antes de agir. É espantoso ver quantas coisas deixo de comprar se eu simplesmente for para casa pensar no assunto por algum tempo. É impressionante como uma boa noite de sono transforma a nossa mente. As coisas que ontem pensávamos que tínhamos de possuir podem nem nos interessar no dia seguinte. Isso demonstra a instabilidade das emoções. Elas

A mulher de quem eu não gostava

não são de todo más, elas têm o poder de nos dar prazer, mas não podemos contar com elas para sermos estáveis. As emoções são inconstantes e estão sempre mudando. É por isso que é perigoso fazer as coisas com base nas emoções, sem considerar ao máximo todos os aspectos envolvidos.

Por não ser movida emocionalmente, a Bíblia diz que a mulher de Provérbios economiza tempo e força, os quais ela utiliza para plantar vinhas frutíferas no seu vinhedo.

Nem tudo que parece bom é bom, e uma pessoa sábia dedicará tempo para examinar as coisas profundamente. Se você pensar no assunto, o bom muitas vezes é inimigo daquilo que é ótimo. Pode haver muitas oportunidades para você ministrar na sua igreja; mas isso não significa que cada oportunidade é a melhor escolha para você.

Devemos escolher as coisas mais excelentes e não simplesmente nos contentarmos com uma coisa boa atrás da outra. Costumo receber muito boas oportunidades quase que diariamente e preciso recusar envolver-me na maioria delas. Sei o que fui chamada por Deus para fazer e atenho-me ao meu chamado.

Eis um exemplo: eu estava recentemente viajando fora dos Estados Unidos e, na última hora, depois que meu roteiro já estava definido, recebi um convite para falar ao Senado daquela nação. Minha equipe incentivou-me a aproveitar a oportunidade, mas alguma coisa parecia não estar bem em meu coração a respeito. Não me apressei a responder e, ao cuidar para não me apressar e dizer sim a algo que não havia me entusiasmado muito, Deus colocou em meu coração uma pergunta a fazer. Perguntei se todo o Senado estaria convocado a estar lá ou se a participação seria apenas voluntária. A resposta foi que o Senado não estava em sessão e que a participação seria voluntária.

Explicaram-me também que poderia haver de duas a cinco pessoas e que o tempo total da palestra seria de cinco minutos. Não faço pouco caso de cinco minutos ou de duas pessoas, mas considerando as outras coisas que eu tinha oportunidade de fazer naquele dia, eu sabia que teria de dizer não. Encorajo-a a dedicar tempo para refletir sobre as coisas. Quem é apressado sempre termina infeliz. A nossa mulher de Provérbios 31 age prudentemente. Ela era de fato uma mulher prudente, e prudência significa boa administração de recursos. Cada um de nós dispõe de uma determinada quantidade de tempo e energia, e devemos administrá-los de tal maneira que possamos dar o máximo de frutos possível. Pessoas guiadas pelas emoções geralmente vivem vidas frustradas. Elas estão cheias de idéias criativas, mas são incapazes de acalmar-se por tempo suficiente para traçar um projeto e obter uma base sólida. Elas querem resultados instantâneos e, caso não os obtenham, em geral se lançam em um outro projeto novo que também irá fracassar.

Toda vez que você quiser obter um produto, negócio, ministério ou casamento de qualidade, será necessário tempo e paciência. Dave e eu agora desfrutamos de um ministério internacional que está ajudando milhões de pessoas, mas ele levou trinta anos para ser construído.

Eu a encorajo a "avaliar" suas decisões, suas compras e suas escolhas de vida. Certifique-se de estar agindo com prudência. Não negligencie suas obrigações assumindo obrigações novas, a não ser que, naturalmente, as obrigações atuais possam ser passadas a outra pessoa a fim de dar lugar ao seu novo empreendimento. Uma forma garantida de perder sua autoconfiança é ter tantas coisas para fazer a ponto de não fazer nenhuma delas direito.

Versículo 17

A nossa amiga de Provérbios 31 até faz exercícios! O versículo 17 começa dizendo que ela se cinge com força espiritual e mental. Sabemos, através de um versículo anterior, que ela se preparava espiritualmente para o seu dia. Talvez ela receba força mental meditando na Palavra de Deus durante o dia.

A mulher de quem eu não gostava

> Ou talvez ela seja uma leitora ávida. Talvez ela se mantenha informada acerca dos últimos acontecimentos para poder conversar com inteligência com praticamente todos. Ela permanece fisicamente apta para a sua tarefa dada por Deus, o que só pode significar que ela faz muito exercício. Pode ser através do seu trabalho ou de algo que ela separa tempo para fazer, mas ela se mantém fisicamente saudável.

Tornei-me tão preocupada com as condições em que a maioria das pessoas deixa seu corpo que escrevi um livro. Ele foi publicado em abril de 2006 com o título *Look Great, Feel Great: 12 Keys to Enjoying a Healthy Life Now!* (Tenha Uma Ótima Aparência, Sinta-se Ótima: 12 Chaves para Desfrutar de uma Vida Saudável Agora!) Como cristã, seu corpo é o templo do Espírito Santo e você precisa mantê-lo em boas condições para que Deus possa operar através de você do jeito que Ele deseja. Estarmos excessivamente cansadas pode nos afetar negativamente, e também à nossa vida espiritual. Cansadas, não somos tão impetuosas espiritualmente quanto deveríamos, e é mais fácil sermos enganadas. Não temos desejo ou vigor para orar como de costume. Não damos o melhor testemunho para os outros. É até mais fácil ficarmos nervosas e sermos incapazes de andar no fruto do Espírito quando nos sentimos esgotadas a maior parte do tempo.

Eu a encorajo a abrir espaço em sua vida para a ginástica. Você pode dizer: "Joyce, odeio fazer exercício", ou "Não tenho tempo para malhar". Essas desculpas me são muito familiares porque foram as minhas desculpas durante a maior parte da minha vida. Ainda não estou onde preciso estar, mas estou progredindo. Finalmente decidi que fazer o que posso é melhor do que não fazer absolutamente nada. Encontre algo que lhe dê prazer e que ainda assim a faça exercitar-se. Experimente andar ou praticar um esporte para exercitar-se da forma que precisa. Exercitar-se com outras pessoas pode funcionar para você. Ler ocasionalmente sobre os benefícios da atividade física a motivará a incluí-la em sua vida. Lembre-se que, sem conhecimento, o povo perece.

As pessoas que se exercitam regularmente tendem a ser mais confiantes. Em primeiro lugar, elas se sentem melhor e mais dispostas, de modo que podem realizar mais e apreciar o que fazem. Geralmente elas têm uma aparência melhor e isto aumenta a autoconfiança. Atividades físicas sempre aliviam a tensão e o estresse, o que ajuda qualquer um a ter confiança em si mesmo. Não pense mais a respeito de fazer exercícios, faça-os!

> ### Versículo 18
>
> Todas passamos por momentos na vida em que temos vontade de desistir, e a nossa mulher de Provérbios não era diferente do resto de nós. Entretanto, o verso 18 começa com uma declaração importante: "Ela percebe que o seu ganho (do seu trabalho – com Deus e para Deus) é bom". O versículo das Escrituras prossegue dizendo que a sua lâmpada não se apaga nem em tempos de dificuldade, privação ou aflição. Ela continua andando em fé, dissipando o medo, a dúvida e a falta de confiança.

Tirar tempo para apreciar o fruto do próprio trabalho é uma das principais coisas que a ajudarão a continuar seguindo em frente em tempos de dificuldade. Deus deu a muitos homens e mulheres da Bíblia tarefas difíceis para realizar, mas Ele sempre prometia uma recompensa. Esperar pela recompensa nos ajuda a suportar a dificuldade. A Bíblia diz em Hebreus 12.2b que Jesus desprezava a cruz, mas Ele a suportou pela alegria de obter o prêmio que estava posto diante dEle. Jesus agora está sentado à direita do Pai.

Pense na história de Abraão. Este homem recebeu a ordem de deixar seus parentes e seu país e ir para uma terra que lhe era des-

A mulher de quem eu não gostava

conhecida. Foi uma escolha difícil de se fazer, mas Deus prometeu que se Abraão obedecesse, ele seria abençoado e seria uma bênção para muitos.

Eu a encorajo a não olhar meramente para o seu trabalho, mas também a olhar para a promessa da recompensa. Dedique tempo para apreciar o fruto do seu trabalho e você receberá energia para completar a carreira. Sua autoconfiança também será aumentada à medida que você perceber que é digna de desfrutar da recompensa do seu trabalho e que esta na verdade é a vontade de Deus para você.

> Versículo 19
>
> Vemos a nossa mulher trabalhando de novo. Aparentemente ela está fazendo roupas para sua família, ou vestimentas para vender no mercado. Uma coisa é certa: nós não a vemos perdendo tempo.

Acredito que uma pessoa frutífera se torna confiante. Não fomos criados por Deus para desperdiçar nada que Ele nos deu, e o tempo certamente é um dos maiores bens que temos. Todos possuem a mesma quantidade de tempo, e, no entanto, alguns fazem tantas coisas com ele ao passo que outros não fazem nada. Você jamais experimentará a autoconfiança se desperdiçar sua vida e seu tempo.

> Versículo 20
>
> A Sra. Provérbios 31 é uma pessoa generosa. Ela abre as mãos para os pobres. Ela estende as suas mãos cheias aos necessitados (sejam de corpo, mente ou espírito).

Veja como ela toma a iniciativa para dar. Ela abre as mãos, ela as estende para dar. Acredito que uma pessoa realmente generosa busca oportunidades de dar, procurando-as diligentemente. Jó disse:

"Era pai dos pobres e defensor dos direitos dos estrangeiros" (Jó 29.16 – BLH). Jó ainda foi além no capítulo 31 declarando que se ele não tivesse usado o seu braço para ajudar as pessoas, então que o arrancassem da articulação!

Em minha opinião, as pessoas generosas são poderosas; elas são felizes e realizadas. Vivi muito tempo sendo uma mulher egoísta e egocêntrica e estava sempre infeliz. Com o passar dos anos, porém, aprendi a ser uma pessoa generosa pró-ativa; procuro as oportunidades e isto torna minha vida empolgante e satisfatória. Não há nada melhor no mundo do que fazer alguém feliz. Lembre-se que o que você torna possível para os outros, Deus tornará possível para você. Coloque um sorriso no rosto de alguém e a sua própria alegria aumentará.

Observe que a nossa mulher de Provérbios 31 estendia suas mãos cheias aos necessitados. Quando uma pessoa realmente deseja dar, Deus lhe dará sementes para semear. Ainda que não possua dinheiro extra para dar, você com certeza possui alguma coisa. Olhe em volta, em sua casa, e comece a dar tudo o que você não está usando ou vestindo. Se uma peça de roupa está no seu armário há um ano sem ser mexida, há uma boa chance de que você nunca mais vá usá-la. Passe-a adiante, para uma pessoa que esteja precisando, e Deus a abençoará com coisas novas quando você precisar delas. Creio que todas sabemos que dar é a coisa certa a fazer. Em nossos corações, podemos sentir alegria e confiança quando deixamos de ser pessoas que apenas recebem para nos tornarmos pessoas que dão.

Não é de admirar que eu não tivesse gostado desta mulher de Provérbios 31 quando li a respeito dela pela primeira vez. Ela era tudo que eu não era mas precisava me tornar. Quando as pessoas estão fazendo alguma coisa melhor do que nós, não devemos rejeitá-las – devemos ser espertos o bastante para aprender com elas! Não temos de fazer comparações, mas podemos aprender com elas e permitir que sejam um exemplo.

Versículo 21

A Bíblia diz que ela não teme o mau tempo porque a sua família está duplamente vestida de vermelho. Será que isto significa que ela fez roupas vermelhas para eles e também os cobriu em oração com o sangue do Messias? Um Messias que, para ela, ainda estava por vir? Vemos duas referências na Bíblia que cruzam com essa passagem. Um versículo é Josué 2.18, que mostra Raabe, uma mulher com um passado pecaminoso, exibindo um fio escarlate em sua janela enquanto Jericó é destruída. Quando os homens de Josué foram espiar Jericó, Raabe ajudou a escondê-los em segurança, e como recompensa por seus esforços, ela pediu que nenhum mal fosse feito à sua família. O fio escarlate representava o Salvador que estava por vir, assim como o sangue colocado na verga da porta dos israelitas no Egito na noite de Páscoa (Êxodo 12.13).

A segunda referência é Hebreus 9.19-22, que nos dá um relato vívido de Moisés salpicando o sangue dos bezerros e bodes sacrificados sobre o Livro da Lei e da aliança, e sobre todo o povo. Ele também era colocado sobre o tabernáculo, sobre as ferramentas e utensílios. Na verdade, debaixo da lei quase tudo era purificado pelo sangue para a liberação do pecado, da culpa e da punição devida. Graças a Deus porque temos uma aliança muito superior ratificada pelo sangue de Jesus! Por que sangue? A vida está no sangue e a vida é a única coisa que pode conquistar a morte. O pecado é apenas a morte em pequenas doses. Todos pecamos e cometemos erros, mas podemos ser continuamente limpos pelo sangue de Jesus quando colocamos a nossa fé nele.

A mulher de Provérbios que estamos estudando estava provavelmente bem ciente do poder do sangue. Portanto, ela cobriu sua família com vestes vermelhas que poderiam muito bem representar o sangue do futuro Messias para ela.

Uma das coisas que você pode fazer como uma mulher confiante é aplicar o sangue de Jesus Cristo pela fé sobre a sua família. Faço isso regularmente. Eu o aplico sobre a minha própria vida, minha mente, minhas emoções, minha vontade, meu corpo, minha consciência, meu espírito, minhas finanças, meus relacionamentos, minha caminhada com Deus, meu marido, meus filhos e suas famílias, meus colegas de trabalho e todos os parceiros do Ministério Joyce Meyer. Faço isso orando e liberando a minha fé no fato de que há realmente poder no sangue de Jesus para limpar e proteger.

Arrepender-me regularmente dos pecados em minha vida e manter minha consciência coberta pelo sangue de Jesus ajuda-me a ser mais confiante diante de Deus, nas minhas orações e em minha vida diária. Pessoas culpadas não funcionam bem. Elas são medrosas e geralmente deprimidas até certo ponto. Você não tem de viver debaixo de culpa e condenação; você pode admitir seus pecados e pedir a Deus que a perdoe e que a limpe com o sangue de Jesus. Ao colocar confiança em Sua Palavra, a sua própria autoconfiança aumentará.

Versículo 22

Sou uma fã do verso 22 em especial porque ele me diz que a nossa famosa mulher de Provérbios tinha coisas boas para si mesma. Ela vivia uma vida equilibrada. Ela fazia muito pelos outros, mas também dedicava tempo para ministrar a si mesma. Muitas pessoas se esgotam porque não dedicam tempo para se renovar. Sentimos tanta necessidade de dar e de fazer pelos outros que ignoramos as nossas próprias necessidades, ou pior, nos sentimos culpadas até mesmo por pensar em nós mesmas. Precisamos ser ministradas espiritualmente, mentalmente, emocionalmente e fisicamente. Cada uma dessas áreas

A mulher de quem eu não gostava

> é importante para Deus; Ele as criou e está interessado no bem-estar de todas elas, inclusive as nossas necessidades físicas e emocionais. A nossa mulher confiante fazia almofadas, tapetes e roupas para si mesma. As suas roupas eram feitas do mesmo tecido que os sacerdotes usavam. Em outras palavras, ela tinha coisas realmente boas. O melhor!

Muitas pessoas têm a idéia errônea de que cristianismo significa fazer tudo para todos, porém sacrificando tudo aquilo de que você poderia desfrutar pessoalmente na vida. Não acredito nisso! Certamente seremos chamados para tempos de sacrifício ao longo de toda a vida, e tudo o que Deus nos peça para abrir mão devemos fazê-lo de bom grado. Mas não temos de fazer disso uma competição para vermos quantas coisas podemos passar sem ter na vida a fim de tentarmos impressionar e agradar a Deus. Jesus disse: "Eu vim para que tenham vida, e a tenham em abundância (ao máximo, até transbordar)" (João 10.10).

Esta mulher possuía coisas boas e a Bíblia diz que ela as fazia para si mesma. Se você não está fazendo nada para si mesma, precisa descobrir do que gosta e permitir-se o privilégio de ministrar às suas próprias necessidades assim como às de todos os demais. Obviamente, você não deve gastar consigo mesma um dinheiro que não possui, nem se tornar compulsiva mimando-se em excesso. Mas dar pouca ou nenhuma atenção a si mesma não é saudável, nem agrada a Deus.

Acredito que nos sentimos mais confiantes quando estamos na nossa melhor forma e cuidamos bem de nós mesmas. Você é digna de ser cuidada, nunca se esqueça disso. Você tem valor e deve investir em si mesma.

Versículo 23

A nossa mulher tem um marido famoso, mas isso é por causa da boa esposa que ele tem. Que grande elogio para ela! Imagine se seu marido fosse a uma festa e todos se aglomerassem em volta dele comentando sobre a grande mulher que ele tem. Ou se ele estivesse descendo a rua e dois homens, conversando do lado oposto, dissessem mais ou menos isso: "Lá vai o Sr. Provérbios 31, e, amigo, que grande esposa ele tem! Você não acreditaria no quanto essa mulher realiza na vida! Ela não apenas cuida de todos os demais, como também cuida muito bem de si mesma! Sim, amigo, o Sr. Provérbios 31 é um homem abençoado. Certamente o favor de Deus está sobre ele, para lhe dar uma mulher tão boa".

Tome a decisão de ser o tipo de esposa que fará com que os outros acreditem que seu marido é abençoado por ter você.

Versículo 24

Agora encontramos a nossa mulher de múltiplos talentos fazendo roupas para vender no mercado. Que mulher! Ela até aumenta a renda da família usando algumas das habilidades que lhe são necessárias em casa para ser uma bênção para os outros. Gosto do fato de que ela faz cintos que deixam a pessoa livre para fazer o seu serviço. O estilo de roupas da cultura em que ela vivia exigia que as pessoas recolhessem suas saias e as amarrassem para que pudessem trabalhar com desembaraço. Ela fazia cintos para este fim. Também era algo de que todos precisavam. Se você pretende entrar no ramo dos negócios, certifique-se de pesquisar bastante para ter certeza de que muitas pessoas irão precisar daquilo que você pretende oferecer.

> **Versículo 25**
>
> Provérbios 31.25 nos diz que sua força e dignidade são as suas vestes, e que a sua posição é forte e segura. Isso certamente deve ter aumentado a sua autoconfiança. Ela não tinha medo de perder a sua posição ou de que algo mau acontecesse.

> Saber que você está preparada para o que der e vier aumentará a sua autoconfiança de forma espantosa.

A mulher que estamos estudando encarava o futuro com coragem porque sabia que ela e sua família estavam preparadas para ele. A falta de preparo é uma das maiores causas do baixo nível de autoconfiança (Dedicarei todo um capítulo a este assunto mais tarde). Estar preparado exige trabalhar antecipadamente em vez de deixar as coisas para a última hora. Mateus 25 nos fala sobre dez virgens. Cinco eram sábias e cinco eram tolas. As sábias levaram óleo extra consigo enquanto esperavam que o noivo viesse, mas as tolas não fizeram nada para se prepararem. O noivo estava demorando a chegar e, como era de se esperar, o óleo das tolas acabou. Quando ele chegou, quiseram pegar o produto emprestado com as sábias, que possuíam algum de reserva. As tolas tiveram de ouvir que não haveria óleo suficiente para todas elas, e perderam sua oportunidade de se encontrarem com o noivo.

Este mesmo cenário acontece com muitas pessoas na vida. Elas adiam as coisas até que seja tarde demais para aproveitarem uma oportunidade que poderia ser uma tremenda bênção para elas.

Saber que você está preparada para o que der e vier aumentará a sua autoconfiança de forma espantosa. Se você é uma daquelas pessoas que adiam as coisas, não faça mais isso, mas comece a se preparar hoje!

> ## Versículo 26
>
> A nossa mulher de Provérbios 31 sabe a importância das palavras. Ela abre sua boca com sabedoria habilidosa e divina. A lei da sabedoria está em sua boca. Falar gentilmente aos outros é um tremendo atributo e é um dom que certamente realça uma mulher de Deus. Todas nós precisamos de gentileza e acredito que colheremos o que plantamos. Se você precisa que lhe demonstrem gentileza, então demonstre-a aos outros. Pense no que vai dizer antes de dizê-lo e você terá mais probabilidade de falar com sabedoria do que meramente pela emoção. Provérbios 18.20,21 diz que um homem terá de se contentar com as conseqüências de suas palavras e que o poder da vida e da morte está na língua. Ele segue em frente dizendo que comeremos do fruto de nossas palavras para a vida ou para a morte.

Nós não apenas temos a capacidade de transmitir vida ou morte aos outros, como também temos esta mesma capacidade com relação à nossa própria vida. Podemos dizer palavras que edificam a confiança em nós mesmos e nos outros ou podemos dizer palavras que a destruam. Eu a encorajo a começar a aumentar sua própria confiança hoje por meio daquilo que você diz. Tome um cuidado especial com o seu diálogo interior. Trata-se da conversa que você tem consigo mesma dentro de você. Na verdade, você fala consigo mesma mais do que fala com qualquer outra pessoa. Certifique-se de que o que você está dizendo é algo que esteja disposta a tolerar.

Versículo 27

A nossa amiga de Provérbios é uma mulher responsável. Ela fica atenta a como as coisas andam em sua casa, recusa-se a ficar ociosa e não perde tempo com coisas como ficar sentada à toa fofocando ou entregando-se à frustração. Ela não é descontente. Ela aprecia a vida, e creio que ela celebre a vida plenamente a cada dia. Ociosidade, desperdício, frustração, fofoca e descontentamento são ladrões da vida abundante que Jesus morreu para lhe dar. Não permita que eles a governem. Quando você mantém uma atitude positiva, desfruta de maior autoconfiança.

Versículos 28,29

Ela desfruta dos louvores de seus filhos e de seu marido. Eles se levantam e a chamam de abençoada. Seu marido diz que muitas filhas foram virtuosas e nobres, mas que ela supera a todas. Em outras palavras, diz que ela é a melhor esposa que alguém poderia ter. Ele aplaude e celebra sua força de caráter e sua bondade.

Houve um ano em que meu aniversário caiu durante uma de nossas conferências, e meu marido Dave levantou-se e leu Provérbios 31 para mim diante de uma sala cheia de gente. Então, meus filhos se levantaram um por um para me dizerem coisas boas e edificantes. Não há sentimento melhor do que passar anos criando seus filhos e depois ouvi-los dizer o quanto eles a honram e a amam e que não acreditam que poderiam ter tido uma mãe melhor. Ou ouvir seu marido lhe dizer que você é a melhor esposa do mundo. Esses comentários certamente foram geradores de autoconfiança para mim.

> **Versículos 30,31**
>
> O encanto, a graça e a beleza podem ser enganadores porque não duram, mas a mulher que teme ao Senhor com reverência e adoração será louvada. Ela comerá do fruto do seu trabalho e as suas obras a louvarão.

Fazer o que achamos que é certo sempre aumentará a autoconfiança. Não tem como você errar se mantiver Deus como o foco da sua vida. Siga o exemplo da mulher de Provérbios 31. Ela nos dá um tremendo discernimento sobre como podemos ser as melhores e mais confiantes donas de casa, esposas e mães.

■ *Capítulo Seis* ■

VENCENDO AS DÚVIDAS A RESPEITO DE SI MESMA

Coloque um casaco ou uma jaqueta e peça a alguém para amarrar seus pulsos, unindo um ao outro. Depois, tente tirar a jaqueta. É impossível, não é mesmo? É isso que acontece quando você tem dificuldades para acreditar em si mesma, quando permite que o medo e as dúvidas a prendam com nós. É realmente impossível ter êxito assim! Dúvida e autoconfiança não trabalham juntas, elas trabalham uma contra a outra. A autoconfiança destruirá as dúvidas acerca de si mesma, mas as dúvidas a respeito de si mesma destruirão a sua autoconfiança.

Duvidar de si mesma é angustiante. A mulher que não confia em si é instável em tudo o que faz, sente e decide. Ela vive confusa na maior parte do tempo e tem dificuldades para tomar decisões e mantê-las, porque está constantemente mudando de idéia, pensando na possibilidade de estar errada. Uma mulher confiante não tem medo de estar errada! Ela entende que pode se recuperar caso cometa um equívoco e não permite que o medo de cometê-lo a aprisione ou a prenda à dúvida a seu próprio respeito.

Na Bíblia, Tiago 1.5-8 nos ensina que Deus não pode responder às orações de uma pessoa cuja mente vacila entre dois pensamentos. Deus responde à nossa fé, não aos nossos medos. Duvidar de si mesma é ter medo. Medo de cometer falhas ou de fazer a coisa errada. Geralmente vai além de ter medo de fazer a coisa errada; em geral, envolve o modo totalmente equivocado como as pessoas se sentem a respeito de si mesmas. Elas carregam uma vergonha profundamente arraigada e simplesmente não conseguem se aceitar ou ter confiança na sua capacidade de tomar decisões.

É provável que neste mesmo instante você esteja pensando: "Bem, Joyce, realmente não posso impedir meus sentimentos. Eu gostaria de ser confiante, mas simplesmente não sou". O que estou me preparando para dizer a você pode ser uma das coisas mais importantes que você já ouviu na vida. VOCÊ NÃO PRECISA SE SENTIR CONFIANTE PARA SER CONFIANTE! Para viver em vitória, cada um de nós precisa aprender a ir além dos próprios sentimentos. Aprendi que posso sentir que estou errada e ainda assim decidir fazer o que é certo. Também aprendi que não preciso me sentir confiante para me apresentar de uma maneira confiante.

> Precisamos acreditar mais na Palavra de Deus do que acreditamos em nossos sentimentos.

Se tomo uma decisão e acredito que ela está correta no momento em que a tomei, não tenho de mudar de idéia mais tarde apenas porque comecei a pensar ou sentir que posso ter cometido um erro. Se Deus me mostrar que cometi um erro, então preciso mudar minha decisão, mas não tenho de me curvar a cada pensamento ou sentimento perturbador que encontrar. Quando Satanás entra em guerra com a minha mente, posso abrir minha boca e dizer bem alto o que a Palavra de Deus diz a meu respeito; e você pode fazer o mesmo. "Pois nele vivemos [eu vivo] e nos movemos [eu me movo] e existimos [eu existo]" (Atos 17.28, substituição do pronome pela autora).

Não é errado dizer coisas boas a respeito de si mesma. Devemos dizer: "A sabedoria de Deus está em mim e tomo boas decisões". Precisamos acreditar mais na Palavra de Deus do que acreditamos em nossos sentimentos. Já determinamos neste livro que os sentimentos podem ser muito instáveis, que estão sempre mudando e que não devemos confiar neles para tomarmos decisões na vida. Os sentimentos em si não são maus, mas eles com certeza podem levar as pessoas a se desviarem, e realmente fazem isso. Os sentimentos são capazes de nos dar as informações corretas, mas também são capazes de não nos dar as informações precisas; portanto, precisamos viver em um nível mais profundo do que o nível das emoções. A Palavra de Deus nos ensina a buscar a paz (Salmo 34.14, 2 Timóteo 2.22, Hebreus 12.14, 1 Pedro 3.11).

Houve momentos em minha vida em que senti paz em meu coração a respeito de uma direção que estava tomando e, no entanto, minha mente discutia comigo. Tiago 1.22 nos ensina claramente que o raciocínio nos leva a sermos enganados e traídos. Quando mudamos de idéia a respeito de uma decisão que tomamos, deve ser porque perdemos a paz a respeito da direção que pretendíamos tomar ou porque adquirimos um certo discernimento ou sabedoria que não tínhamos antes.

Não Retroceda

Duvidar de si mesma faz com que a pessoa retroceda com medo. A Palavra de Deus declara em Hebreus que o justo viverá por fé, e se ele retroceder de medo, Deus não tem prazer nele (Hebreus 10.38). Isto não significa que Deus está zangado conosco, mas entristece-O saber que estamos vivendo tão distantes da vida confiante que Ele concedeu através de Jesus Cristo.

Fé é confiar em Deus e na Sua Palavra. Talvez você tenha um bom relacionamento com Deus e não encontre problemas para confiar nEle, mas quando se trata de confiar em si mesma para fazer a coisa certa, você retrocede – permite que o medo a controle e a faça recuar.

Uma vez Deus me disse que se eu não confiava em mim mesma, então eu não confiava nEle. Disse que Ele estava vivendo dentro de mim, dirigindo-me, controlando-me e guiando-me porque eu havia pedido a Ele que fizesse isso. Eu precisava acreditar nas promessas de Deus, não em meus sentimentos ou pensamentos. É claro que qualquer um de nós pode perder a conexão com Deus e cometer erros. Podemos pensar que estamos indo na direção certa e então descobrirmos que estamos erradas, mas isso não é o fim do mundo nem é algo com que devamos nos preocupar em excesso. Se nosso coração é sincero e estamos buscando com fé a vontade de Deus, ainda que cometamos um erro Ele intervirá e nos trará de volta aos trilhos. Geralmente, Ele faz isso sem que nós sequer o saibamos.

Eu a incentivo a acreditar que você está sendo dirigida por Deus, a não ser que Ele lhe mostre o contrário, em vez de sempre presumir que você está errada e viver em agonia, duvidando de si mesma. Assim como Deus prometeu na Sua Palavra (João 16.13), confie nEle para dirigi-la pelo Seu Santo Espírito a toda verdade. Se estivermos no caminho errado, Deus nos ajudará a voltarmos para o caminho certo.

Quando Jim Burke tornou-se o chefe de uma nova seção de produtos da Johnson & Johnson, um de seus primeiros projetos foi o desenvolvimento de um produto descongestionante infantil. O produto fracassou radicalmente, e Burke esperava ser despedido. Quando foi chamado à sala do presidente do Conselho, porém, ele se deparou com uma recepção surpreendente.

"Então você é o homem que tem nos custado todo esse dinheiro?", perguntou Robert Wood Johnson. "Bem, quero cumprimentá-lo. Se você está cometendo erros, isso significa que você está se dispondo a correr riscos, e nós não podemos crescer a menos que você corra riscos".

Alguns anos mais tarde, quando o próprio Burke tornou-se o presidente da Johnson & Johnson, ele continuou a passar essa palavra adiante.[1] Não tenha medo de errar. Você jamais terá êxito sem cometer erros, e possivelmente, muitos deles. Acho que as pessoas dão mais poder aos seus erros do que eles realmente têm. Devemos admiti-los, nos arrepender e pedir a Deus que nos perdoe por tê-los cometido. Também devemos aprender com os nossos deslizes porque, fazendo isso, eles podem acrescentar valor às nossas vidas. Em vez de permitir que eles façam com que você se sinta mal ou culpada, deixe que eles sejam seus mestres e lembre-se sempre que só porque você cometeu um erro não significa que você é um erro.

Aprenda a separar quem você é do que você faz. Falhar é algo comum a nós seres humanos, mas ainda somos filhas de Deus e Ele tem um plano bom para as nossas vidas. Ele é longânimo, cheio de misericórdia e de amor.

Dave e eu temos quatro filhos crescidos e posso garantir-lhe que, com o passar dos anos, eles cometeram muitos erros, mais ainda são meus filhos e eu os amo tanto quanto os amaria se eles nunca houvessem falhado. Alguns pais são tão protetores para com seus filhos que nunca permitem que eles tomem suas próprias decisões ou cometam seus próprios deslizes. Esse é o maior erro de todos. Para crescer, precisamos tomar uma atitude e fazer tentativas. Aprendemos o que funciona e o que não funciona. Aprender com a experiência própria nos ensina mais do que os livros.

Removendo o Pecado da Dúvida

Duvidar de si mesma nada mais é do que ter medo de estar errada. O Espírito que você recebeu não é um espírito de escravidão para colocá-la novamente cativa do medo (Romanos 8.15). Deus não quer que você viva com medo, duvidando de si mesma ou duvidando dEle.

Se você pensar a respeito, a dúvida realmente é pecado, porque em Romanos 14.3 a Bíblia diz que "tudo que não provém de fé é pecado" (AMP). Quando permitimos que a dúvida, o desespero e o medo assumam o controle, é aí que o muro que impede as bênçãos de Deus começa a se erguer. Não permita que esse muro sequer comece a se levantar na sua vida.

A dúvida é o medo de que coisas negativas aconteçam, mas a fé espera que coisas boas aconteçam. Na verdade, andar por fé requer menos energia emocional do que andar com dúvida e medo.

Pessoas que crêem e são positivas são muito mais saudáveis do que aquelas que são cheias de medo, dúvida e negatividade. As pessoas positivas envelhecem mais devagar do que as pessoas negativas, e realmente podem viver mais.[2]

Você pode ter desenvolvido a negatividade por causa de vários acontecimentos decepcionantes em sua vida, mas você não foi criado por Deus para ser uma pessoa negativa, medrosa e cheia de dúvidas.

Como compartilhei antes, cresci em um lar muito confuso. Meu pai era alcoólatra e tinha um temperamento explosivo. Ele era alguém quase impossível de se agradar. Era fisicamente violento com minha mãe e abusava de mim sexual, mental, emocional e fisicamente. Quando atingi os dezoito anos, já havia passado por muitas decepções e situações terríveis. Eu ficava na expectativa de que acontecessem coisas ruins, achando que isso me protegeria da decepção quando elas acontecessem. Posso dizer sinceramente que nada em minha vida aconteceu do jeito que eu gostaria naquela época.

Saí de casa aos dezoito anos, consegui um emprego e comecei a tentar cuidar de mim mesma. Pensei que havia escapado do problema por ter me afastado dele fisicamente; mas eu não percebia que eu o havia levado comigo em minha alma. Minha mente e minhas emoções estavam arruinadas e precisavam de cura. Minha vontade era rebelde e obstinada porque eu havia prometido a mim mesma que nunca mais alguém me machucaria novamente. Meu espírito estava ferido. Eu era uma pessoa que tinha o coração partido e uma atitude muito negativa. Eu acreditava em Deus e orava pedindo a Sua ajuda, mas não sabia nada sobre as leis da fé. Orar e ser negativa não trará uma resposta. Orar e viver com medo também não. Eu tinha muito a aprender, mas com o passar dos anos Deus foi se mostrando fiel, paciente e amoroso. Ele me transformou, me curou, e me deu a oportunidade de ajudar outras pessoas que também estão sofrendo. Ele me ergueu, tirando-me de um monte de cinzas, e deu-me uma vida que vale a pena viver.

Estou livre do medo, da negatividade e das dúvidas a respeito de mim mesma. Isso não quer dizer que essas coisas nunca tentam me visitar, mas aprendi que posso dizer "NÃO" a elas tão facilmente quanto posso dizer "SIM". Quando o medo bater à sua porta, responda com fé. Quando a dúvida a respeito de si mesma bater, responda com confiança! Quando surgem pensamentos ou conversas negativas, o Espírito Santo (ou, às vezes, meu marido) me faz lembrar que ser negativa não ajudará nada nem ninguém, e então, decido mudar.

O Poder da Decisão

Deus criou cada um de nós com uma vontade livre. Isso nos dá a capacidade de tomarmos nossas próprias decisões livres das influências externas. Satanás tenta nos forçar a fazer coisas exercendo pressão externa sobre nós, mas Deus tenta nos guiar pelo Seu Santo Espírito lá de dentro do nosso coração, onde Ele habita. Jesus não é autoritário, duro, severo, rígido ou insistente. Ele é humilde, gentil, manso e modesto (Mateus 11.29,30). Somos realmente criaturas complexas. A nossa mente pode pensar uma coisa, enquanto nossas emoções querem outra, e a nossa vontade com certeza parece ter mente própria. Quando a força de vontade de uma pessoa é renovada pela Palavra de Deus, e ela passa a saber o suficiente para escolher o bem em lugar do mal, ela se torna muito perigosa para Satanás e o seu reino de trevas. A pessoa renovada pode cancelar todas as coisas negativas que Satanás planejou simplesmente exercitando a sua força de vontade em concordar com Deus e a Sua Palavra.

> Quando a força de vontade de uma pessoa é renovada pela Palavra de Deus, e ela passa a saber o suficiente para escolher o bem em lugar do mal, ela se torna muito perigosa para Satanás e o seu reino de trevas.

Descobri que a dúvida é um pensamento plantado em minha mente pelo diabo. Ele o usa para me impedir de desfrutar a minha vida e de progredir no bom plano de Deus para mim. Também descobri que não importa o quanto eu tenha dúvidas, posso decidir seguir em frente pela fé. Os meus sentimentos não são eu. Sou maior que eles e você também é. Não importa como nos sentimos, ainda assim podemos decidir fazer a coisa certa. Ir contra os seus sentimentos nem sempre é fácil porque em geral são muito fortes, mas opor-se a eles até estar livre é muito melhor do que continuar deixando que governem a sua vida e a mantenham cativa.

Em Josué 24.15, vemos este homem de Deus tomar uma decisão. Ele diz: "Escolhei, hoje, a quem sirvais; mas eu e a minha casa serviremos ao Senhor". Josué fez a sua escolha e ninguém iria mudá-la. Ele não decidiu com base no que os outros fizeram. Ele se recusava a viver debaixo do temor dos homens. Se você resolver fazer algo, não se permita ficar com dúvidas apenas porque outra pessoa não está fazendo o que você está fazendo. Não presuma que esteja errada e que precisa mudar. Talvez ambos estejam certos. Deus leva pessoas diferentes a fazerem coisas diferentes por motivos que só Ele sabe.

A Prática Leva à Perfeição

Eu a encorajo a ser uma pessoa positiva e fazer disso uma prática. É apenas questão de quebrar um mau hábito e criar um novo. Eu era tão negativa a certa altura da vida que mesmo que eu tentasse ter dois pensamentos positivos seguidos, meu cérebro entrava em convulsão. Mas agora sou muito positiva e na verdade não gosto de estar com pessoas negativas.

É preciso ter disciplina toda vez que você está criando um novo hábito. Você pode pensar na hipótese de colocar alguns lembretes pela casa ou no seu carro. Pequenos bilhetes dizendo: "Seja positiva". Peça a uma boa amiga ou ao seu cônjuge para lembrá-la caso a ouçam escorregar para a negatividade.

Pratique confiar em si mesma em vez de duvidar de si mesma. Lembre-se, você pode estar errada, mas também pode estar certa; então por que não usar a abordagem positiva em primeiro lugar? Se você está se candidatando a uma promoção no trabalho, não pense ou fale para si mesma: "Provavelmente não conseguirei". Ore e peça a Deus que você ache favor junto ao seu empregador e depois diga: "Acredito que conseguirei o emprego!" Você pode perguntar: "O que acontece se eu não conseguir?" Mas o que acontece se você não tentar? Isso mesmo, absolutamente nada. E se você tentar e o resultado não for o que você estava esperando, diga a si mesma: "Se o emprego fosse o certo para mim, Deus me teria dado, e já que Ele não o fez, deve ter algo para mim ainda melhor". Você pode treinar ser uma pessoa positiva no que parece ser uma situação negativa. Não permita que o diabo vença! Ele tem espalhado dúvida, medo e negatividade desde o princípio dos tempos e já está mais do que na hora de pararmos de permitir que ele nos use como seus vasos.

Espere Obter Favor

Deus quer lhe dar favor – uma bondade que você não merece. Podemos ver a menção ao favor de Deus para com muitas pessoas na Bíblia e não há qualquer razão para pensarmos que Ele não possa oferecê-lo a você também. Aprenda a crer que Deus pode lhe dar o Seu favor. Confesse várias vezes ao dia que você desfruta do favor de Deus e dos homens. Você ficará impressionada com as coisas empolgantes que acontecerão a você se declarar a Palavra de Deus em vez de dizer como se sente.

O favor sobrenatural pode ser expresso de diferentes formas. Você pode conseguir o emprego que deseja, mas para o qual não está naturalmente qualificado. As pessoas parecem gostar de você sem qualquer motivo especial. Você consegue o melhor lugar no restaurante com o melhor garçom. As pessoas lhe dão coisas sem qualquer motivo. Favor significa que alguém irá parar e deixar você entrar em uma fila no trânsito enquanto os outros estão passando direto como se você nem estivesse ali.

Viver no favor de Deus é muito empolgante. Quando José foi cruelmente maltratado por seus irmãos, e eles o venderam como escravo, Deus lhe concedeu favor por onde quer que fosse. Ele obteve o favor de Potifar e foi colocado como responsável por sua casa. Ele obteve o favor do carcereiro durante a sua prisão por um crime que não cometera. Ele obteve tanto favor junto ao Faraó que José tornou-se o segundo em poder depois de Faraó. Sim, o favor de Deus é uma forma empolgante de se viver. Vemos tantos homens e mulheres que admiramos na Bíblia que receberam favor. Vemos Rute, Ester, Daniel e Abraão, para mencionar apenas alguns. Resista e recuse-se a deixar que a dúvida a convença de que coisas boas não acontecerão a você e à sua família; espere com ousadia por coisas boas! Peça a Deus que lhe conceda favor divino sobrenatural e então espere ver isso diariamente em sua vida.

Vencendo as dúvidas a respeito de si mesma

[O que teria sido de mim] (se eu não tivesse acreditado que) verei a bondade do Senhor na terra dos viventes! Espera pelo Senhor, tem bom ânimo, e fortifique-se o teu coração; espera, pois, pelo Senhor. (Salmo 27.13,14, AMP)

Reivindique a Palavra de Deus com Confiança

- "Sê forte (confiante) e corajoso..." – Josué 1.6
- "Ele deu a meus pés a ligeireza [firmeza e capacidade] das corças, e me firmou (seguro e confiante) nas minhas alturas." – 2 Samuel 22.34
- "Sentir-te-ás seguro, porque haverá esperança; olharás em derredor, e dormirás tranqüilo." – Jó 11.18
- "Em paz me deito e logo pego no sono, porque, Senhor, só Tu me fazes repousar seguro." – Salmo 4.8
- "Em Deus, cuja Palavra eu exalto, neste Deus ponho a minha confiança, e nada temerei. Que me pode fazer o homem, que é carne?" – Salmo 56.4

Começa com Você

Se você decidiu que pretende aproveitar o melhor da vida que Deus lhe preparou, então precisa entender que tudo começa com você. É preciso crer mais no que a Palavra de Deus diz a seu respeito do que no que os outros dizem, ou no que os seus sentimentos ou a sua mente dizem.

Talvez mensagens negativas tenham sido plantadas em você desde que era criança. Pode ter sido um pai ou uma mãe que tivessem problemas e que descontaram as suas frustrações em você. Pode ter sido uma professora que tinha prazer em diminuí-la diante do resto da turma. Talvez seus pais a comparassem excessivamente com outro irmão, dando a impressão de que você era imperfeita. Você pode ter passado por um ou mais relacionamentos fracassados e acabou se convencendo de que a culpa foi sua. Mas seja qual for o motivo que a faz duvidar de si própria e ter uma atitude negativa para consigo mesma, isso precisar mudar se você realmente deseja desfrutar do melhor de Deus para a sua vida.

Veja a si mesma como Deus a vê, não como o mundo a vê e nem como você mesma se vê. Estude a Palavra de Deus e descobrirá que você é preciosa, que foi criada no ventre de sua mãe pela mão do próprio Deus. Você não é um acidente. Ainda que seus pais tenham lhe dito que eles nunca a desejaram realmente, posso assegurar-lhe de que Deus a queria; do contrário, você não estaria aqui na terra. Você é valiosa, tem grande importância, possui dons e talentos e tem um propósito nesta terra. Deus diz que Ele a chamou pelo seu nome e que você é dEle.

> *Não temas porque Eu te remi [te resgatei pagando um preço em lugar de te deixar cativo]; chamei-te pelo teu nome; tu és Meu. (Isaías 43.1b)*
> *Visto que foste precioso aos Meus olhos, digno de honra, e Eu te amei, darei homens por ti e os povos pela tua vida. Não temas, pois, porque Sou contigo... (Isaías 43.4,5a)*

Tire um minuto e olhe para o seu coração. O que você vê ali? Como se sente a respeito de si mesma? Se a sua resposta não está de acordo com a Palavra de Deus, quero encorajá-la a começar hoje a renovar a sua mente com relação a si própria. Escrevi muitos livros que a ajudarão nesta área, mas, naturalmente, a Palavra de Deus é o melhor livro de referência que existe.

Não devemos apenas pedir a Deus as coisas que Ele prometeu, mas também devemos recebê-las. João 16.24 diz que devemos pedir e receber para que a nossa alegria seja completa. Se você se sente indigna, provavelmente não pedirá, e, ainda que o faça, não o receberá pela fé. A sua dúvida sobre si mesma sempre ficará entre você e o melhor que Deus tem para você. A decisão é sua. Não permita mais que os sentimentos a governem. Dê um passo de fé e comece hoje a melhorar a sua qualidade de vida. Creia que você toma boas decisões, que é uma pessoa de valor, com um grande futuro e que algo bom vai acontecer com você hoje!

■ *Capítulo Sete* ■

O PODER DA PREPARAÇÃO

A preparação nos capacita a agirmos com confiança. Muitas mulheres não são autoconfiantes simplesmente porque não estão preparadas adequadamente para aquilo que tentam fazer. Pode haver uma série de razões para esta falta de preparo. Elas não entendem a importância do preparo, são preguiçosas, ou estão muito ocupadas fazendo coisas que não as ajudam a alcançar seus objetivos e assim não têm tempo para fazer aquilo que pode ajudá-las. Imagine um médico tentando ser confiante sem nunca ter passado por qualquer tipo de treinamento ou preparação. Qualquer pessoa que pratica um esporte com seriedade está sempre treinando e se preparando. Até como mestra da Palavra de Deus, nunca subo ao púlpito sem estar completamente preparada. Estudo, oro e repasso minhas anotações diversas vezes. Em geral, nem olho para as minhas anotações enquanto prego, porque quando me coloco de pé para ensinar, elas já se tornaram parte de mim de tal maneira que fluem com facilidade. Saber que dei o melhor de mim para me preparar ajuda-me a ministrar com confiança.

Você consegue pensar em alguém que é perito em algo e que nunca treina e se prepara? Eu não. Um pianista de concertos treina, um ginasta de nível internacional treina, uma bailarina treina. Todo esse treino e preparo geram confiança no indivíduo.

O poder da preparação

Moisés tinha um chamado em sua vida para libertar os israelitas da escravidão quando eles estavam sendo mantidos cativos no Egito. Ele queria começar imediatamente, mas, ao fazê-lo, matou um egípcio e foi obrigado a fugir do Egito por muitos anos. Agindo sem a permissão de Deus, Moisés demonstrou claramente que ainda não estava pronto. Ele possuía zelo, mas não tinha nenhum conhecimento. Ele era emotivo, mas não estava preparado. Deus o levou ao deserto, onde ficou por quarenta anos sendo preparado por Deus para o trabalho que estava à sua frente.

Quando Deus nos dá um trabalho a fazer, geralmente pensamos que será fácil de realizar. Entretanto, as coisas, em sua maioria, são mais difíceis do que você jamais imaginou, demoram mais do que você pensou poder suportar, mas também dão resultados maiores do que você poderia supor.

Quando Deus me chamou para o ministério, pensei que fosse algo que aconteceria imediatamente. Eu não entendia que tinha muito a aprender antes de estar preparada para o ministério que Deus queria para mim. Dediquei cada hora livre que pude ao estudo da Palavra de Deus e à leitura de livros que me ensinavam as doutrinas e princípios bíblicos. Entreguei-me ao meu chamado. Comecei a dizer não aos convites que recebia de amigas para fazer coisas que eu sentia que seriam pura perda de tempo para mim. Muitas delas não entendiam esse meu novo zelo. Na verdade, elas me disseram que achavam que eu estava indo longe demais e que precisava me acalmar e voltar ao meu comportamento normal. Achavam estranho que eu não quisesse bater perna com elas o dia todo, como eu costumava fazer no passado, indo a bazares feitos em garagens e freqüentando todo tipo de festas. Não estou dizendo que há algo de errado em fazer essas coisas, mas Deus estava me chamando para que eu estivesse separada a fim de me preparar para um ministério de ensino bíblico. Eu jamais poderia ser um sucesso e glorificar a Deus se não estivesse preparada, e preparação requer tempo e dedicação. Pra ser honesta, não foi nenhum sacrifício para mim, pois Deus me deu um desejo muitíssimo forte de aprender, mas emocionalmente foi difícil para mim ter sido tão incompreendida. Eu estava tentando seguir a Deus e minhas amigas ficaram zangadas e me rejeitaram. Mais tarde aprendi que até mesmo tudo aquilo era parte da minha preparação.

Dediquei-me, durante cinco anos, ao ensino bíblico nos lares, que contava com vinte e cinco ou trinta pessoas. Eu era fiel e não recebi qualquer benefício financeiro durante aquele período. Foi uma fase de grandes necessidades financeiras para Dave e eu, mas Deus sempre nos proveu. Geralmente, Ele o fazia no último minuto e de formas inesperadas, mas Ele sempre nos proveu.

> A autoconfiança não aparece simplesmente nas nossas vidas de repente, mas cresce à medida que damos passos de fé e experimentamos a fidelidade de Deus.

Como parte do meu preparo, Deus me levou a abandonar meu emprego para que eu tivesse algum tempo de dedicação ao estudo da Palavra. Tínhamos três filhos naquela época, e eu estava trabalhando em tempo integral e era muito ativa na igreja. Teria sido impossível ter tempo para me preparar se eu não tivesse sacrificado o salário que recebia e me disposto a confiar que Deus supriria as nossas necessidades. Aprender a confiar em Deus dessa forma foi um tempo de teste para mim e também foi parte da minha preparação para o ministério que temos agora, no qual temos de confiar em Deus literalmente para tudo. A autoconfiança não aparece simplesmente nas nossas vidas de repente, mas cresce à medida que damos passos de fé e experimentamos a fidelidade de Deus.

Em seguida, trabalhei debaixo da autoridade de outra pessoa em uma igreja durante cinco anos e aprendi muito. Foi um período

O poder da preparação ■ 115

bom, mas difícil. Estar debaixo de autoridade impedia-me de fazer aquilo que eu queria. Era frustrante, mas definitivamente era parte do plano geral de Deus para minha vida e ministério. Sempre digo que as pessoas precisam aprender a se colocar debaixo de autoridade antes de estarem qualificadas para exercer autoridade. Sendo uma pessoa voluntariosa, com uma personalidade do tipo "A", foi difícil submeter-me de bom grado a uma autoridade com a qual eu nem sempre concordava, mas aquilo foi muito bom para mim, além de ser parte da minha preparação.

A terceira fase de nosso ministério teve início em 1985, quando Deus nos disse para levarmos o ministério para o norte, sul, leste e oeste. Começamos com reuniões muito pequenas, em qualquer lugar onde pudéssemos ir de carro, e quando digo pequenas, quero dizer pequenas mesmo. Naquele tempo, raramente tínhamos uma reunião com uma freqüência de cem pessoas. Quando comecei a escrever este livro, eu já estava ensinando a Palavra de Deus por trinta anos. Freqüentei a escola do Espírito Santo. Não fui preparada da forma convencional, entretanto, fui preparada por Deus para o ministério que tenho hoje. Fazemos viagens nacionais e internacionais. Temos escritório em treze países e alcançamos aproximadamente dois terços do globo pela televisão cinco dias por semana. Sim, fizemos um longo percurso até aqui, mas ele levou muito tempo e custou anos e anos de preparo antes de cada estágio de progresso.

Fui criticada ao longo dos anos por não ter recebido um treinamento formal em um seminário. As pessoas diziam: "Quem é você para estar ensinando a Palavra de Deus? Onde foi que você obteve as suas credenciais?" Sou qualificada porque Deus me ungiu para pregar o Evangelho aos pobres e necessitados (Isaías 61.1). Tudo o que precisamos fazer é olhar para alguns dos discípulos que Jesus escolheu e rapidamente poderemos ver que Deus nem sempre chama aqueles que parecem estar qualificados, aliás, geralmente Ele não faz isso. A Bíblia diz que Ele escolhe propositalmente os fracos e os tolos do mundo para confundir os sábios (1 Coríntios 1,26-29).

Posso dizer com certeza que Deus irá prepará-la da forma que Ele quiser. Pode ser através do treinamento formal ou não, mas Deus usará tudo na sua vida para treiná-la se você estiver disposta a ser treinada. É triste dizer que muitas pessoas têm um grande chamado em sua vida, mas elas estão impacientes demais para passarem pela preparação necessária que as equiparão para o trabalho.

José era um rapaz que tinha um sonho. Ele sonhava em ter autoridade e ser um grande homem. Entretanto, era jovem e impetuoso e precisava de um pouco de treinamento e preparo. Os irmãos de José odiavam-no porque seu pai o favorecia, e o venderam como escravo. Deus usou aquela situação como uma oportunidade para testar e treinar José. Ele até passou treze anos na prisão por algo que não tinha feito, mas o que aconteceu a José durante aqueles anos definitivamente capacitou-o para o seu papel na história que havia sido ordenado por Deus. O favor de Deus estava sobre José e ele subiu ao poder tendo somente Faraó em posição superior à sua. Ele foi colocado na posição de alimentar multidões, inclusive seu pai e seus irmãos, durante os sete anos de escassez. O seu pão pode se tornar a bênção de outra pessoa. O seu problema pode se tornar o seu ministério se você tiver uma atitude positiva e decidir permitir que tudo aquilo pelo qual está passando a prepare para o que está por vir.

Ester precisou de um ano de preparação antes que lhe fosse permitido comparecer à presença do rei. Durante doze meses, ela passou pelo processo de purificação, porém, mais do que sua beleza física, a sua beleza interior transpareceu, e Deus usou-a para salvar o seu povo do plano maligno do perverso Hamã.

Pedro teve de ser preparado passando por algumas experiências bastante humilhantes; ele era um homem poderoso, mas também orgulhoso. O Senhor teve de humilhá-lo antes que pudesse usá-lo. Geralmente líderes fortes possuem muito talento natural, mas também são cheios de si (soberba) e precisam aprender a depender de Deus. Eles precisam trocar a confiança em si mesmos pela confiança em Deus. Lembre-se que Jesus disse: "Sem Mim, nada podeis fazer" (João 15.5). Quando Ele diz nada, Ele quer dizer nada! Somos como uma folhinha de grama, que hoje está aqui e amanhã se foi. Ou como o vapor, ou um sopro de fumaça. Estamos aqui e depois desaparecemos. Não ousemos pensar a nosso respeito além do que deveríamos. Não queiramos nos ver de forma muito pequena, mas de forma muito elevada também não. Precisamos somente nos ver "em Cristo". Nada somos sem Ele e, no entanto, podemos fazer todas as coisas com Ele.

Não Tente Improvisar

Você já se viu na situação de não ter dedicado tempo para se preparar para alguma coisa no trabalho ou na igreja quando esperavam que você fizesse algo? Seu coração começa a saltar, as borboletas no seu estômago começam a bater as asas, e você pensa consigo mesma em silêncio: "Vou simplesmente improvisar". Você não está preparada, mas pensa que, com sorte, poderá se sair bem de qualquer jeito, e que ninguém nunca irá saber. Ainda que consiga enganar os outros, você saberá a verdade e não se sentirá bem com isso. Lá no fundo você saberá que não fez o seu melhor. Talvez se sinta aliviada por ter conseguido passar por aquilo, mas você o fez com medo e não com confiança.

Até Jesus foi treinado e preparado pelo sofrimento que passou. Ele foi literalmente capacitado para o Seu ofício como Sumo Sacerdote durante o Seu tempo de adestramento.

Embora sendo Filho, aprendeu a obediência [ativa, especial] pelas coisas que sofreu
E, tendo sido aperfeiçoado [capacitado pela Sua completa obediência], tornou-se o Autor da salvação eterna para todos os que lhe obedecem. (Hebreus 5.8,9, AMP)

Se Jesus precisou de preparação para estar capacitado para a Sua obra, não há dúvida em nossas mentes de que nós precisamos também.

De Que Tipo de Preparo Você Precisa?

Como já mencionei, o tipo de treinamento que você precisa depende do que foi chamada para fazer e em que fase da vida está naquele momento. Para muitos, a educação é o primeiro tipo de preparação que adquirem, mas para outros, isso não é possível. Uma mulher casada com três filhos pequenos e um emprego de meio expediente provavelmente não poderia ausentar-se por dois anos para freqüentar o Seminário ou para tirar sua graduação em administração de empresas. Se você realmente deseja completar sua educação e não pode fazer isso em tempo integral, pode pensar na hipótese de fazer aulas à noite ou até pela Internet. Siga o seu coração e Deus a guiará ao destino certo no momento certo.

Se existe alguma coisa em seu coração que você crê que deve fazer, mas está impossibilitada de fazer agora, não permita que isso a desanime. Guardamos algumas coisas em nosso coração durante anos antes que elas sejam manifestas. Deixe o seu sonho na incubadora do seu coração. Ore a respeito e faça tudo o que puder para estar pronta quando a hora chegar.

Nossa filha mais nova, Sandra, esteve no ministério em tempo integral conosco por quatorze anos, e depois deu à luz gêmeos. Ela descobriu que era impossível continuar no ministério na mesma intensidade durante aquele período de sua vida. Tentou trabalhar em meio expediente conosco e isso também não funcionou. Sandra estava física e emocionalmente estressada e não estava feliz. Então percebeu que teria de renunciar ao seu trabalho durante aquele período da vida, mas, mesmo nesta nova fase, ela crê firmemente que está sendo preparada para o futuro que tem à sua frente. Na

O poder da preparação

verdade, ela ainda se considera parte do ministério, pois procura ajudar e abençoar as pessoas por onde quer que vá. Nada é como era antes, mas é bom! É importante que você entenda a idéia de que a preparação para o que Deus quer que você faça não precisa ser formal ou convencional. Também é importante compreender que Deus não chama todas as pessoas para o ministério em tempo integral. Ele pode chamá-la para os negócios, para o governo, ou para qualquer outra coisa, mas se você deseja exercer a sua atividade com confiança, precisará estar preparada.

Até as pessoas que conseguiram adquirir um treinamento formal ainda assim precisam de uma certa experiência. Ter um conhecimento intelectual e saber como aplicá-lo de forma prática podem ser duas coisas diferentes. A Bíblia diz que Jesus adquiriu "experiência" pelas coisas que sofreu (Hebreus 5.8,9). Deus está procurando pessoas com experiência na vida, portanto, peça a Ele para dar início ao seu treinamento e preparação hoje e você poderá aprender qualquer coisa de que venha a precisar no futuro. Detesto ver jovens saírem da faculdade com uma atitude de "Dr. Sabe-Tudo". Precisamos ser aprendizes vitalícios, e todos podemos aprender alguma coisa todos os dias se deixarmos que tudo na vida seja uma escola para nós.

No meu caso, não pude freqüentar uma faculdade quando terminei a escola secundária. Devido ao abuso sofrido em meu lar, tive de viver por conta própria e começar a me sustentar para poder fugir dos maus-tratos. Deus me ensinou em todos os lugares por onde andei. Aprendi grandes lições sobre integridade, excelência e honestidade na mercearia e nos shoppings. Em certo emprego que tive, aprendi o quanto é importante tratar as pessoas com gentileza quando eu mesma era tratada com grosseria. Às vezes, as experiências amargas por que passamos são os melhores mestres que temos na vida.

Eu gostaria de ter freqüentado uma faculdade. Meus professores reconheciam que eu tinha o dom para escrever e me incentivavam muito a tentar uma bolsa de estudos em uma faculdade de jornalismo, mas tudo que eu conseguia pensar naquela época era em sair de casa e me livrar dos abusos que vinha sofrendo. Estou feliz em dizer que Deus me deu mais do que eu poderia obter por meus próprios meios no que diz respeito à minha formação educacional. Possuo doutorados honorários pela Universidade Oral Roberts e pela Grand Canyon University em Phoenix. Também possuo duas graduações auferidas com base nos setenta e cinco livros que escrevi e no conhecimento contido neles. Eles incluem um diploma de bacharelado e mestrado em Teologia e um de doutorado por mérito em Filosofia da Teologia, todos eles pela Life Christian University de Tampa, Flórida.

Deus promete em Isaías 61.7 nos dar a dupla recompensa pela nossa antiga vergonha e tribulação, e eu sou uma testemunha viva de que a Sua Palavra é verdadeira.

Algumas pessoas adquirem treinamento no exercício da função. Elas simplesmente não são afeitas a livros e aprendem muito mais rápido pelo método pragmático. Seja qual for a forma pela qual aprendemos, podemos ter a certeza de que Deus nos preparará da Sua maneira.

Não tente colocar Deus em uma caixa, achando que todos têm de fazer as mesmas coisas. Nem todas as pessoas que servem a Deus no ministério freqüentaram Seminário ou escola bíblica. Nem todos que são presidentes ou diretores executivos de uma grande empresa cursaram uma faculdade. Deus capacita algumas pessoas com habilidades naturais muito fortes e uma boa dose de bom senso. Bill Gates, o imperador da Microsoft, abandonou a Universidade de Harvard depois do seu primeiro ano. Em vez de freqüentar a universidade, Truett Cathy abriu um restaurante especializado em frango cujos princípios eram fortemente baseados na Bíblia, e a Chick-fil-A é hoje a segunda maior rede de restaurantes de serviço rápido especializados em frango do país. Nosso filho mais moço não freqüentou a faculdade, mas ocupa a direção executiva de nosso

O poder da preparação

escritório nos EUA e faz um trabalho fantástico. Ele possui talentos dados por Deus e uma grande dose de bom senso. Vê as coisas e instintivamente sabe como lidar com elas. Parte do seu treinamento veio de estar simplesmente ao lado de seu pai e de mim por tantos anos. É impressionante o que aprendemos na vida e que nem nos damos conta de que estamos aprendendo, até que precisemos colocá-lo em prática.

Nosso filho mais velho é o diretor executivo de todos os escritórios internacionais e missões mundiais. Ele freqüentou a faculdade durante dois anos, mas sua formação não teve nada a ver com o que realiza na vida atualmente. Ele também aprendeu do modo mais difícil, trabalhando em cada departamento que existia nos Ministérios Joyce Meyer, até abrir caminho para o topo.

Eu a incentivo a permitir que tudo na vida seja uma preparação para as coisas que você terá no futuro. Deixe que cada experiência seja algo com que você possa aprender. Não despreze os dias dos pequenos começos. Esses pequenos começos geralmente são tudo com o que podemos lidar por enquanto. Deus nos dará mais quando souber que estamos prontas. Aprecie cada passo da sua caminhada. Não ande tão apressada, nem passe pelas coisas correndo a ponto de perder as lições com as quais pode aprender a cada dia.

Faça a Sua Parte e Deus Fará o Resto

Se você fizer o que pode fazer, Deus fará o que você não pode fazer. Faça o máximo para estar preparada para o trabalho que está diante de você e Deus cumprirá a parte dEle dando-lhe algumas habilidades sobrenaturais que a deixarão impressionada. Costumo estudar com afinco para meus sermões e, com freqüência, quando estou ensinando, ouço-me dizendo coisas que nem tinha noção de que sabia. Eu faço a minha parte e Deus cumpre a dEle de forma sobrenatural trazendo algumas coisas que tornam a minha mensagem ainda melhor. Tivesse eu preguiça e achado que não precisava me preparar, essas coisas sobrenaturais não ocorreriam.

Para estar preparada, você não precisa se preocupar com a parte que não sabe fazer, simplesmente faça a parte que sabe. As suas atitudes cheias de fé são sementes que você planta. Plante a sua semente com fé e Deus trará a colheita no tempo certo.

Quando Jesus subiu ao céu, Ele concedeu dons aos homens (Efésios 4.8). Tenho o dom da comunicação. Meu líder de louvor possui o dom da música. Meus dois filhos possuem o dom da administração de empresas. Meu marido tem o dom da sabedoria e da administração financeira. Deus cobriu todas as bases e não temos com que nos preocupar. Repito: "Se você fizer o que pode fazer, Deus fará o que você não pode fazer".

> A insegurança e a falta de autoconfiança roubarão a vida maravilhosa que Deus planejou para você.

Se você fizer a sua parte confiantemente, Deus a cercará de pessoas que possuem os dons e as habilidades que você não tem. Porém, quando uma pessoa não tem autoconfiança, ela geralmente não pode receber a ajuda de outras pessoas. Ela fica muito ocupada fazendo comparações para receber o auxílio que Deus lhe envia. A insegurança e a falta de autoconfiança roubarão a vida maravilhosa que Deus planejou para você. Essas coisas fazem com que você sinta ciúmes e ressentimento contra aqueles a quem deveria valorizar.

Meu marido não tem as mesmas habilidades que eu, mas possui boas habilidades. Ele é autoconfiante e não sente necessidade de competir comigo. Formamos um bom time porque temos aptidões diferentes. Completamos e complementamos um ao outro. Muitas pessoas não fazem nada porque não podem fazer tudo. São pessoas negativas que se concentram no que não podem fazer em vez de verem o que podem fazer e partirem para a ação.

Você não precisa estar preparada para fazer todo o trabalho sozinha. Apenas prepare-se para fazer o melhor que puder e lembre-se de que Deus acrescentará aquilo que você não tem.

Conheça os Seus Pontos Fortes e Fracos

Então como você sabe o que pode fazer e o que não pode? É importante compreender isto se você quiser estar bem preparada, uma vez que a impedirá de desperdiçar seu tempo em algo em que não terá êxito de forma alguma. Sou uma boa palestrante, mas não sou uma boa musicista ou cantora. Em certo momento de minha vida, decidi que queria aprender a tocar violão. Logo descobri que não tinha nenhuma habilidade nessa área. Em primeiro lugar, meus dedos são curtos e não alcançam confortavelmente o braço do violão. Esforcei-me para tocar algumas notas, mas não gostei nada daquilo. Por quê? Porque tocar violão não era para mim. Se eu tivesse insistido em aprender, teria me sentido um fracasso; e se eu tivesse tentado tocar diante das pessoas, com certeza não teria me sentido confiante. Por mais que você tente, não poderá estar adequadamente preparada e sentir-se confiante em fazer algo para o qual não foi chamada.

Esteja tentando fazer o que for, certifique-se de que seja algo para o qual você foi destinada, e não apenas algo que você quer fazer para impressionar as pessoas. Eis uma triste verdade: algumas pessoas desperdiçam a maior parte do seu tempo e todo o seu dinheiro tentando impressionar pessoas de quem elas sequer gostam.

Não tenha medo de admitir que algumas coisas não estão ao seu alcance. Conheça os seus pontos fracos e ore para que Deus envie pessoas à sua vida para fazer aquilo que você não pode. Não posso cantar e tocar instrumentos, mas Deus sempre proveu bons líderes de louvor e adoração para meu ministério. Não sei nada sobre o equipamento necessário para fazer uma gravação para a televisão e para transmitir um show a nível mundial, mas estou cercada de pessoas que sabem fazê-lo. Não tenho medo de dizer que não sou boa em alguma coisa e não perco meu tempo tentando desenvolver meus pontos fracos.

Outra coisa muito importante é que você precisa conhecer definitivamente os seus pontos fortes. Faça uma lista das coisas em que você é boa e leia-a todos os dias até ter adquirido confiança em suas habilidades. Pensar naquilo em que você é boa não é ser arrogante; é apenas a preparação para exercer o seu trabalho com confiança. Sei que todas as coisas para as quais tenho talento são porque Deus deu-me dons naquela área e agradeço a Ele todo o tempo pelas habilidades com que me capacitou. Algumas pessoas nunca pensaram seriamente sobre seus pontos fortes e, se esse é o seu caso, é tempo de começar. Faça uma lista e leia-a em voz alta para si mesma pelo menos três vezes ao dia, até que esteja convencida.

Esta é a minha lista:

Sou boa comunicadora
Sou uma pessoa que trabalha duro
Tenho muito bom senso
Sou organizada
Sou decidida
Sou determinada
Sou disciplinada
Sou uma amiga leal
Tenho boa memória de curto prazo
Gosto de ajudar as pessoas
Gosto de dar

Não fiz esta lista para me gabar, mas para lhe mostrar como preparar uma e incentivá-la a ser corajosa o suficiente para começar.

O poder da preparação

Faça afirmações positivas para si mesma todos os dias com relação às suas qualidades. Jesus veio para cuidar daquilo que você não tinha condições de fazer, portanto, deixe que Ele faça o trabalho dEle e agradeça-lhE por isso.

Se você é uma boa mãe e uma boa dona de casa, diga isso. Acredito que sou boa tanto como esposa quanto como mãe. Não sou uma mãe ou uma esposa normais, mas boa em ambos os papéis. Levei muito tempo para dispor-me a dizer isso. Durante muitos anos, o diabo me convenceu de que eu não era boa mãe nem boa esposa porque eu não era capaz de fazer todas as coisas que as outras esposas e mães faziam. Finalmente percebi que eu não havia chamado a mim mesma para o ministério, mas Deus sim. Ele também concedeu graça (uma capacidade especial) à minha família para que eu pudesse estar no ministério. Sim, eles tiveram de sacrificar algumas coisas, mas também tiveram vantagens. Cada vez que ganhamos alguma coisa na vida, abrimos mão de outra para conquistá-la. Se você fosse um pianista profissional, passaria muitas horas treinando enquanto outras pessoas estariam se divertindo, e então, um dia, você é quem teria o privilégio de lhes proporcionar um entretenimento. Você se sacrifica e depois colhe os frutos da semente que plantou.

Toda a minha família se sacrificou para que eu fizesse o que estou fazendo no ministério, mas também tivemos o privilégio de ajudar milhões de pessoas em todo o mundo, e a alegria que provém disto nos compensou mais do que qualquer coisa que tenhamos sacrificado.

Quais são as suas aptidões? Você ao menos tem noção? Já pensou seriamente nisso ou tem estado tão ocupada pensando nas coisas para as quais não tem aptidão que nem mesmo percebeu quais são as suas habilidades? Comece hoje a reverter o fluxo negativo sendo corajosa o bastante para perceber realmente que você é uma pessoa incrível, com habilidades maravilhosas. Todos são! Lembre-se, Deus não cria lixo. Depois que Deus criou o mundo inteiro, e Adão e Eva, Ele olhou para tudo aquilo e disse: "É muito bom!" No Salmo

139, Davi descreve como Deus nos criou no ventre de nossa mãe pelas Suas próprias mãos. Como nos formou de forma delicada e complexa. Então ele diz: "As tuas obras são admiráveis, e a minha alma o sabe muito bem". Uau! Que declaração! Basicamente, Davi está dizendo: "Sou maravilhoso e sei disso no fundo do meu coração!" Ele não está se vangloriando de si mesmo, mas do Deus que o criou.

A Importância da Oração

Orar é provavelmente a parte mais importante da preparação e, ainda assim, tantas pessoas hoje ignoram ou esquecem esta parte vital do processo. Sugiro que você não faça nada sem primeiro orar e pedir a Deus que se envolva naquilo e faça com que tudo dê certo. Jesus disse: "Sem mim, nada podeis fazer", e eu acredito nEle.

A Bíblia diz que devemos reconhecê-lo em todos os nossos caminhos e Ele dirigirá os nossos passos e os endireitará (Provérbios 3.6). Não é suficiente saber que Ele está aqui. Devemos invocá-lo diariamente, pedindo a Sua direção e a Sua força. Pense na criança pequena que insiste em colocar uma camisa ou suéter sozinha; ela se torce, dá puxões, se contorce e geme, e enquanto isso, sua mãe espera pacientemente ao seu lado, esperando que ela peça ajuda. Quando Jesus subiu ao céu e sentou-se à direita do Pai, enviou o Espírito Santo para ser o nosso auxiliador nesta vida. Ele está sempre pronto para se envolver, mas precisamos pedir a Sua ajuda. É como se você estivesse preparando um jantar e, de repente, um renomado chef de cozinha chegasse dizendo que está à disposição para ajudá-la. O Espírito Santo oferece um serviço sobrenatural de reputação internacional, então por que não pedir Sua ajuda? Deus a capacitará para fazer coisas que a surpreenderão se você permitir que Ele seja seu parceiro nesta vida. Mas você precisa começar pela oração.

O poder da preparação

> Tenho andado com Deus a maior parte da minha vida, e ainda estou aprendendo a importância de não tentar fazer nada sem orar.

Tenho andado com Deus a maior parte da minha vida, e ainda estou aprendendo a importância de não tentar fazer nada sem orar. A Bíblia diz que devemos orar sem cessar. Isso não quer dizer que não devemos fazer nada o dia inteiro a não ser orar, mas sustenta que a oração é uma das coisas mais importantes que podemos fazer. Precisamos orar várias vezes ao dia. A oração abre a porta para que Deus opere em nossas vidas, nas situações e na vida dos nossos entes queridos.

Certa vez, ouvi falar de uma região na África onde os primeiros convertidos ao Cristianismo eram pessoas muito diligentes na oração. Na verdade, cada crente tinha o seu lugar especial fora da aldeia, onde costumava orar sozinho. Os aldeões chegavam a essas "salas de oração" usando suas próprias trilhas através do mato. Quando o mato começava a crescer sobre uma dessas trilhas, ficava evidente que a pessoa a quem ela pertencia não estava orando muito.

Como aqueles novos cristãos se preocupavam com o bem-estar espiritual um do outro, surgiu um costume singular. Sempre que alguém percebia um "caminho de oração" onde o mato havia crescido, procurava aquela pessoa e, com amor, a advertia: "Amigo, tem mato no seu caminho!"[1]

A oração coloca à nossa disposição um poder tremendo! (Tiago 5.16). Não permita que a sua vida de oração reflita as ervas daninhas da falta de perseverança ou da negligência. Uma confiança renovada pode se formar rapidamente quando você tem o poder do Espírito Santo operando em sua vida. Não viva uma vida de fraqueza quando o poder está apenas a uma oração de distância de você.

Prepare-se para uma Promoção

Com o passar dos anos, dispensamos várias pessoas importantes do ministério simplesmente porque crescemos e elas ficaram para trás. Em um determinado momento, elas foram muito valiosas profissionalmente, mas não continuaram a buscar treinamento, mesmo quando lhes oferecemos isso, para que pudessem nos acompanhar rumo ao futuro. Talvez algumas delas não tivessem de permanecer conosco. Provavelmente Deus tinha algo mais para elas. Nem tudo dura para sempre; algumas coisas se destinam somente a uma etapa da vida. Entretanto, acredito que alguns de nossos ex-funcionários perderam uma grande oportunidade, pois queriam promoção mas não queriam se preparar, não estavam dispostos a passar pelo treinamento complementar ou a aprender novas qualificações que os ajudassem a se aperfeiçoar.

Parece que atualmente as pessoas querem mais com menor esforço. Hoje existe toda uma geração na casa dos vinte anos que se chama "a Geração que Tem Direito a Tudo", também conhecida como "Geração do Milênio", que é a faixa mais velha dos nascidos entre 1979 e 1994. É uma turma acostumada a obter gratificação imediata, e que espera mais do que está disposta a trabalhar para conseguir.[2]

Você não merece uma promoção e um grande aumento de salário apenas porque está sentada na cadeira de uma empresa por mais um ano. Você precisa estar disposta a ser mais valiosa para o seu empregador, e o único meio de fazer isso é assumindo mais responsabilidades ou fazendo seu trabalho melhor do que fazia no passado. Algumas pessoas são ignoradas quando a empresa em que trabalham procura alguém para dar uma promoção, e elas nunca se dão conta de que isso acontece porque não fizeram a parte que lhes cabia, a de se prepararem.

Algo que sempre me impressionou é o fato de que algumas pessoas são dinâmicas e fazem o que for preciso para ser tudo o que podem ser nesta vida, enquanto outras não fazem nada além de reclamar porque ninguém está lhe trazendo oportunidades de mão beijada. Se você quer manter o seu emprego, tome a decisão de crescer com a sua empresa; não fique sentada ociosamente permitindo que ela cresça enquanto você fica para trás.

Como eu disse antes, seja um aprendiz a vida inteira. Leia, ouça e aprenda. Freqüente uma escola ou tome aulas para se manter a par dos avanços tecnológicos da sua área. Se você fizer investimentos, colherá a recompensa. Quanto mais você souber a respeito do que faz, mais confiança terá. Quanto mais confiança tiver, mais confiança os outros depositarão em você. A preparação é a chave do sucesso. Se você se preparar agora, será promovida mais tarde.

■ *Capítulo Oito* ■

QUANDO O MUNDO DIZ NÃO

Henry Ward Beecher era um garotinho de escola quando aprendeu uma lição sobre autoconfiança que nunca mais esqueceu. Ele foi chamado para repetir o conteúdo da aula diante da turma. Mal tinha começado quando a professora o interrompeu com um enfático "não!". Ele reiniciou a tarefa e novamente a professora esbravejou: "Não!". Humilhado, Henry sentou-se.

O próximo garoto levantou-se para fazer o mesmo e mal havia começado quando a professora gritou: "Não!" Esse aluno, porém, continuou a tarefa até o fim. Quando ele se sentou, a professora disse: "Muito bem!"

Henry ficou irritado. "Eu fiz do mesmo jeito que ele", reclamou com a professora. Mas a mestra respondeu: "Não basta saber a lição, você precisa ter certeza. Quando permitiu que eu fizesse você parar, isso quis dizer que você não estava seguro. Se o mundo inteiro disser 'não!', a sua função é dizer 'sim!' e provar porque".

O mundo diz "não!" de mil maneiras:

"Não! Você não pode fazer isso!"
"Não! Você está errada!"
"Não! Você é velha demais!"

"Não! Você é jovem demais!"
"Não! Você é muito fraca!"
"Não! Isso nunca vai dar certo!"
"Não! Você não tem a instrução necessária!"
"Não! Você não tem a experiência necessária!"
"Não! Você não tem dinheiro suficiente!"
"Não! É impossível!"

E cada "não!" que você ouve tem potencial para corroer a sua confiança pouco a pouco até que você desista completamente.

O mundo pode até dizer: "Não! Você não pode fazer isso, você é mulher!". Foi isto que ouvi quando Deus me chamou para o ministério. Mas não sou a primeira mulher a ouvir que deveria ignorar a direção de Deus para minha vida ou que recebeu sugestões que entravam em choque com meu propósito e desejo fundamentais de servi-lo. Como mencionei num capítulo anterior, a guerra entre a mulher e Satanás começou no Jardim do Éden e não parou. Satanás odeia as mulheres porque foi uma mulher que deu à luz Jesus e foi Jesus quem derrotou Satanás. No entanto, não pense que só porque o diabo está contra você, o sucesso está fora do seu alcance. O diabo pode estar contra você, mas Deus está a seu favor, e com Ele ao seu lado você não pode perder de maneira alguma. Você só precisa ser corajosa o bastante para dizer "sim!" enquanto o mundo diz "não!".

Lembro-me do quanto foi difícil seguir em frente quando levantei-me pela fé para fazer o que eu acreditava que Deus havia me chamado para fazer. Grande parte da minha família, e quase todos os meus amigos, voltaram-se contra mim. Naquela época, na verdade, eu não entendia as passagens bíblicas que as pessoas tentavam usar contra mim, mas sabia que me sentia literalmente compelida a servir a Deus. Eu tinha um tamanho zelo e desejo, que isso me motivava a prosseguir mesmo quando o mundo inteiro (exceto algumas pessoas) estava contra mim. Graças a Deus porque meu marido estava a meu favor. O seu incentivo naqueles primeiros anos foi muito valioso para mim.

Muito embora a maior parte das pessoas me dissesse que eu não podia fazê-lo, tenho insistido por mais de trinta anos e pretendo continuar até que Jesus me chame e me tire deste mundo. Deus tornou possível apesar do que todos pensavam. As pessoas não podem parar Deus!

Cuidado para Não Viver Agradando às Pessoas

Qualquer pessoa que tente agradar aos outros o tempo todo jamais cumprirá o seu destino. Veja a história de uma mulher na Califórnia que tinha dois refrigeradores cheios de garrafas d'água na cozinha. Não era porque ela tivesse sede ao extremo, nem porque tivesse mania de cuidar da saúde; mas sim porque não conseguia dizer não a nenhuma empresa fornecedora de água quando lhe telefonavam! Ela tinha medo que o vendedor falasse mal dela se dissesse não.[1]

Talvez você não tenha problemas em dizer "não" aos operadores de telemarketing, mas quem sabe você os tenha na hora de dizer "não" aos seus amigos, ou à sua família, ou à sua família da igreja, mesmo em detrimento daquilo que você sente que Deus a está chamando para fazer. As pessoas nem sempre ficam felizes com o seu sucesso e até as bem-intencionadas tentarão impedi-la de ter êxito. Você precisa conhecer o seu próprio coração e aquilo que você acredita que deve estar fazendo, e fazê-lo. Se você cometer um erro, logo saberá; e quando isso acontecer, não seja orgulhosa demais para dizer: "Eu me enganei".

"Vá em frente e descubra" é o meu slogan. Detesto ver as pessoas recuarem com medo e ficarem com tanto receio de falhar a ponto de nunca tentarem fazer nada. Conheço um jovem que abandonou um bom emprego para entrar no ministério de música. Foi um passo de coragem, e ele fez todo o possível para fazer com que desse certo, mas não deu (pelo menos, não daquela vez). Entretanto, sinto orgulho dele por ter sido suficientemente corajoso a ponto de arriscar. Pelo menos agora ele não vai passar o resto da vida imaginando como teria sido se tivesse tentado. Às vezes, o único meio de descobrirmos o que devemos fazer com as nossas vidas é experimentar coisas diferentes até vermos o que funciona e o que se encaixa bem no nosso coração.

As pessoas nos dão todo tipo de conselho, a maioria dos quais nós não pedimos. Ouça e, como diz um ministro que conheço, "Coma o feno e cuspa os galhos". Aproveite tudo o que for útil e bom, mas não permita que a opinião dos outros a controle, porque, como dizia Henry Bayard Swope: "Não posso lhe dar a fórmula do sucesso, mas posso lhe dar a fórmula do fracasso, que é: tente agradar a todos".

> Deus usa homens e mulheres que estão prontos a obedecer-lhE e agradar-lhE, e não aqueles que são controlados pelo temor dos homens.

O apóstolo Paulo deixou claro que, se tentasse ser popular com as pessoas, ele não teria sido um apóstolo de Jesus Cristo (Gálatas 1.10). O rei Saul perdeu o reino porque permitiu que o seu temor dos homens fizesse com que ele desobedecesse a Deus (1 Samuel 13.8-14). Deus tirou o reino de Saul e o entregou a Davi, um homem segundo o Seu coração. O próprio irmão de Davi, Eliabe, reprovou-o, mas a Bíblia diz que Davi afastou-se dele e continuou fazendo o que pretendia (1 Samuel 17.28-30). Devemos nos afastar das pessoas que tentam nos desencorajar ou acusar em vez de permitir que o que elas dizem ou pensam nos afete negativamente.

Deus usa homens e mulheres que estão prontos a obedecer-lhE e agradar-lhE, e não aqueles que são controlados pelo temor dos homens. Todos queremos que as pessoas gostem de nós e nos aceitem, mas não podemos permitir que esse desejo nos controle.

Abordo este assunto em maiores detalhes em meu livro *Approval Addiction* (O vício da aprovação), que logo será publicado no Brasil. Ele é um guia completo para vencermos uma necessidade desequilibrada de agradar às pessoas, e eu o escrevi porque durante anos tentei encaixar-me no conceito errado do que seria uma cristã perfeita. Tentei agradar a todos e não agradei a ninguém, e isso me trouxe muitos problemas e sofrimento. A não ser que ouça a Deus e siga o seu coração, você terá uma vida frustrada e vazia. Qualquer pessoa que permita que os outros a controlem e dirijam seu destino finalmente se tornará amarga e se sentirá usada. Tenho certeza de que você já ouviu o ditado popular: "Que seja verdade segundo o teu coração", e quero dizer que o recomendo muitíssimo. Se você ainda não está fazendo isso, que comece a seguir este conselho.

A história está cheia de pessoas que realizaram grandes coisas e, no entanto, tiveram de perseverar superando a crítica e o julgamento dos outros. Alguns dos maiores inventores do mundo foram perseguidos por sua família e amigos, mas seguiram em frente porque acreditavam no que estavam fazendo.

Benjamin Franklin ansiava por escrever para o jornal de seu irmão mais velho onde trabalhava como aprendiz de impressão, mas seu irmão não o permitiu. De qualquer forma, Ben escrevia histórias – sob o pseudônimo Silence Dogood, uma viúva fictícia de muita opinião – especialmente com relação à forma como as mulheres eram tratadas. Cada carta era enfiada por baixo da porta da redação do jornal, à noite, a fim de evitar que sua identidade fosse descoberta, e "Silence Dogood" tornou-se tremendamente popular. Depois de dezesseis cartas, Ben finalmente admitiu que ele era o escritor anônimo e apesar de ter recebido uma boa dose de atenção de todos, seu irmão apenas ficou mais zangado e mais ciumento. Como resultado disso, Ben foi espancado e precisou fugir. Dentre as muitas invenções e melhorias que criou em sua vida, ele finalmente abriu o seu próprio estabelecimento e assumiu o comando de um jornal, Pennsylvania Gazette, o qual, sob a sua supervisão, tornou-se o periódico de maior sucesso nas colônias.[2]

Depois de inventar o telefone, Alexander Graham Bell esforçou-se para conseguir dinheiro para fazer com que sua invenção se tornasse famosa. A princípio, ninguém levou a novidade realmente a sério, e até mesmo seus familiares mais próximos e patrocinadores o incentivaram a se concentrar em fazer melhorias no telégrafo em vez daquela "besteira de telefone que fala". Os banqueiros riram dele e a Western Union a princípio o rejeitou. Mas Alexander recusou-se a desistir, e é por isso que hoje temos o telefone.[3]

Um médico húngaro chamado Ignaz Semmelweis descobriu que uma infecção fatal comum no parto poderia ser grandemente reduzida se os enfermeiros e médicos lavassem bem as mãos entre o atendimento a uma paciente e outra. Apesar de ter diminuído a taxa de mortalidade das mulheres no parto, ele saiu ridicularizado de Viena por causa de suas convicções. Ainda assim, ele tomou nota de suas descobertas, e hoje recebe o crédito por ter tornado os partos mais seguros.[4]

Margaret Knight trabalhava em uma fábrica de sacos de papel em meados de 1800, quando inventou uma nova peça de máquina que dobrava e colava sacos de papel automaticamente, criando fundos quadrados em vez do formato de envelope que era comum na época. Os trabalhadores se recusaram a dar-lhe ouvidos quando da instalação do equipamento, pois pensaram: "O que uma mulher entende de máquinas?" Ela foi em frente e abriu a Eastern Paper Bag Company, em 1870, e desenvolveu mais de vinte e seis outras invenções durante sua vida, todas patenteadas.[5]

Hedy Lamarr é conhecida como uma estrela de cinema popular dos anos 30 e 40, mas ela também era extremamente inteligente e criativa. Ela tinha sincero desejo de ajudar nos esforços de guerra durante a Segunda Guerra Mundial e pensou em deixar de atuar para unir-se ao National Inventors Council (Conselho Nacional de Inventores), mas lhe disseram que o seu rosto bonito e sua condição de estrela poderiam fazer mais pelo conflito ao incentivar as pessoas a comprarem bônus de guerra. Mas Hedy nunca desistiu do seu sonho, e ajudou a inventar um sistema de comunicação de controle remoto por rádio que foi patenteado durante a Segunda Guerra Mundial e duas décadas à frente do seu tempo. Além da sua invenção, que contribuiu para diversas tecnologias que são usadas atualmente, ela levantou milhares de dólares para ajudar nos esforços de guerra.[6]

Fiquei impressionada ao ler a história desses homens e mulheres que contribuíram tanto para o progresso da sociedade em praticamente todas as áreas imagináveis e, no entanto, tiveram de suportar um alto nível de crítica, julgamento e perseguição para trazer algo melhor ao mundo. Isso demonstra claramente como Satanás luta contra todo progresso. Ele utiliza todo tipo de medo para tentar paralisar as pessoas, mas a mulher confiante continuará seguindo em frente e a dizer "Sim", mesmo quando o mundo diz "não".

O Que Há de Errado em Ser Diferente?

Parece que o mundo se opõe, e até mesmo teme qualquer coisa que fuja à norma. Quando as pessoas são diferentes ou tentam fazer algo diferente, elas devem se preparar para a oposição.

Muitas pessoas que fizeram grandes coisas na vida estavam dispostas a ficar sós, e isso não é possível sem autoconfiança.

Timóteo, o filho "espiritual" de Paulo no ministério, era muito jovem e estava com medo e preocupado com o que as pessoas pensavam a respeito da sua pouca idade. Paulo disse a ele para não deixar que nenhum homem desprezasse sua juventude (1 Timóteo 4.12). A idade de uma pessoa realmente não importa. Se Deus chama alguém para fazer alguma coisa e esse alguém tem a confiança necessária para seguir em frente, nada pode impedi-lo.

O Senhor falou recentemente ao meu coração e disse: "Nunca tome decisões baseadas na sua idade". À medida que Dave e eu ficamos mais velhos, nos perguntamos se deveríamos tentar coisas novas uma vez que nossa idade está avançando. Deus deixou muito claro que a idade não deve ser o fator decisivo. Moisés tinha oitenta anos quando deixou o Egito para guiar os israelitas até a Terra Prometida. Aos oitenta e cinco anos, Calebe pediu que uma montanha fosse a sua herança.

> *Eis, agora, o Senhor me conservou em vida, como prometeu; quarenta e cinco anos há desde que o Senhor falou esta palavra a Moisés, andando Israel ainda no deserto; e, já agora, sou de oitenta e cinco anos.*
>
> *Estou forte ainda hoje como no dia em que Moisés me enviou; qual era a minha força naquele dia, tal ainda agora para o combate, tanto para sair a ele como para voltar.*
>
> *Agora, pois, dá-me este monte de que o Senhor falou naquele dia, pois naquele dia, ouviste que lá estavam os anaquins e grandes e fortes cidades; o Senhor, porventura, será comigo, para os desapossar, como prometeu. (Josué 14.10-12)*

A forma como uma pessoa reage à sua idade (e por falar nisso, como os outros reagem!), realmente depende de você. É claro que todos envelhecemos a cada ano, mas não precisamos ter uma mentalidade do tipo "Sou velha demais". Adlai Stevenson disse: "Não são os anos da sua vida que contam, mas sim a vida dos seus anos". Pessoas confiantes não pensam na idade que têm, elas pensam no que podem realizar com o tempo que lhes resta. Lembre-se: pessoas confiantes são positivas e olham para o que têm, e não para o que perderam.

> Comemore o fato de que você não é exatamente como todo mundo. Você é especial! Você é única!

Se estiver lendo este livro e, digamos, você tenha sessenta e cinco anos e sente que perdeu a maior parte da vida não fazendo nada além de ser uma pessoa envergonhada e tímida – você ainda pode começar hoje a fazer algo espantoso e grande com a sua vida.

No momento em que escrevo este livro, meu marido Dave tem 65 anos e eu tenho 62. Estamos fazendo agora tanto quanto antes ou talvez mais do que nunca, mas tivemos de tomar a decisão de não adquirirmos uma mentalidade de "aposentados" ou de pensarmos em termos de "Estou velho demais para isso".

Estamos determinados a deixar que Deus, e não as pessoas ou a nossa idade, governe a nossa tomada de decisões. Vou ser uma mulher confiante enquanto estiver nesta terra, e sei que quando for para o céu terei perfeita confiança porque na presença de Deus não existe medo.

Posso dizer que sou uma mulher confiante porque decidi ser assim, e não porque me sinto sempre confiante!

Comemore o fato de que você não é exatamente como todo mundo. Você é especial! Você é única! Você é o produto de 23 cromossomos de seu pai e 23 de sua mãe. Os cientistas dizem que só existe uma chance em 2.000.000.000 de seus pais terem outro filho exatamente como você. A combinação de características que você tem não pode ser duplicada. Você precisa explorar o desenvolvimento da sua singularidade e fazer disso um assunto de prioridade máxima.

Descobrir que pode fazer algo que ninguém mais, entre as pessoas que você conhece, pode fazer não aumenta o seu valor, e estar com pessoas que podem fazer coisas que você não pode não diminui o seu valor. Nosso valor não está em sermos diferentes ou iguais aos outros, ele está em Deus.

Há milhares de anos, o filósofo grego Aristóteles sugeriu que cada ser humano é gerado com um conjunto único de potenciais que anseiam por serem realizados, tanto quanto a noz do carvalho anseia por se tornar a árvore que está dentro dela. Acredito que milhares entre as milhares de pessoas que lerão este livro anseiam por preencher um desejo profundo dentro delas. Não se contente com o "mais ou menos" nem em "ir levando". Você pode ter algumas limitações, mas pode ser extraordinária se tomar a decisão de ser.

O famoso ator Sidney Poitier conta sua vida no sistema colonial. Ele compartilha que naqueles tempos, quanto mais escura fosse a sua pele, menos oportunidades você deveria esperar. Seus pais, porém, principalmente sua mãe, cultivaram nele um orgulho ardente, que fez com que ele se recusasse a ser qualquer outra coisa menos do que extraordinário. Eles eram extremamente pobres, e a pobreza com o tempo pode acabar mexendo com a sua cabeça se você permitir, mas Sidney continuou acreditando que podia superar aquilo e certamente o fez.[7] A tenacidade é uma característica maravilhosa. A águia é tenaz. Uma vez tendo posto os olhos em sua presa, preferirá morrer a soltá-la.

Pessoas realmente confiantes não são derrotadas pela oposição; elas na verdade são desafiadas e se tornam ainda mais determinadas a ter êxito do que antes.

O mundo disse "não" a Sidney, mas ele disse "sim!" O que você dirá quando o mundo disser "não"?

■ *Capítulo Nove* ■

AS MULHERES SÃO MESMO O SEXO FRÁGIL?

Uma das idéias erradas sobre as mulheres é de que elas são mais fracas que os homens; isso não é verdade. A Bíblia diz que elas são fisicamente mais fracas (1 Pedro 3.7), mas nunca deu a entender que elas são mais fracas em qualquer outro aspecto. As mulheres têm bebês, e acredite em mim quando digo que não há como ser fraca e passar por algo como ter um bebê.

Posso precisar de meu esposo para abrir a tampa de um pote novo de maionese, mas tenho uma tremenda persistência no que diz respeito a me dedicar a alguma coisa até que a tenha terminado. Não sou fraca e não sou alguém que desiste. Como mulher, recuse-se a olhar para si mesma como o "sexo frágil".

Não permita que esta mentalidade errada tome conta de você. Você pode fazer tudo o que for preciso fazer nesta vida.

O mundo está cheio de mães solteiras cujos maridos as deixaram e se recusaram a sustentar seus filhos financeiramente. Essas mães são gigantes aos meus olhos. Elas trabalham duro e tentam ser tanto mães quanto pais de seus filhos. Elas sacrificam tempo, prazeres pessoais e tudo o mais que se pode imaginar porque amam seus filhos ardentemente. Com certeza, não são fracas.

As mulheres são mesmo o sexo frágil?

Os homens que simplesmente vão embora precisam se lembrar que a verdadeira força não vai embora, mas supera os obstáculos e assume a responsabilidade.

Mais de 10 milhões de mães solteiras hoje estão criando filhos abaixo dos dezoito anos. Esse número cresceu drasticamente desde os 3 milhões registrados em 1970 e estima-se que 34% das famílias governadas por mães solteiras estejam abaixo da linha da pobreza (com uma renda inferior a US$ 15,670 ao ano).[1] Suas maiores preocupações são muito mais básicas do que as de muitas famílias onde os dois pais estão presentes – elas se preocupam com uma assistência médica de qualidade e a preços acessíveis, em manter um carro em condições e em viver em uma casa ou apartamento seguros e a um preço razoável.

Alguns homens acham que se uma mulher é mãe e dona de casa, ela não faz nada o dia todo. Ele pode dizer coisas como: "Trabalhei o dia inteiro, e o que você fez?" Esse tipo de comentário pode fazer com que uma mulher se sinta desvalorizada, mas ele é feito por homens que têm uma tremenda falta de conhecimento. Criar filhos, cuidar de um homem e ser uma boa dona de casa é um emprego de tempo integral que implica em hora extra sem pagamento. Eu aplaudo as mães que não trabalham fora, principalmente aquelas que exercem a sua função com alegria. Vocês são as minhas heroínas!

Indo Se Deitar

Mamãe e papai estão vendo TV quando mamãe diz: "Estou cansada, e está ficando tarde. Acho que vou me deitar". Ela vai para a cozinha fazer sanduíches para o almoço do dia seguinte, lava as panelas do jantar, tira a carne do congelador para o jantar do dia seguinte, verifica o nível da caixa de cereais, enche o pote de açúcar, coloca as colheres e as tigelas na mesa e deixa o bule pronto para passar o café na manhã seguinte. Então ela coloca algumas roupas molhadas na secadora, põe um lote de roupas sujas na lavadora, passa uma camisa e costura um botão solto. Ela recolhe as peças do jogo deixadas sobre a mesa e coloca a agenda de telefones de volta na gaveta. Ela rega as plantas, esvazia uma cesta de papéis e pendura uma toalha para secar. Boceja, se espreguiça e vai para o quarto. Ela pára perto da escrivaninha e escreve um bilhete para a professora, conta algum dinheiro para a excursão da escola e retira um caderno de baixo da cadeira. Ela assina um cartão de aniversário para uma amiga, coloca o endereço e o selo no envelope e faz uma lista rápida de supermercado. Põe ambos perto de sua bolsa.

Então, mamãe coloca creme no rosto, passa o hidratante no corpo, escova os dentes e passa o fio dental, e corta as unhas. O marido chama: "Pensei que você fosse se deitar". "Estou indo", diz ela. Põe um pouco d'água no pote do cachorro e coloca o gato para fora, então verifica se as portas estão trancadas. Dá uma olhada em cada um dos filhos e desliga um abajur, pendura uma camisa, joga um par de meias no cesto de roupa suja e conversa brevemente com um dos filhos, que ainda está acordado fazendo o dever de casa. Em seu quarto, ela ajusta o despertador, retira as roupas para o dia seguinte e endireita a prateleira dos sapatos. Ela acrescenta três coisas à sua lista de tarefas para o dia seguinte.

A essa altura, o marido desliga a TV e anuncia, para ninguém em especial: "Vou me deitar". E vai.[2]

Os homens têm muitos pontos fortes maravilhosos e, como já mencionei neste livro, têm habilidades que nós não temos, mas nós definitivamente não somos o "sexo frágil".

A História Não Tem Sido Justa

Ninguém pode subestimar a influência das mulheres na manutenção do lar e na criação dos filhos. Mas a história não tem sido justa em deixar de registrar as espantosas realizações das mulheres em

As mulheres são mesmo o sexo frágil? 143

áreas que geralmente se pensava serem dominadas pelos homens: o governo, a política, os negócios, a religião e a ciência. Os homens receberam o crédito nessas áreas mas falharam quando deixaram de relatar acerca das mulheres que também foram bem-sucedidas. Eles parecem chocados com o fato de uma mulher poder realizar qualquer coisa fora do lar. Tudo isso é parte de um passado que precisa ser corrigido. As mulheres realizaram grandes coisas ao longo da história.

Vamos dar uma olhada em dez mulheres que provaram que todos estavam errados. Algumas delas são bem conhecidas e outras não, porém todas contribuíram incrivelmente para o mundo à sua volta.

Elizabeth I

Gênero errado, grande governante – isso praticamente resume a vida da rainha Elizabeth I da Inglaterra. Seu notório pai, o rei Henrique VIII, um dos grandes patifes da história, casou-se oito vezes para ter um filho homem, e acidentalmente gerou alguém notável que não estava nos seus planos. Elizabeth subiu ao poder quando sua irmã, a rainha Mary, conhecida como "Bloody Mary" ("Rainha Sangrenta") devido à sua perseguição aos protestantes, morreu em 1558. Elizabeth governou durante a era que veio a ser conhecida como a "Idade de Ouro" da história, até 1603.

Elizabeth mantinha seu governo fingindo estar interessada em pretendentes católicos, de modo que o rei da Espanha não invadisse a Inglaterra. Em 1588, o rei Felipe II finalmente percebeu que estava lidando com uma protestante e enviou a grande armada espanhola para conquistar a Inglaterra de uma vez por todas. Imediatamente antes dessa grande libertação para a Inglaterra, e à medida que a armada se aproximava, Elizabeth disse às suas tropas em Tillbury: "Sei que tenho o corpo de uma mulher fraca e franzina, mas tenho o coração e o estômago de um rei, e de um rei da Inglaterra, e acredito ser desprezível e odioso que Parma ou a Espanha, ou qualquer príncipe da Europa, ouse invadir as fronteiras do meu domínio". No final de seu reinado, ela disse ao seu povo: "Embora Deus me tenha erguido às alturas, esta foi a glória da minha coroa: que reinei com o vosso amor".[3]

Gosto do fato de que a rainha Elizabeth não olhou para o seu corpo, que ela disse ser fraco e franzino, mas olhou para o seu coração. Ela seguiu o seu coração e ignorou as suas deficiências. Deus sempre fortalecerá aqueles que estão dispostos a encarar suas fraquezas e dizer: "Vocês não podem me parar".

> Você é capaz de dizer para si mesma:
> 'Passei por este horror, posso agüentar aquilo que vem em seguida...'
> Você precisa fazer aquilo que acha que não pode fazer.

Eleanor Roosevelt

Nascida em uma família ativa na política, mas nem sempre progressiva em se tratando de mulheres, Eleanor Roosevelt (1884-1962) recebeu a educação exclusiva de um internato antes de se casar com seu primo distante, Franklin Roosevelt, em 1905. Durante os anos seguintes, com pouca coisa além de seu histórico familiar, ela tornou-se a mulher do seu tempo no ramo da política. Ela tinha um talento executivo que não se podia negar. Com Franklin, ela teve cinco filhos e imediatamente tornou-se ativa na política quando Roosevelt foi eleito para a Assembléia de Nova Iorque. Trabalhou para a Liga de Mulheres Eleitoras do Estado de Nova Iorque e da Liga do Sindicato das Mulheres a favor da aprovação das leis do salário mínimo. Quando seu marido foi afetado pela pólio em 1921,

As mulheres são mesmo o sexo frágil? 145

ela convocou as mulheres democráticas para ajudarem Franklin a ser eleito governador em 1928 e, seis anos depois, também como presidente. Depois da morte de seu marido em 1945, o presidente Truman indicou-a como delegada das Nações Unidas onde ela formulou grande parte da Declaração Universal dos Direitos Humanos. Eleanor Roosevelt disse: "Adquirimos força, coragem e confiança com cada experiência em que realmente paramos para encarar o medo de frente. Você é capaz de dizer para si mesma: 'Passei por este horror, posso agüentar aquilo que vem em seguida...' Você precisa fazer aquilo que acha que não pode fazer". Ela aprendeu que "Ninguém pode fazer você se sentir inferior sem o seu consentimento".[4]

Eleanor Roosevelt sabia que, definitivamente, tinha de tomar uma atitude, embora sentisse medo. Precisamos "conhecer o medo" e não fingir que não existe. Queremos tantas vezes descartar o medo e mantê-lo à distância, mas ele não pode impedir a fé e a determinação. Quando esse sentimento vier bater à sua porta, deixe que a fé atenda, e talvez um dia você esteja nos livros de história.

Elizabeth Fry

Elizabeth Fry (1780-1845) era uma ministra Quaker[1]*e reformadora das prisões da Europa. Mãe de dez filhos, a Sra. Fry foi convidada para fazer trabalhos sociais na prisão de Newgate na Inglaterra.

---

* N.T: *Quaker* é o nome dado a um membro de um grupo religioso de tradição protestante, chamado *Sociedade Religiosa dos Amigos* (*Religious Society of Friends*). Criada em 1652, pelo inglês George Fox, a Sociedade dos Amigos reagiu contra os abusos da Igreja Anglicana, colocando-se sob a inspiração direta do Espírito Santo. Os membros desta sociedade, ridicularizados com o nome de *quakers*, ou tremedores, rejeitam qualquer organização clerical, para viver no recolhimento, na pureza moral e na prática ativa do pacifismo, da solidariedade e da filantropia.

Desconhecendo as condições nas prisões, ela disse ter encontrado mulheres "seminuas, brigando entre si... com extrema violência... Senti-me como se estivesse entrando em uma caverna de feras selvagens". A Sra. Fry não fez nada de sofisticado para dar início à reforma, mas começou lendo a sua Bíblia para as prisioneiras: "Elas se sentavam ali em um silêncio respeitoso, com todos os olhares fixos... na gentil senhora... nunca até então, e nunca desde então, ouvi ninguém ler como Elizabeth lia".

De um começo tão simples, Elizabeth passou a inovações tais como sugerir que homens e mulheres fossem colocados em prisões separadas, que os criminosos mais violentos estivessem longe dos menos violentos, e que os prisioneiros fossem empregados em algum trabalho útil. Sua influência abrangeu toda a França e as Colônias Britânicas.[5]

Admiro o fato de que embora Elizabeth Fry não tenha feito nada de sofisticado para ajudar a reforma prisional, ela fez o que estava ao seu alcance. Ela lia a Bíblia para os prisioneiros. A maior parte do mundo nunca faz nada a respeito das atrocidades que confrontam a sociedade porque acha que o que poderia fazer é tão insignificante que não teria nenhuma importância. Elizabeth discorda dessa teoria. Se você fizer o que pode fazer, Deus fará aquilo que você não pode. As portas se abrirão, um caminho será aberto, e idéias criativas surgirão. Você também inspirará outros a fazerem o que puderem e muito embora cada pessoa só possa fazer um pouco, juntos podemos fazer uma grande diferença.

Mary McLeod Bethune

Mary McLeod Bethune (1875-1955) foi uma das mulheres negras mais notáveis do seu tempo. Formada no Instituto Bíblico Moody, ela abriu uma escola para meninas negras em Daytona Beach, Flórida. Mais tarde a escola tornou-se uma instituição co-educacional,

As mulheres são mesmo o sexo frágil?

e Bethune passou a se envolver cada vez mais com o trabalho do governo. De 1935 a 1944, ela foi conselheira especial do presidente Franklin Roosevelt para questões ligadas às minorias. Ela foi a primeira mulher negra a dirigir uma agência federal e esforçou-se para que os negros fossem integrados às Forças Armadas. Também atuou como consultora em assuntos inter-raciais na conferência da Carta de Direitos das Nações Unidas. Bethune fundou o Conselho Nacional das Mulheres Negras e foi diretora de Negócios da Raça Negra da Administração da Juventude Nacional. Sendo a décima quinta filha dos dezessete filhos nascidos de pais escravos, ela chegou a ter acesso irrestrito à Casa Branca durante a vida de Roosevelt.[6]

É importante observar que Mary Bethune foi a primeira mulher a dirigir uma agência de governo. Admiro aqueles que são os primeiros a fazer qualquer coisa, simplesmente porque aquele que vai à frente tem de enfrentar mais oposição do que aqueles que o seguem mais tarde. Eles são pioneiros; abrem o caminho e pagam o preço pelas futuras gerações.

Margaret Thatcher

Margaret Thatcher (nascida em 1925) tornou-se a primeira mulher a ser primeira-ministra da Grã-Bretanha, em 1979, e continuou no cargo até 1990, quando se demitiu voluntariamente. Ela foi a primeira a ser eleita três vezes ao cargo de primeira-ministra no século XX. Thatcher subiu a escada da política com pouco incentivo. Ela era filha do proprietário de uma mercearia e pregador metodista leigo, e alcançou distinção em Oxford diplomando-se em Química e Direito. Quando se tornou ativista do partido Tory na Grã-Bretanha, atuou como secretária de Estado na área de Educação e Ciência. Ela expressava sua filosofia de liderança deste modo: "Não pode haver liberdade sem liberdade econômica... Eliminem a livre empresa e vocês eliminarão a liberdade". Ela também dizia: "Na política, se quiser que alguma coisa seja dita, peça a um homem. Se quiser que alguma coisa seja feita, peça a uma mulher".[7]

Fico irritada com pessoas que são orgulhosas de todo o seu conhecimento e de seus títulos e, no entanto, jamais fazem nada de notável. Eles me irritam, principalmente, quando julgam aqueles que possuem menos instrução, mas realizam grandes coisas.

Uma mulher confiante pode ser uma grande pensadora, mas ela também será uma ativista. Ela entrará em ação quando necessário. Não seja o tipo de mulher que pensa até morrer. Há tempo para pensar e tempo para agir, portanto, certifique-se de saber a diferença. Margaret Thatcher tinha uma mente brilhante e um alto nível de instrução, mas ela também era uma pessoa que executava.

Mary Fairfax Somerville

Mary Fairfax Somerville (1780-1872) passou um ano inteiro em um internato para mulheres e é considerada uma das maiores cientistas de seu tempo – mas teve de aprender a sua ciência do modo mais difícil. Filha única de um almirante escocês, ela estudou *Os Elementos*, de Euclides, e um texto de álgebra que conseguiu com o tutor de seu irmão. A partir desse início nada promissor, ela abriu caminho até os *Princípios*, de Newton, e seguiu em frente estudando botânica, astronomia, matemática elevada e física. Seu livro escolar *Mechanism* (Mecanismo) tornou-se padrão em astronomia e matemática elevada durante a maior parte do século XIX, e *Physical Geography* (Geografia Física) deu-lhe reconhecimento por toda a Europa. Ela veio a ser membro honorário da Sociedade Real de Astronomia.[8]

Mary provou que sempre há um meio para a mulher determinada. Ela não desistiu diante das dificuldades e do que pareciam ser desvantagens insuperáveis. Não desista dos seus sonhos tampouco. Continue prosseguindo para o alvo!

Theodora

Theodora, imperadora de Bizâncio (502-548), casou-se com Justiniano, que governou de 527 a 565, mas foi sua mulher, uma exatriz, que assegurou a aprovação de leis de extrema importância, e que demonstrou a iniciativa de salvar o governo de seu marido resistindo a uma revolta em 532. Justiniano estava pronto para fugir quando Theodora persuadiu-o a defender a capital. No fim, ele ganhou o poder por mais trinta anos, e durante esse tempo o nome de Theodora apareceu em quase todas as leis de vulto, inclusive proibições contra a escravidão branca e a alteração das leis do divórcio para torná-las mais humanas com relação às mulheres.

Em se tratando de religião, ela apoiava fortemente as expressões da fé cristã defendendo a divindade de Cristo. Após sua morte em 548, seu marido praticamente não aprovou nenhuma lei importante.[9]

> Pergunto a mim mesma quantos homens receberam o crédito pelas realizações das grandes mulheres que estavam por trás deles.

Dizem que por trás de todo grande homem existe uma grande mulher. Pergunto a mim mesma quantos homens receberam o crédito pelas realizações das grandes mulheres que estavam por trás deles. Quantos grandes inventores e criadores foram mulheres obrigadas a entregar suas patentes e idéias para serem colocadas em nome de seus maridos? A história não tem sido justa com as mulheres. Se tivesse sido, veríamos as páginas dos nossos livros de história cheias de relatos de grandes mulheres que fizeram coisas notáveis.

Harriet Beecher Stowe

Harriet Beecher Stowe (1811-1896) escreveu o romance que é provavelmente o maior best-seller do século XIX, uma obra verdadeiramente cristã intitulada *A Cabana do Pai Tomás*. Filha do famoso pregador Lyman Beecher, ela interessou-se desde cedo por Teologia e pelos trabalhos de melhoria social. O grande clã Beecher mudou-se para Cincinatti, onde Lyman assumiu a direção do Seminário Teológico Lane. Ali, Harriet Beecher entrou em contato com escravos fugitivos e aprendeu, através de amigos e de visitas pessoais, como era a vida de um negro no Sul. Quando seu marido Calvin Stowe foi nomeado professor no Bowdoin College, no Maine, ela foi encorajada por uma cunhada a escrever um livro sobre os males da escravidão. O clássico resultante vendeu 300.000 exemplares em um ano, uma vendagem absolutamente inédita na época. O livro mais tarde foi transformado em peça por G.L. Aiken, que ficou em cartaz por um longo período, tanto antes quanto depois da guerra.[10]

Em um tempo da história dos Estados Unidos em que a política e as mudanças culturais ainda faziam muito mais parte do universo masculino, Harriet deixou a sua própria marca como uma das escritoras mais famosas dos séculos XIX e XX. Ela enfrentou as idéias culturais e raciais equivocadas e mal informadas da época e trabalhou duro para garantir que as pessoas do mundo inteiro pudessem ser livres, independentemente da cor de sua pele. Ela também recebeu o crédito por coisas ainda maiores. O presidente Abraham Lincoln, ao encontrá-la em 1862 durante a Guerra Civil, relatou com tristeza: "Então você é a pequena mulher que escreveu o livro que deflagrou esta grande guerra!"

Dorothea Lynde Dix

Dorothea Lynde Dix (1802-1887) deu início à reforma mais difundida em favor dos doentes mentais do século XIX, tanto na América quanto na Europa. Seu pai era um pregador alcoólatra, e sua própria mãe não gozava de boa saúde mental. Desde muito cedo ela lecionava em uma escola, incentivada por seu noivo, Edward Bangs. Embora tenha decidido não se casar com ele, e tenha na verdade permanecido solteira durante toda a vida, Edward continuou a incentivá-la, tanto como professora quanto em suas obras sociais. Sua primeira experiência com a reforma na área da saúde dos doentes mentais surgiu como resultado de uma oportunidade de dirigir uma aula de escola dominical em um presídio em Cambridge, Massachusetts, onde ela encontrou pessoas com doenças mentais presas em celas não aquecidas porque "os loucos não sentem calor ou frio". Suas reformas primeiramente tiveram êxito em Massachusetts, com a ajuda de seu amigo Bangs e do governador, que a conhecia pessoalmente. Dali ela viajou por todos os cantos dos Estados Unidos, apresentando uma pesquisa detalhada aos legisladores que geralmente executavam algum tipo de reforma. Uma das conclusões de sua pesquisa, que exerceu impacto sobre a assistência médica aos doentes mentais tanto na América quanto na Europa, foi que a simples melhoria das condições de vida dos doentes mentais poderia trazer grande alívio às suas doenças. Uma fonte declara que Dix exercia um papel importante na fundação de trinta e dois hospitais psiquiátricos, cinqüenta escolas para deficientes mentais, uma escola para cegos, e diversas instalações de treinamento para enfermeiros.[11]

Tudo o que é preciso para que uma injustiça trágica desmorone é que alguém a confronte. Essa pessoa precisa de perseverança e não deve se deixar derrotar com facilidade pela oposição. Dorothea possuía as qualidades necessárias. É espantoso o que uma mulher pode realizar se ela prosseguir para o alvo com confiança em vez de recuar com medo e presumir que jamais será capaz de realizar o trabalho que precisa ser feito.

Rosa Parks

Rosa Parks (1913-2005) foi a costureira desconhecida que deu início ao moderno Movimento Americano pelos Direitos Civis. Em 1º de dezembro de 1955, ela se recusou a passar para os fundos do ônibus depois que um homem embarcou na cidade de Montgomery, no Alabama, e queria sentar-se na parte da frente. O que as pessoas não sabem tão bem é que esse ato de desafio às leis segregacionistas foi planejado há muito por uma mulher qualificada para entrar para a história como aquela que iniciou o movimento pelos direitos civis. Nascida Rosa Louise McCauley em Tuskegee, Rosa tinha onze anos quando freqüentou a Montgomery Industrial School for Girls, uma escola particular fundada por mulheres dos estados do norte. A escola apoiava a filosofia da mãe de Rosa, que acreditava que "devemos aproveitar as oportunidades, independentemente de quão poucas sejam elas".

Rosa também relatou em outras entrevistas que a experiência de toda a sua vida com o medo tornou-a determinada e lhe deu coragem para apelar da sua condenação durante o boicote aos ônibus que se seguiu à sua prisão e condenação. Ela já havia trabalhado em diversos casos com a *Associação Nacional para o Progresso de Pessoas de Cor* (NAACP, por suas siglas em inglês) antes daquele incidente. Em seguida à prisão de Rosa, os negros boicotaram a rede de transportes públicos por 382 dias até que um acordo fosse feito. A Suprema Corte dos Estados Unidos também decidiu que a segregação nos ônibus era inconstitucional. Rosa foi a primeira mulher a receber o Prêmio Martin Luther King pela Paz.[12]

A partir da vida de Rosa, podemos ver que se uma pessoa é corajosa o bastante para se posicionar e tentar fazer alguma coisa em relação a um problema, outras pessoas que têm o mesmo desejo também se apresentarão. Rosa recusou-se a viver com medo; ela estava determinada a ter o que era seu por direito e essa determinação incitou uma reforma governamental para todos.

As mulheres são mesmo o sexo frágil?

Se julgarmos a partir de alguns dos testemunhos que acabamos de ler, eu diria que as mulheres definitivamente não são o "sexo frágil". A contribuição delas ao mundo tem sido magnífica e não pode ser ignorada por mais tempo.

As Diferenças Entre Homens e Mulheres – e Fragilidade Não Tem Nada a Ver com Isso

Deus criou o homem e a mulher para serem diferentes de muitas formas, mas a massa muscular é somente uma dessas diferenças. Embora os homens sejam em geral mais fortes fisicamente que as mulheres, é claro que este fato não torna as mulheres o "sexo frágil". Este conceito não deve se aplicar à nossa inteligência ou às nossas emoções e nós não devemos permitir isso!

Quer seja casada ou solteira, você encontrará e terá de lidar com homens durante toda a sua vida. Acredito que é importante para o nosso grau de autoconfiança como mulheres compreendermos a nós mesmas e as diferenças entre nós e os homens. Precisamos nos lembrar que essas diferenças não são melhores ou piores, elas são apenas diferenças; uma vez que as aceitemos, poderemos compreender e apreciar aquilo que os dois gêneros oferecem.

Vamos começar com as diferenças físicas. O coração da mulher bate mais rápido. O cérebro do homem é maior, mas o cérebro da mulher contém mais neurônios. Dependendo do que estiver estudando – o cérebro de um homem ou de uma mulher –, áreas diferentes do cérebro se iluminarão em resposta a tarefas idênticas. Até a velocidade em que envelhecemos visivelmente é vista de modo diferente no homem e na mulher.[13]

> Não preciso competir com um homem pela posição dele; tenho a minha própria posição e sinto-me à vontade com ela.

Em seu best-seller *Love and Respect* (Amor e Respeito), o Dr. Emerson Eggerichs indica que as diferenças óbvias entre o homem e a mulher podem ser vistas em algo tão simples quanto olhar dentro de um armário. Eggerichs escreve sobre um casal que está se vestindo para sair:

> *Ela diz: "Não tenho nada para vestir". (Ela quer dizer que não tem nada novo.)*
> *Ele diz: "Não tenho nada para vestir". (Ele quer dizer que não tem nada limpo.)* [14]

Algumas mulheres têm um espírito tão competitivo com relação aos homens que se esquecem de ser mulheres. Recentemente, um ministro a quem admiro muito me fez um tremendo elogio. Ele disse: "Joyce, você é uma mulher no ministério que ainda sabe como ser mulher. Você não tenta agir como um homem nem pregar como um homem". Ele foi em frente, dizendo que sentia que eu era forte, mas feminina, e que ele admirava isso. Ele me contou que ao longo dos seus anos de ministério e de liderança na igreja, ele viu muitas mulheres fracassarem ministerialmente porque tentavam agir como homens, e isso fez com que elas fossem rejeitadas e malvistas.

Estou certa de que todas já ouvimos o ditado que diz: "Este é o mundo dos homens, e se você quer ter alguma coisa neste mundo você precisa lutar por isso". Eu prefiro acreditar que é meu mundo também e não lutar – mas confiar que Deus me ajudará a ser tudo o que posso ser. Não preciso competir com um homem pela posição dele; tenho a minha própria posição e sinto-me à vontade com ela. Gosto de ser mulher e não quero ser um homem. Mas devo admitir que há certas manhãs em que eu gostaria que tudo o que precisasse fazer era pentear o cabelo e fazer a barba, em vez de ter que encarar a minha rotina de cuidados com a pele, colocar a maquiagem, enrolar o cabelo, levantar as sobrancelhas e experimentar três roupas antes de finalmente sentir que posso sair com segurança.

As mulheres são mesmo o sexo frágil? 155

A Bíblia diz que o povo é destruído por falta de conhecimento (Oséias 4.6). Acredito que os casamentos, as amizades e os relacionamentos profissionais são destruídos devido ao fato de que os homens e as mulheres não entendem as diferenças que nos tornam únicos. Em nosso orgulho, geralmente achamos que somos um exemplo brilhante daquilo que é certo e esperamos que todos ajam como nós e gostem do que nós gostamos, mas isso é fantasia e não realidade.

Um homem disse:"Sei que jamais entenderei as mulheres. Nunca entenderei como vocês podem colocar aquela cera fervendo no buço, arrancar os pêlos pela raiz, e ter medo de uma aranha".

Vamos dar uma olhada em outras diferenças entre homens e mulheres:

A mulher oferece conselho e dá instruções sem que ninguém lhe peça, mas os homens em geral não recebem conselhos de boa vontade. A mulher acha que está apenas tentando ajudar, mas o homem acha que ela não confia que ele possa tomar a decisão correta.

Quando a mulher discorda do homem, ele encara isso como reprovação e isso dispara o seu mecanismo de defesa. Os homens só querem conselhos depois que fizeram tudo o que podiam. Os conselhos dados cedo demais ou com muita freqüência fazem com que eles percam o seu senso de poder. Eles podem se tornar preguiçosos ou inseguros.

O homem é motivado e se sente poderoso quando requisitado. A mulher é motivada quando se sente apreciada.

O homem é uma criatura visual; uma vez que tenha uma imagem em mente, é difícil tirá-la de lá. A mulher tem mais tendência de se lembrar das emoções ou de como alguma coisa fez com que ela se sentisse desse ou daquele jeito.

O homem tende a entrar em sua caverna e pensar naquilo que o está incomodando, mas a mulher quer falar sobre aquilo que a incomoda.

Em uma pesquisa, mais de 80% dos homens, ou seja, quatro entre cinco, disseram que, em um conflito, eles têm maior probabilidade de se sentirem desrespeitados. As mulheres, por outro lado, se sentem pouco amadas.[15]

Pelo fato de que as cordas vocais da mulher são mais curtas que as do homem, ela realmente pode falar com menor esforço do que ele. As cordas vocais mais curtas fazem com que a voz da mulher seja não apenas mais aguda, como também requerem menor entrada de ar para vibrar, possibilitando que ela fale mais despendendo menos energia.[16]

Os especialistas em comunicação dizem que a mulher normal fala mais de 25.000 palavras por dia, ao passo que o homem normal fala somente um pouco mais de 10.000 palavras. Um homem de negócios disse: "O problema é que na hora que chego em casa do trabalho, já falei as minhas 10.000 palavras e minha mulher ainda nem começou a esquentar as turbinas".

O homem não acha que precisa compartilhar tudo, ao passo que a mulher geralmente compartilha tudo e um pouco mais. Vi isto acontecer em meu próprio casamento, quando não me senti bem e adquiri algum tipo de virose. É claro que eu disse a meu marido Dave no instante em que comecei a não me sentir bem, e fiquei surpresa ao descobrir, enquanto comunicava os meus sintomas em detalhes, que ele havia tido a mesma virose uma semana antes e não me havia dito uma única palavra a respeito.

Quando um homem e uma mulher tiveram algum problema no relacionamento e o homem está pronto para conversar novamente, a mulher espera que ele comece a falar sobre aquilo que o chateou. No entanto, ele já não precisa falar sobre os seus sentimentos porque não está mais chateado. Ele quer esquecer o assunto e seguir em frente; ela quer falar sobre o assunto e fazer uma lista contendo todas as formas de evitar que aquilo aconteça novamente.

Antes de aprender o que sei hoje, eu sempre queria tentar compreender porque havíamos tido aquele problema ou aquela discus-

As mulheres são mesmo o sexo frágil?

são para início de conversa, e Dave simplesmente dizia: "Faz parte da vida".

Os homens são simples... as mulheres não são simples e elas sempre supõem que os homens são tão complicados e complexos quanto elas. O ponto principal é que os homens não pensam em profundidade o tempo todo como as mulheres. Eles são exatamente o que parecem ser.

Lembro-me de uma vez ter ficado irritada com Dave e de dizer a ele que precisávamos ter uma conversa séria. Compartilhei que estava cansada de conversas sem profundidade e significado real. Ele pareceu muito confuso e perguntou-me do que eu estava falando; depois prosseguiu, dizendo: "Isso é o mais profundo onde posso chegar".

Enquanto sou, desde sempre, uma pensadora em profundidade e goste imensamente de me sentar e falar, falar, e falar sobre todas as possibilidades de uma situação, Dave vê as coisas de modo muito simples e diz apenas: "Vamos ver o que acontece".

As mulheres querem ser amadas, respeitadas, valorizadas, elogiadas, ouvidas, acreditadas, e, às vezes, apenas abraçadas. Os homens querem entradas para a final do campeonato.

As mulheres querem afeto, os homens querem sexo.

A maioria das mulheres chora uma média de cinco vezes por mês. Não vi meu marido chorar cinco vezes em quarenta anos. As mulheres simplesmente são mais emotivas que os homens. Os homens são muito racionais.

Compreender os dois faz toda a diferença. Meu marido, por exemplo, é muito protetor comigo e está constantemente me dizendo como fazer as coisas para evitar que eu me machuque. Antes de entender por que ele me dava instruções sobre tudo, desde o modo de sair da banheira ou como descer as escadas, eu pensava que ele me achasse burra. Geralmente, eu dizia: "Você não precisa me dizer isso, não sou estúpida". Ele se sentia magoado e respondia: "Estou apenas tentando ajudá-la".

Agora que consigo entender, suas atitudes fazem com que eu me sinta amada. A Bíblia nos encoraja a buscarmos a compreensão. Leia alguns bons livros sobre as diferenças entre homens e mulheres e outros sobre as diferenças de personalidade. Se você fizer isso, eles lhe darão discernimento e compreensão para evitar milhares de discussões e desentendimentos.

■ *Capítulo Dez* ■

PASSOS PARA A INDEPENDÊNCIA

Vários estudos demonstram que as mulheres têm maior probabilidade de serem dependentes dos outros que os homens, e que geralmente têm mais dificuldade de estabelecer sua independência. Isso não significa que as mulheres são mais fracas e mais dependentes por natureza; significa que o treinamento delas algumas vezes não foi tão equilibrado quanto deveria ter sido.

Quando as meninas estão crescendo, elas geralmente passam mais tempo com suas mães do que com seus pais. Um garoto começa a perceber que não é como sua mãe e que se distingue dela. A masculinidade dele é definida pela separação. Isso não quer dizer que ele vai fugir da mãe ou que não precise nem dependa mais dela, mas sim que ele normalmente procurará ter a sua própria identidade e individualidade. Uma menina não tem essa necessidade e em geral permanece junto de sua mãe.

Algumas mães têm grande dificuldade em permitir que seus filhos encontrem a sua própria identidade. Elas sentem que eles estão se afastando e isso as assusta. Se uma mãe conseguir impedir que esta separação saudável entre ela e seu filho ocorra, isso poderá acarretar problemas terríveis na vida dele mais tarde.

Esses dados nos ajudam a desenvolver a forma como lidamos com as questões quando crescemos. Os homens são conhecidos em geral por serem bons em lidar com a independência, mas não com os relacionamentos. As mulheres costumam ser melhores nos relacionamentos, mas não são tão boas quando o assunto é independência.

Seis vezes mais mulheres passam por depressão e cerca de 70% das drogas que alteram o humor e aliviam a ansiedade são tomadas por mulheres.

Os motivos foram apresentados assim por Maggie Scarf:

> *"As mulheres são estatisticamente mais deprimidas porque foram ensinadas a ser mais dependentes e carentes e, assim, elas raramente atingem um senso de independência por si mesmas. A mulher prioriza agradar aos outros, ser atraente para os outros, ser apreciada e cuidar dos outros. A mulher recebe um treinamento cruel que a leva a se afastar do pensamento 'O que eu quero?' e a guia na direção de 'O que eles querem?'. Elas podem correr o risco de simplesmente se fundir às pessoas que as cercam e deixar de entender que são indivíduos com direitos e necessidades e que precisam estabelecer sua independência."*[1]

Deixe-me definir o que entendo por independência. Nunca sejamos independentes de Deus. Como mencionei diversas vezes, não podemos fazer nada direito sem Ele. Devemos ser dependentes de Deus em todo o tempo para todas as coisas.

> *Porque dele, e por meio dele, e para Ele são todas as coisas. [Pois todas as coisas se originam nele e vêm dele; todas as coisas vivem através dele e todas as coisas estão centralizadas nele e tendem a se consumar e a terminar nele.] A Ele, pois, a glória eternamente! Amém (assim seja.) (Romanos 11.36, AMP)*

Refleti sobre esta passagem por bastante tempo e acredito que ela ajuda a demonstrar o meu ponto de vista. Deus é tudo e não somos nada sem Ele.

Passos para a independencia

Precisar de Deus e precisar das pessoas não é sinal de fraqueza. Podemos ser dependentes e independentes ao mesmo tempo. Bruce Wilkinson disse uma vez que "O poder de Deus debaixo de nós, em nós, agitando-se através de nós, é exatamente aquilo que transforma a dependência em experiências inesquecíveis de plenitude". Podemos nos sentir completos quando reconhecemos a nossa dependência de nosso Pai Celestial.

> Foi provado estatisticamente que 10% das pessoas nunca gostarão de você. Portanto, pare de prestar contas a todos e comece a comemorar a pessoa que você é.

Acredito que as mulheres têm necessidade de se sentir seguras e cuidadas e não acho que isto seja errado. Meu marido cuida muito bem de mim e eu gosto disso. Ele é protetor e quer sempre ter certeza de que estou bem. A diferença entre eu e alguém que talvez tenha uma atitude desequilibrada nessa área é que, embora eu aprecie inteiramente o fato de Dave cuidar de mim, também sei que posso cuidar de mim mesma se precisar. Embora eu seja dependente dele e isso seja justo, não sou tão dependente a ponto de me tornar uma pessoa incapacitada.

Uma independência equilibrada é o que devemos buscar, e, para mim, isto é ser capaz de confiar e depender de Deus e das outras pessoas, estabelecendo, no entanto, a minha identidade individual. A Bíblia nos ensina que não devemos nos conformar com o padrão deste mundo (Romanos 12.2). Todos têm suas próprias idéias do que deveríamos ser. Há várias coisas que devemos fazer para estabelecer uma dependência equilibrada em nossas vidas.

1. Liberte-se das Expectativas dos Outros

Não permita que as pessoas ao seu redor determinem os seus valores ou os seus padrões de comportamento. Parece que cada um espera alguma coisa um pouco diferente do outro, mas uma coisa é certa: todos esperam que nós os façamos felizes e que demos a eles o que querem.

Muitas vezes, as expectativas que as pessoas colocam sobre nós e que acabamos aceitando são irreais. Se você quer ter autoconfiança, deve parar de tentar ser uma "super-mulher". Entenda que você tem limitações e que não pode manter todas as pessoas felizes o tempo todo.

Foi provado estatisticamente que 10% das pessoas nunca gostarão de você. Portanto, pare de prestar contas a todos e comece a comemorar a pessoa que você é. Uma pessoa que sabe viver de modo independente não permite que o humor das outras pessoas altere o seu. Conta-se a história de um Quaker que sabia como viver de forma independente, como a pessoa valiosa que Deus o criou para ser. Uma noite, quando ele estava andando pela rua com um amigo, parou em uma banca de revistas para comprar um jornal. O vendedor era uma pessoa desagradável, rude e hostil. O Quaker tratou-o com respeito e foi muito gentil ao lidar com ele. Pagou pelo jornal e ele e seu amigo continuaram a descer a rua. O amigo disse: "Como você pôde ser tão cordial com ele apesar da forma terrível como estava lhe tratando?" O Quaker respondeu: "Ah, ele é sempre assim; por que eu deveria deixar que ele decidisse a forma como eu deveria agir?"

Esta é uma das características espantosas que vemos em Jesus. Ele era o mesmo o tempo todo. Ele transformava as pessoas, mas elas não O transformavam.

Quando uma pessoa infeliz não consegue tornar você infeliz, ela começa a respeitá-la e a admirá-la. Ela vê que o seu Cristianismo é algo real e pode ficar interessada em ouvir o que você tem a dizer.

Até as pessoas que tentam controlar você a desrespeitarão se permitir que elas façam isso. Eu a incentivo a ser você mesma. Faça o que Deus espera que você faça e não viva sob a tirania da expectativa dos outros.

2. Aprenda a Lidar com a Crítica

Não importa o que faça na vida, você será criticada por alguém, portanto, precisa aprender a lidar com isso e não deixar que a incomode. A crítica é muito difícil para muitos de nós e a auto-imagem de uma pessoa pode ser ferida por uma observação mais enfática. Mas é possível aprender a não ser nem um pouco afetada pela crítica. Todo grande homem ou mulher teve de aprender a lidar com isso. Margaret Thatcher certa vez disse que se os seus críticos a vissem caminhando ao longo do rio Tâmisa, eles diriam que era porque ela não sabia nadar. O ator Dustin Hoffman considerava uma boa crítica por parte dos especialistas quando eles simplesmente o poupavam da "guilhotina". Precisamos conhecer o nosso próprio coração e não permitir que as pessoas nos julguem. Como outras grandes figuras, o apóstolo Paulo passou pela crítica com relação a muitas coisas. Ele constatou o mesmo que nós, a saber, que as pessoas são inconstantes. Elas a amam quando você está fazendo tudo o que elas querem que você faça e são rápidas em criticá-la quando uma única coisa dá errado. Paulo disse que não estava nem um pouco preocupado com o julgamento dos outros. E que também não julgava a si mesmo. Ele sabia que estava nas mãos de Deus e que, no final, compareceria diante dEle e prestaria contas de si mesmo e da sua vida. Ele não compareceria diante de nenhum homem para ser julgado (1 Coríntios 4.3,4).

Às vezes as pessoas mais criticadas são aquelas que tentam fazer algo construtivo com sua vida. Fico impressionado como as pessoas que não fazem nada querem criticar aquelas que tentam fazer alguma coisa. Posso nem sempre fazer tudo certo, mas ao menos estou tentando fazer algo para tornar o mundo um lugar melhor e para ajudar as pessoas que sofrem. Acredito que isso é muito agradável a Deus! Depois de sofrer por muitos anos com a crítica das pessoas e de tentar ganhar a aprovação delas, finalmente decidi que, se Deus está feliz comigo, isso é o suficiente.

Cada vez que alguém a criticar, tente fazer uma afirmação positiva sobre si mesma. Não fique simplesmente parada recebendo tudo que qualquer pessoa queira despejar em você. Estabeleça a sua independência! Assuma a atitude adequada a respeito de si mesma e não se deixe derrotar pela crítica. Veja a crítica como Winston Churchill a via. Durante o seu último ano no cargo, ele participou de uma cerimônia oficial. Dois cavalheiros que estavam várias fileiras atrás dele começaram a sussurrar: "Aquele é Winston Churchill"; "Dizem que ele está ficando senil"; "Estão dizendo que ele deveria renunciar e deixar o governo da nação para homens mais dinâmicos e capazes".

Quando a cerimônia terminou, Churchill virou-se para os homens e disse: "Senhores, também estão dizendo que ele está surdo!"[2]

3. Faça Algo Extraordinário

Creio que pode ser bom ocasionalmente (ou talvez freqüentemente) fazer algo que pareça chocante para as pessoas e talvez até para você mesma. Faça algo inesperado. Isso tornará sua vida interessante e impedirá que as pessoas pensem que conseguiram prender você dentro da caixinha que elas prepararam.

Uma grande mulher de setenta e seis anos de idade disse que seu objetivo era fazer pelo menos uma coisa chocante toda semana. As pessoas se entediam porque a vida delas se torna previsível demais. Uma pesquisa do Gallup recente disse que 55% dos trabalhadores

Passos para a independencia 165

"não estão envolvidos" no seu local de trabalho.³ Em outras palavras, eles vão trabalhar, mas não têm qualquer interesse real em estar ali.

Não fomos criados por Deus para fazermos a mesma coisa por várias e várias vezes até que ela já não faça mais sentido. Deus é criativo. Se você não pensa assim, apenas olhe à sua volta. Todos os animais, insetos, plantas, pássaros, árvores e outras coisas são totalmente incríveis. O sol, a lua, as estrelas, os planetas, o espaço e a gravidade – que Deus trouxe à existência – são dignos de espanto. Poderíamos continuar falando para sempre sobre a variedade infinita de coisas que Deus criou. Caso você não tenha percebido, Deus é fantástico e costuma transformar as coisas na nossa vida com freqüência. Ele é cheio de surpresas e, ainda assim, é confiável. Sabe, podemos realmente aprender muito com Deus!

Não quero que as pessoas pensem que podem me decifrar por completo, e embora eu deseje ser fiel e confiável, não quero ser sempre previsível. Às vezes fico entediada comigo mesma e preciso orar e pedir a Deus que me dê uma idéia criativa que sacuda um pouco a minha vida e me mantenha alerta.

Fazer algo chocante tem significados diferentes para pessoas diferentes. Para uns, pode significar subir o Monte Everest, e para outros pode significar uma mudança no estilo de se vestir. Sempre gostei de um certo tipo de roupas. Eu gostava de muito brilho e de tudo muito sofisticado. Meus filhos sempre tentavam me fazer mudar de estilo, e eu resisti firmemente por um bom tempo. Eles diziam: "Vamos lá, mãe, comece a entrar na moda". No início, eu dizia: "Não posso me vestir assim, tenho sessenta e dois anos!" Então Deus me disse para parar de tomar decisões baseadas na minha idade. Resolvi que faria algo chocante, algo totalmente inesperado e que mudaria o meu código com relação a roupas. Meus filhos finalmente me convenceram que apenas porque eu estava na casa dos sessenta não precisava me vestir como alguém dessa idade. Eles queriam que eu usasse jeans, botas e cintos na altura dos quadris. Um dia, tomei a decisão de chocá-los, e então mudei o estilo do meu guarda-roupa. Abençoei algumas pessoas com muitas das minhas roupas mais sofisticadas e comprei outras que estavam na moda. Decidi que de agora em diante vou me vestir de uma forma atual, não importa que idade eu tenha.

Na verdade, meu filho mais novo, Danny, ficou bastante satisfeito quando fizemos uma conferência com um grupo de música cristã muito popular chamado Delirious e, depois de muito incentivo, finalmente concordei em usar um belo conjunto jeans naquela noite. Na verdade, dentre todas as minhas ministrações nos Estados Unidos, aquela alcançou um número recorde de pessoas respondendo ao apelo e vindo ao altar, de modo que agora meu filho sempre me faz lembrar que o jeans não impede o fluir do poder de Deus.

Não entre na rotina, que, segundo dizem, é um túmulo sem as paredes laterais. Faça com que a vida seja sempre algo novo e empolgante e tente fazer algumas coisas extraordinárias. Nada que seja tolo, mas coisas que sejam maravilhosamente criativas e diferentes para você.

4. Tenha a Sua Própria Opinião

As opiniões são algo interessante porque todos nós temos pontos de vista diferentes. Você tem o direito de ter a sua, mas isso não significa que você deva sempre expor o seu modo de ver aos outros. Na maior parte do tempo, as pessoas não querem saber a nossa opinião, e mesmo quando perguntam qual é, esperam que concordemos com elas. Sabedoria é saber quando ficar calado e quando falar.

Embora devamos ser sábios com relação à freqüência com que damos a nossa opinião, precisamos resistir à idéia de deixar que a opinião popular passe a ser a nossa só porque ela é popular. Saiba em quê você acredita e por que acredita naquilo!

Nosso filho mais novo, Danny, um dia disse ao seu pai e a mim com relação à sua fé: "Não sei se acredito no que acredito porque eu mesmo acredito ou porque vocês acreditam". Para uma criança criada em lar cristão e cuja família faz parte do ministério, é fácil ser como que enxertado e não ter certeza se você está onde está porque quer estar ou porque todos querem que você esteja. Fico feliz porque Dave e eu reconhecemos que aquilo por que Danny estava passando era não apenas normal, como também saudável. Não quero que meus filhos tenham simplesmente a minha fé, mas sim que tenham a sua própria fé. Ele passou por um período de busca interior, levou algum tempo afastado e sozinho, e chegou ao ponto de saber no que acreditava e de aprender a razão pela qual acreditava.

Os pais não deveriam ter medo de deixar seus filhos explorarem e descobrirem por si mesmos em que é que eles acreditam. Uma das coisas que as pessoas devem fazer para manterem a independência é se distanciarem de seus pais e definirem a sua própria identidade.

Todos os nossos filhos trabalham conosco e isso pode não parecer muito com a idéia que estou tentando passar, mas na verdade, todos eles são realmente as pessoas que são. Um afastamento saudável dos pais não é uma coisa má, mas é algo bom.

Muitos filhos passam toda a vida na sombra dos pais e isso não é saudável. A atriz Marlo Thomas preocupava-se em ser comparada a seu pai, o ator Danny Thomas. Será que ela poderia um dia ser tão engraçada quanto ele, ou tão boa quanto ele? Mas seu pai ajudou-a desde o início. Ele lhe disse que ela era um puro-sangue, e os puros-sangues nunca olham para os outros cavalos, eles simplesmente correm a sua corrida. Antes de entrar em cena no seu primeiro papel em Summer Stock, ela recebeu um pacote de seu pai. Era um par de viseiras para cavalos com um bilhete que dizia: "Corra a sua corrida, garota!"

5. Recuse-se a Fingir

Querer agradar às pessoas não é necessariamente uma característica anormal, mas muitas vezes acabamos descobrindo que simplesmente não podemos ser o que elas querem que sejamos. No entanto, o erro que muitas pessoas cometem é que elas decidem fingir. Como alguém me disse certa vez: "Vou simplesmente fingir até conseguir". Isto é não ser sincero consigo mesmo e é algo que você nunca deve fazer. Jesus não apreciava os hipócritas, os fingidos e os falsos. Mesmo se aquilo que você é agora não é o que você sabe que deveria ser, pelo menos seja verdadeira.

> Acredito que não ser sincero consigo mesmo é um dos maiores ladrões da alegria que podem existir.

Não passe a vida fingindo gostar de coisas que você despreza, nem estando todo o tempo com pessoas que você não aprecia e fingindo o contrário. Certa vez telefonei para um pastor para lhe pedir um conselho sobre se deveria ou não dispensar uma funcionária. Eu queria fazer a coisa certa, mas depois de tentar isso por muitos anos, eu simplesmente não conseguia mais estar com aquela pessoa em particular e gostar da sua companhia. Não acho que houvesse nada errado com nenhuma de nós; simplesmente não nos adaptávamos bem uma à outra. Ambas tínhamos personalidades fortes, e embora eu fosse a "chefe" e ela tivesse de se submeter às minhas ordens, eu sempre podia sentir a guerra que se desencadeava dentro dela quando não gostava do que eu estava fazendo; e isso acontecia na maior parte do tempo. Meu amigo pastor disse algo que foi muito libertador para mim. Ele disse: "Joyce, finalmente decidi que sou velho demais e que venho fazendo o que faço por tempo demais para passar o resto de minha vida trabalhando com pessoas de que não gosto e fingindo que gosto".

Para algumas pessoas, esse tipo de pensamento pode soar muito "anticristão", mas na verdade não é. Jesus nos disse para amarmos a todos, mas Ele não disse que tínhamos de gostar de estar com todos. Há pessoas na vida com as quais simplesmente não combinamos. Nossas personalidades não se misturam nem funcionam bem juntas. Podemos invocar o poder de Deus e nos comportarmos de forma adequada quando o estar junto for uma necessidade, mas tentar fazer isso em um relacionamento próximo, de trabalho diário, não é uma boa idéia. Fiz uma mudança e foi melhor para ambas. Ela foi liberada para dedicar-se a coisas que apreciava muito mais e eu não tive mais de fingir estar feliz com uma situação com a qual não estava realmente feliz.

Sim, é triste dizer que o mundo está cheio de hipócritas. As pessoas fingem que são felizes quando são infelizes e tentam realizar trabalhos que estão acima da sua capacidade só porque acham que "deveriam" – para poder ser admiradas ou para manter uma certa reputação diante das pessoas. As pessoas têm muitas máscaras e podem se tornar bastante exímias na arte de trocar essas máscaras de acordo com as conveniências. Acredito que não ser sincero consigo mesmo é um dos maiores ladrões da alegria que podem existir. Ralph Waldo Emerson ressaltou que "ser você mesmo em um mundo que está constantemente tentando fazer com que seja outra pessoa é uma das maiores realizações". Lembre-se sempre que, para estabelecer a sua independência, você não pode ser uma hipócrita. Seja você mesma!

6. Diga "Não!" Quando for Preciso

Qualquer pessoa que diga "sim" para todos o tempo inteiro está à procura de problemas. Quando as pessoas querem que você faça alguma coisa, elas definitivamente não ficam felizes se você diz "não". Mais cedo ou mais tarde, porém, você terá de decidir se vai passar a vida fazendo os outros felizes às custas da sua própria felicidade.

Sempre haverá momentos em que faremos as coisas para os outros somente porque queremos vê-las felizes, mesmo quando aquilo que elas querem não é o que preferimos fazer. No entanto, viver assim o tempo todo não é saudável, nem emocionalmente nem sob qualquer outro aspecto.

A cantora de música country Wynonna Judd sabe o que pode acontecer quando não pensamos em nós mesmos. Aos 17 anos, ela tinha aceitado a Cristo, mas o redemoinho dos anos de fama e fortuna criou dentro dela um profundo sentimento de insegurança. Ela sentia como se tivesse que cuidar de todos. Wynonna trabalhou durante dois períodos de gravidez a fim de garantir que as trinta famílias de sua equipe continuassem tendo uma renda; ela comia quando se sentia vazia interiormente e gastava uma enorme soma de dinheiro com sua família e amigos, inclusive as pessoas sem-teto que às vezes levava para casa.

A necessidade de agradar a todos eventualmente voltava para assombrá-la e, em 2004, Wynona se encontrava acima do peso, sem dinheiro, assolada pela culpa e à beira de perder sua fazenda de 525 acres. Ela precisou entregar-se a Deus e a cuidar de si mesma novamente. Agora pesa 9 quilos a menos, cortou os gastos excessivos e aprendeu a dizer "não". Ela está dando a volta por cima.[4]

Uma mulher confiante pode dizer "não" quando for preciso. Ela pode suportar o desagrado das pessoas e é capaz de ponderar que, se a pessoa decepcionada realmente deseja ter um relacionamento com ela, essa pessoa superará a decepção e desejará que ela seja livre para tomar suas próprias decisões.

Às vezes você precisa dizer "não" aos outros a fim de poder dizer "sim" para si mesma, do contrário, você acabará se tornando amarga e cheia de ressentimento, sentindo que em algum momento do processo de tentar fazer as pessoas felizes, você se perdeu.

As mulheres, em especial, querem agradar às pessoas, principalmente às de sua família, mas elas têm de ser muito determinadas para evitar um desequilíbrio nessa área. Você é valiosa e precisa fazer

Passos para a independencia

coisas que deseja fazer, tanto quanto quer fazê-las para os outros. Quando você realmente sente que precisa dizer "não", você não precisa dar um motivo para isso. É comum as pessoas quererem que nós justifiquemos as nossas decisões, mas nós não precisamos fazê-lo. Procuro ser guiada pelo Espírito de Deus – ou uma outra forma de dizer isto é que tento ser guiada pelo meu coração – e às vezes nem eu mesma entendo completamente porque sinto que algo não está bem para mim. Mas aprendi que se me sinto assim, não vou agir contra minha própria consciência para fazer com que todos fiquem felizes comigo. Geralmente digo: "Simplesmente não sinto paz a respeito disso", ou "Não me sinto do jeito certo quanto a isso", ou até mesmo um simples "Não quero" basta.

Não há nada de errado em dar um motivo se você tiver um, mas acho que às vezes nos excedemos ao tentarmos nos explicar. Se a pessoa ofendida não quer entender, ela nunca entenderá, independentemente de quantas razões você apresentar. Siga o seu coração e mantenha a sua paz. Diga "não" quando for preciso e "sim" quando achar que deve.

7. Passe Tempo com Pessoas que lhe Dão Espaço para Ser Você Mesma

Algumas pessoas estão sempre tentando fazer com que nos conformemos a padrões pré-estabelecidos, mas existem aqueles indivíduos raros que realmente incentivam a individualidade e o não-conformismo. Devemos passar tempo com pessoas que nos aceitam e nos apóiam. Uma das muitas coisas que tenho admirado em meu marido ao longo dos anos é que ele me dá espaço e até me encoraja a ser eu mesma. Por exemplo, sou uma pessoa que gosta de passar tempo a sós. Quando chego ao ponto que sei que preciso de algumas horas ou até de alguns dias para ter meu espaço, eu simplesmente digo isso ao Dave, e ele não se sente inseguro de modo algum. Ele não acha que o estou rejeitando, mas entende que esse é simplesmente o meu modo de ser.

Recentemente, aconselhei uma mulher que disse que seu marido a estava deixando louca porque ele nunca a deixava sozinha nem por uma hora. Ele queria estar com ela o tempo todo, e ela, por outro lado, precisava de espaço. Quando tentou explicar isso a ele, o marido ofendeu-se e interpretou a necessidade dela como rejeição pessoal. Para nutrir relacionamentos saudáveis devemos dar espaço e liberdade às pessoas.

Dave e eu trabalhamos juntos, viajamos juntos no ministério, nos vemos mais do que a média dos casais e gostamos disso. Mas há momentos em que precisamos nos afastar um do outro. Dave joga golfe ou apenas sai por algumas horas e dá tacadas em bolas de golfe. Ele vai assistir a jogos de baseball ou de futebol e isso dá a ele o espaço de que precisa. Há noites em que digo a Dave: "Por que você não sai e vai dar umas tacadas? Preciso de uma noite a sós", e ele diz: "Está bem, até mais tarde". Algumas poucas vezes por ano, tento me retirar para refletir, ler, orar, e apenas ficar quieta por alguns dias seguidos, e Dave é sempre compreensivo com relação a esta minha necessidade. É maravilhoso estar casada com alguém que é seguro o bastante para encorajá-la a ser quem você é, e ajudá-la a celebrar a sua singularidade e as suas necessidades individuais. Ninguém quer ser levado a sentir como se houvesse algo de errado consigo por querer fazer algo um pouco fora do comum.

Se você está cansada de andar no mesmo caminho batido onde todo mundo anda o tempo inteiro, então aventure-se e entre na floresta. Algumas pessoas poderiam ter medo de se perder, mas uma mulher confiante espera ter uma experiência nova que poderá ser incrivelmente maravilhosa.

É claro que se queremos ser encorajados a viver na nossa própria individualidade e independência, devemos semear o mesmo tipo de liberdade e respeito na vida das outras pessoas. "Viva e deixe viver" deve ser o nosso lema. Houve um tempo em minha vida em que eu tinha uma mente bastante limitada, e lembro-me bem de ter julgado e rejeitado uma determinada mulher que era uma inconformista bastante original. Ela se vestia de forma eclética muito antes disso virar moda. Ela não era rebelde contra a autoridade, mas era imprevisível e estava determinada a viver sua própria vida. Estava sempre fazendo o inesperado. Era como o vento – você nunca sabia exatamente o que esperar. Isso me incomodava porque naquela época eu era do tipo legalista. Tudo tinha que ser de um determinado modo, e geralmente do meu modo.

Hoje, olhando para trás, acho que provavelmente perdi um grande relacionamento com alguém que poderia ter estimulado a liberdade em mim. Mas, assim como muitas pessoas, eu tinha medo de viver fora da norma.

Sou grata a Deus por Ele ter me mostrado que deseja que tenhamos uma vida empolgante, cheia de variação e criatividade. Deus nos criou para sermos indivíduos que são capazes de trabalharem juntos para o bem comum.

Ora, vós sois [coletivamente] corpo de Cristo; e, individualmente, membros desse corpo, (cada parte separadamente e individualmente) [cada uma com o seu próprio lugar e função]. (1 Coríntios 12.27, AMP)

Não deixe de passar tempo com pessoas que a incentivem na busca da sua individualidade. Encontre amigos que lhe dêem espaço para ser você mesma, espaço para cometer erros e que respeitem os seus limites.

8. Observe as Crianças

Jesus disse que devemos nos tornar como criancinhas se quisermos entrar no Reino de Deus. Creio que uma das coisas que Ele estava nos dizendo era para estudarmos a liberdade que as crianças desfrutam. Elas são despretensiosas e diretas; elas riem muito, perdoam com facilidade e confiam nas pessoas. As crianças definitivamente são confiantes, pelo menos até que o mundo as ensine a serem inseguras e medrosas. Posso me lembrar de nosso filho Danny aos três anos de idade, andando pelo shopping comigo e com Dave e dizendo às pessoas: "Sou Danny Meyer, você não quer falar comigo?". Ele era tão confiante que tinha certeza de que todos queriam conhecê-lo melhor.

Nosso neto Austin sempre foi muito ousado e autoconfiante. Lembro-me de que ele estava conosco quando eu fazia uma conferência para nossos associados e uma sessão de autógrafos de livros e de fotos com os nossos parceiros de ministério. Ele tinha cerca de cinco anos na época e, por desejar muito, deixamos que subisse até a plataforma e cantasse uma canção que aprendera na escola. No dia seguinte, eu ia passar algum tempo com nossos parceiros, autografar seus livros e tirar algumas fotos com eles. Havia uma grande multidão em fila no prédio, e nossa filha e mãe de Austin, Laura, encontrou-o escondendo-se atrás de uma cortina. Quando ela perguntou o que fazia ali, ele respondeu: "Estou tentando descansar um pouco de toda essa gente". Ela disse: "Austin, por que você acha que essas pessoas estão aqui?" Meu neto devolveu: "Bem, para tirar a minha fotografia, é claro!". Por causa de sua autoconfiança simples e infantil, Austin automaticamente presumiu que todas aquelas pessoas estavam ali para vê-lo.

As crianças parecem ser capazes de transformar qualquer coisa em brincadeira. Elas se adaptam rapidamente, não têm dificuldades em deixar que outras crianças sejam diferentes delas, e estão sempre explorando algo novo. Elas ficam maravilhadas com tudo!

Oswald Chambers escreveu em *My Utmost for His Highest*: "A liberdade depois da santificação é a liberdade de uma criança, as coisas que costumavam manter a vida paralisada já passaram". Precisamos de uma vez por todas observar e estudar as crianças e obedecer à ordem de Jesus de sermos mais como elas (Mateus 18.3). É algo que precisamos fazer intencionalmente à medida que envelhecemos. Todos temos de crescer e ser responsáveis, mas não temos de parar de apreciar a nós mesmos nem de aproveitar a vida. Não permita que o mundo roube a sua autoconfiança. Lembre-se de que você foi criada não por acaso pela mão de Deus. Ele tem um plano especial, único e maravilhoso para você. Vá atrás dele! Não recue, não se conforme, nem viva com medo.

9. Combata a Estagnação

Você já viu uma poça de água parada? Não há circulação, não há fonte de água fresca, e a água só fica ali. Se o tempo passar e o sol não evaporá-la, pode ocorrer a formação de bactérias e a água pode vir a ficar esverdeada. Pouca vida restará nela.

Nós também podemos entrar em um estado de estagnação. Acontece pouco a pouco e, em geral, tão lentamente que é quase imperceptível. Um dia a vida foi empolgante, e depois parece que de repente nos encontramos com aquilo que o mundo chama de "crise da meia-idade". Acho que isso é nada mais nada menos do que estagnação. Deixamos de ser ousados, de fazer coisas espetaculares, de ser criativos. Vivemos acomodados, entramos nos moldes do mundo e nos conformamos com o que as pessoas esperam de nós. Tornamo-nos monotonamente previsíveis!

Acredito que todos possam entrar em estagnação caso não lutem contra ela. É fácil simplesmente se deixar levar com os outros fazendo a mesma coisa todo dia. Somente as pessoas raras estão dispostas a nadar contra a correnteza quando seria tão fácil boiar correnteza abaixo com todos os demais. Uma das lições mais valiosas que aprendi é que há muitas coisas que preciso fazer "intencionalmente". Não posso esperar sentir vontade de fazê-las.

Por exemplo, eu deliberadamente cuido das minhas responsabilidades na vida porque sei que é muito importante. Eu dou intencionalmente. De fato procuro pessoas a quem possa abençoar porque aprendi a lição de importância vital que Jesus ensinou sobre andar em amor (Efésios 5.2, 2 João 1.6). Deliberadamente, costumo fazer algo fora do comum para mim de vez em quando, apenas porque recuso-me a viver na estagnação. Deliberadamente, passo tempo todos os dias em oração e em comunhão com Deus, pois quero honrá-lo e dar-lhe sempre o Seu lugar de direito em minha vida, que é o primeiro lugar.

Costumo usar pijamas diferentes quase todas as noites. Algumas pessoas podem usar a mesma roupa de dormir noites seguidas e nunca se cansarem disso, mas fazê-lo me deixa entediada. Você deve fazer qualquer coisa que faça com que a sua vida continue interessante. Se você tomar esta atitude decisiva, ela fará uma enorme diferença em sua qualidade de vida. Não desperdice o seu tempo aqui na terra. Aprecie a sua vida e faça com que o mundo tenha prazer pelo fato de você estar nele.

10. Com Deus, Todas as Coisas São Possíveis

Começamos este capítulo discutindo acerca da necessidade de mantermos a nossa individualidade. Você deve se lembrar de que eu disse que o nosso alvo deve ser buscar uma independência equilibrada. Acredito que o equilíbrio é a chave para o sucesso em tudo. A Bíblia declara que, se não formos bem equilibrados, o diabo poderá nos devorar (1 Pedro 5.8). Onde não há equilíbrio, sempre encontramos destruição. Uma ginasta nunca concluirá sua rotina de exercícios se não conseguir ter equilíbrio em sua postura. Um cientista terá dificuldade em concluir seu experimento se nunca aprender a contrabalançar seus instrumentos científicos. As pessoas que nunca aprendem a equilibrar o saldo de seu talão de cheques podem terminar tendo problemas financeiros graves. O equilíbrio é muito importante!

Deus nos criou como indivíduos que precisam uns dos outros. Trabalhamos melhor quando trabalhamos juntos. A combinação de dons e talentos nos proporciona melhores resultados. Então, devemos depender primeiramente de Deus e depois das pessoas, mas a nossa dependência das pessoas deve ser sempre equilibrada.

A Bíblia diz que Jesus não confiava nos Seus discípulos, porque conhecia a natureza de todos os homens (João 2.24). Isso significa simplesmente que, embora estivesse tendo um relacionamento com eles, compartilhasse Sua vida com eles e dependesse deles para determinadas coisas, Jesus nunca permitia que a dependência fosse tamanha a ponto de deixá-lo inconsolável caso eles o decepcionassem. Ele sabia que a natureza das pessoas era ser exatamente o que elas são – pessoas! Pessoas feitas de falhas e imperfeições.

Certa vez, eu estava preocupada com o que faria se Dave morresse. Como poderia dirigir o ministério sozinha? Depois de vários dias em que fui vítima desse ataque mental, o Senhor falou ao meu coração: "Se Dave morresse, você continuaria fazendo exatamente o que está fazendo, porque Eu Sou o único que a sustenta, e não Dave". Era óbvio que eu precisava de meu marido e dependia dele para muitas coisas, mas Deus queria definir em meu coração desde o princípio de nosso ministério que, com Dave ou sem ele, ou sem qualquer outra pessoa, por sinal, eu poderia fazer o que Deus me pediu para fazer, desde que eu tivesse ao Senhor. Todo indivíduo precisa acreditar no mesmo. Deus é tudo o que você precisa ter. Muitas outras coisas são boas e estimulantes, mas Ele é a única pessoa sem a qual jamais poderemos viver. A Bíblia diz que os irmãos de José o odiavam, mas Deus lhe deu favor por onde quer que ele andasse (Gn 39.21). Simplesmente não importa quem esteja contra você desde que Deus esteja a seu favor.

Quando Pedro, Judas e outros decepcionaram a Jesus, Ele não ficou arrasado, porque a Sua confiança não estava colocada no lugar errado. Ele era dependente e independente ao mesmo tempo. Dependo de muitas pessoas em meu ministério para me ajudarem a realizar o que fui chamada a fazer. No entanto, podemos verificar constantes mudanças. Pessoas que pensamos que ficariam conosco para sempre saem, e Deus nos envia outras que possuem dons impressionantes. Logo aprendemos que, se não nos tornarmos excessivamente confiantes em quem quer que seja, poderemos evitar muitas preocupações e inquietações. Esperamos que Deus, e não as pessoas, atenda às nossas necessidades. Precisamos das pessoas, mas sabemos que é Deus quem trabalha por meio de terceiros para nos ajudar. Se Ele vai ou não mudá-las, isso não nos diz respeito.

Quando Madre Teresa partiu para a Índia a fim de dar início ao seu trabalho missionário ali, foi-lhe dito que ela não poderia fazê-lo porque não tinha dinheiro nem pessoas para ajudá-la. Soube que na ocasião ela respondeu que tinha três moedas e Deus, e que isso era tudo de que necessitava.

Todos nós sabemos a respeito do trabalho estupendo que ela realizou para ajudar os pobres na Índia. Sua disposição em permanecer firme, contando unicamente com Deus, e colocando toda a sua confiança nEle, permitiram que Deus trabalhasse através dela de forma notável.

Madre Teresa era um indivíduo raro que sabia como trabalhar com pessoas, mas que acreditava que mesmo sem elas poderia fazer tudo o que Deus lhe estava pedindo.

É esse tipo de atitude que desejo manter. Valorizo todas as pessoas maravilhosas que Deus colocou em minha vida. Meu esposo e meus filhos são impressionantes. Nossa equipe ministerial é de primeira classe, e os maravilhosos parceiros de ministério que Deus nos deu são estupendos. Preciso de todos eles, mas, se por algum motivo, Deus algum dia decidir retirar algum deles de minha vida, quero ser uma mulher confiante que sabe que somente com Deus todas as coisas são possíveis. Minha confiança deve estar nEle mais do que em qualquer outra coisa ou em qualquer outra pessoa.

… PARTE II

Vivendo Corajosamente e Sem Medo

■ *Capítulo Onze* ■

A ANATOMIA DO MEDO

Medo. Todos nós já o sentimos. É aquela sensação de insegurança que temos no estômago, é o pânico que pode assolar-nos sem aviso prévio. Todo mundo inevitavelmente tem medo de alguma coisa. Afinal, somos humanos. Na verdade, de acordo com um estudo recente, 19,2 milhões de adultos americanos de 18 anos ou mais, ou cerca de 8,7% das pessoas nesta faixa etária, têm medo de alguma coisa específica. Quinze milhões de americanos têm fobias sociais que dificultam a sua interação com as outras pessoas por ficarem extremamente constrangidos em ocasiões sociais.[1]

Há um programa de televisão popular que desafia os concorrentes a encararem os seus medos ao extremo — deitando-se em aquários cheios de caranguejos ou cobras, saltando de helicópteros ou comendo aranhas ou outros insetos vivos. Esta não é a minha idéia de diversão, mas a maioria das pessoas que participam provavelmente não está lá por diversão também; elas estão tentando ganhar os 50.000 dólares de prêmio (cerca de 80.000 reais) no final do programa. De vez em quando, alguém é desafiado por uma proeza assustadora demais. Incapaz de superar seu medo, o participante desiste e vai embora.

A vida geralmente traz o medo à cena e muitas vezes podemos nos sentir como esse participante – pronto para desistir e ir embora. Se quisermos superar a incerteza e a dúvida, se queremos mesmo nos tornar mulheres confiantes, é vital que tenhamos uma compreensão completa e detalhada da natureza e da anatomia do medo. A primeira coisa que precisamos saber é que o medo não provém de Deus. Ele não nos deu o espírito de medo (2 Timóteo 1.7).

O medo atormenta e impede o progresso. Faz com que as pessoas que deveriam ser ousadas e ativas recuem, se escondam e sejam covardes e tímidas. O medo é um ladrão. Ele rouba o nosso destino. Como disse em um capítulo anterior, a única atitude aceitável que devemos ter com relação ao medo é "NÃO TEMEREI!" Cada uma de nós deve estar firme em sua decisão de não permitir que o medo governe nossas vidas. Há muita coisa em jogo para que tenhamos uma atitude displicente com relação a esse enorme problema.

> Se quisermos superar a incerteza e a dúvida, se queremos mesmo nos tornar mulheres confiantes, é vital que tenhamos uma compreensão completa e detalhada da natureza e da anatomia do medo.

Creio que o medo é o principal espírito que o diabo usa contra as pessoas. Pense nos problemas que você tem hoje. Quantos deles estão ligados ao medo? Aposto que se você pensar a respeito, verá que a maioria deles tem algo a ver com esse sentimento. Nossas preocupações vêm do medo. Tentamos controlar as pessoas e as circunstâncias em função do medo. Permitimos que as pessoas nos controlem por causa do medo. As pessoas que se apavoram com a idéia de serem pobres se tornam avarentas e mesquinhas. Alguém que receia não ter amigos finge ser alguém que não é. Entramos em relacionamentos errados e prejudiciais devido ao temor de ficarmos sós, e a lista é interminável. No entanto, creio que podemos vencer o medo se nos apressarmos para compreendê-lo e para o enxergarmos como ele realmente é – um espírito que não tem lugar numa vida rendida a Cristo.

Certa vez ouvi contar a história de uma aldeia onde os pais diziam a seus filhos: "Seja o que for que vocês façam, não cheguem perto do topo da montanha. É ali que o monstro mora". Até então, todas as gerações anteriores de crianças haviam dado ouvidos a esse aviso e evitavam aproximar-se do topo da montanha.

Certo dia, alguns homens corajosos da aldeia decidiram que tinham de ir até lá para ver o monstro. Eles queriam ver como a criatura realmente era e derrotá-la. Então, muniram-se de provisões e partiram para a montanha. Na metade da subida, ficaram paralisados no caminho por um terrível rugido e um odor fétido. A metade dos homens desceu a montanha correndo e gritando.

A outra metade do grupo continuou sua jornada. À medida que subiam, perceberam que o monstro era menor do que esperavam – mas ele continuava a rugir e a emitir um cheio tão forte que todos os homens, exceto um, desceram a montanha correndo de volta para a aldeia.

"Vou pegar o monstro", disse para si mesmo o único homem que restara, e deu mais um passo à frente. Ao fazê-lo, o monstro encolheu-se até ficar do mesmo tamanho do homem. Ao dar outro passo, o ser encolheu novamente. Ele ainda era terrivelmente feio e continuava a exalar o mesmo cheiro, mas o homem estava tão perto da criatura agora que ele podia na verdade pegá-la e segurá-la na palma de sua mão. Olhando-a, o aldeão perguntou: "Bem, e então, quem é você?"

Com uma voz aguda, mas quase sumida, o monstro acuado confessou: "Meu nome é Medo".[2]

Essa história nos dá uma descrição muito precisa do modo como o medo opera. Ele parece tão monstruoso e horrível até que você comece a confrontá-lo, mas quanto mais você o confronta, menor ele se torna. Se você seguir o plano de Deus para vencer o medo, um dia descobrirá que as coisas que mais a assustavam na verdade não eram absolutamente nada. Aquilo que um dia rugiu para você irá somente rosnar e finalmente se calará.

Lembre-se sempre do que Franklin Roosevelt certa vez declarou: a única coisa que devemos temer é o próprio medo; porque, se permitirmos, ele realmente nos controlará. Se o confrontarmos, nós o dominaremos.

Medos e Fobias

Os medos podem se desenvolver a partir de quase tudo. Eis uma pequena lista de alguns dos medos mais bizarros que assolam as pessoas:

Peladofobia: medo de ficar careca e medo de pessoas carecas
Aerofobia: medo de ventanias
Porfirofobia: medo da cor púrpura
Chaetofobia: medo de pessoas cabeludas ou peludas
Levofobia: medo de objetos do lado esquerdo do corpo
Dextrofobia: medo de objetos do lado direito do corpo
Aurorafobia: medo das luzes da aurora
Caliprofobia: medo de significados obscuros
Thalassofobia: medo doentio do mar
Stasibasifobia: medo de ficar de pé e caminhar
Odontofobia: medo relacionado aos dentes
Grafofobia: medo de escrever em público
Fobofobia: medo de ter medo
(Extraído de *Nothing to Fear*, de Fraser Kent, Doubleday & Company, 1977)

A variedade de fobias das quais as pessoas sofrem são aparentemente infinitas e algumas delas são bastante bizarras, porém são muito reais e opressivas para aqueles a quem elas assolam. Algumas pessoas têm medos tão singulares que chegam a ter medo de falar sobre seus medos. A melhor maneira de superar alguma coisa é expondo-a. Tudo o que é oculto exerce poder sobre nós, mas, uma vez que estas coisas sejam trazidas à luz, pode-se lidar com elas e vencê-las.

Não Evite o Confronto

Em abril de 2005, muitos americanos e o mundo inteiro ouviram a história da "noiva em fuga", Jennifer Wilbanks. A moradora de Duluth, na Geórgia, de trinta e dois anos, desapareceu dias antes da realização de seu casamento, que contava com 600 convidados. Sua família e seu noivo, certos de que ela havia sido raptada, imploraram pelo seu retorno em segurança, e a noiva desaparecida tornou-se a história nacional dos principais veículos de comunicação.

Quando ela apareceu viva e bem do outro lado do país, a alegria por sua descoberta logo se transformou em confusão e raiva quando a verdade revelou que Wilbanks não havia sido raptada, mas sim que havia abandonado, por pânico, o casamento. Uma história da Associated Press relatava que a futura noiva havia fugido devido a "certos temores" que controlavam sua vida.[3]

Muitos provavelmente diriam: "Bem, ela deveria ter conversado com seu noivo em vez de ter fugido". Ou, no mínimo, deveria ter procurado aconselhamento com o seu pastor ou com algum membro da família. Mas quantos de nós confrontamos os nossos medos com facilidade? Não é mais fácil simplesmente ignorar o problema em vez de lidar com ele? Você pode não ter nunca fugido de forma física como Wilbanks fez, mas aposto que emocionalmente existem coisas das quais está fugindo. Você está constantemente olhando por cima do ombro tentando impedir que aquilo que você teme pegue você.

O confronto é extremamente difícil para muitas pessoas, mas é necessário, a não ser que estejamos dispostas a permitir que outras coisas e pessoas controlem nossa vida. Você já brincou de estátua quando era criança? A pessoa de quem você estava fugindo tinha o controle sobre você porque se ela lhe tocasse, você ficaria instantaneamente congelada, paralisada. É assim que o medo funciona. Aquilo de que fugimos ou nos escondemos exerce poder sobre nós.

Como mencionei anteriormente, também é importante lembrar que, se quisermos nos livrar das coisas que escondemos na escuridão, elas precisam ser trazidas à luz. Entre em um quarto totalmente escuro e acenda a luz. O que acontece? As trevas são engolidas. É assim que Deus e a Sua Palavra operam em nossas vidas. Quando fazemos o que a Palavra de Deus nos ordena, os temores que tentam nos atormentar são engolidos. Eles desaparecem e não têm mais nenhum poder sobre nós.

A Palavra de Deus é bastante clara neste ponto: não devemos temer. Isaías 41.10 diz: "Não temas [não há nada a temer], porque Eu Sou contigo; não te assombres [não olhe em volta aterrorizado], porque Eu Sou o teu Deus" (AMP). Observe que Ele não diz que nunca devemos sentir medo, mas que não devemos permitir que o medo nos controle e roube o nosso destino.

O monstro do Medo finge ser muito maior e mais forte do que realmente é. Isso porque ele depende da sua capacidade de enganar as pessoas. Quando alguém percebe que pode sentir medo e seguir em frente assim mesmo, ele está livre.

Satanás adora fazer com que as pessoas temam e evitem confrontar questões desagradáveis porque ele sabe que perde poder quando suas mentiras são confrontadas. Pense em todas aquelas gerações, na história que acabei de contar, que viviam suas vidas com medo de

A anatomia do medo

algo que na verdade era pequeno o bastante para se segurar com uma das mãos. Até que alguém foi corajoso o suficiente para confrontá-lo, alguém que se recusou a fugir, aquela miniatura de monstro mantinha as pessoas tensas, deixando-as literalmente congeladas.

Embora uma mentira não seja verdade, ela passa a se tornar real para a pessoa que nela acredita. Não acredite nas mentiras com as quais Satanás tenta enganá-la.

Como eu gostaria de ter uma varinha de condão ou uma oração que pusessem fim ao medo em sua vida de uma vez por todas. Infelizmente, isso não vai acontecer. A oração realmente nos dá a força para enfrentarmos o medo, mas para vencermos e sermos conquistadores como Deus quer que sejamos, precisamos ter algo para vencer e conquistar! Você não pode pretender correr três milhas sem primeiro aprender a correr uma. Com a oração acontece o mesmo. Deus quer que estiquemos os músculos da nossa fé e que enfrentemos o medo. Ele quer que digamos "Não! O medo não vai governar a minha vida!". À medida que aprendermos a confrontar e combater os pequenos temores, Ele nos ajudará a aprender a dominar os grandes também.

Não permita que o medo a congele, paralisando-a. Hannah Hurnard, autora de *Pés como os da Corça nos Lugares Altos*, um dia foi paralisada pelo medo. Então, ela ouviu um sermão sobre espantalhos que a desafiou a transformar seu medo em fé.

O pregador disse: "Um pássaro sábio sabe que o espantalho é apenas um aviso. Ele anuncia que algum fruto muito suculento e delicioso está pronto para ser colhido. Existem espantalhos nos melhores jardins... Se eu for sábio, também devo olhar os espantalhos como se fossem um convite. Cada gigante no caminho que faz com que eu me sinta como um gafanhoto é apenas um espantalho acenando para mim, para mostrar-me as mais ricas bênçãos de Deus". E ele concluiu: "A fé é um pássaro que adora se empoleirar em espantalhos. Todos os nossos temores são infundados".[4]

> Quando fazemos a nossa parte,
> orando e esticando nossos
> músculos espirituais, ao darmos
> esse passo de fé, Deus sempre
> faz a Sua parte, tornando possíveis
> coisas que aparentemente eram impossíveis.

Parceiras de Deus

Você já se reuniu com uma amiga para realizar um jantar para as suas famílias, ou quem sabe para outra família que pôde se beneficiar daquela refeição? Talvez ela tenha ficado responsável pelo prato principal e você pelos acompanhamentos. Seja qual foi o modo encontrado para dividirem o trabalho, cada uma de vocês tinha uma parte específica e, juntas, completaram o que havia para ser feito.

Na vida, precisamos nos lembrar de que Deus é nosso parceiro e entender que Ele tem uma parte e que nós temos outra. Quando fazemos a nossa parte, orando e esticando nossos músculos espirituais, ao darmos esse passo de fé, Deus sempre faz a Sua parte, tornando possíveis coisas que aparentemente eram impossíveis. Talvez você tenha tido tanto medo em sua vida por tanto tempo que agora não consegue ver como pode se libertar dele. Eu lhe prometo – cada vez que você confrontar o medo, ele se tornará menor. Finalmente, ele perderá por completo seu poder sobre você.

Odeio o medo e o que ele faz com as pessoas. Ele faz com que recuemos; ele faz com que retrocedamos. Ele solapa nossa segurança e nossa autoconfiança até que nada mais reste senão o esqueleto do que havia antes. Mas as coisas não precisam ser assim! Eu mesma experimentei muito medo em minha vida e sei que é preciso boa dose de coragem para enfrentar aquilo que você mais teme. Mas se eu posso fazer isso, você também pode! Um homem sábio disse certa vez: "Coragem não é a falta de medo, mas a capacidade de enfrentá-

A anatomia do medo

lo". As promessas de Deus não são para algumas poucas pessoas escolhidas, elas são para todos. Se Deus pode ajudar qualquer pessoa, então Ele pode ajudá-la, e ajudá-la a encarar os seus medos. As promessas de Deus oferecem esperança e a oportunidade de uma nova vida para você. Uma vida vivida com coragem e decisão e não com medo e incerteza.

Uma das mulheres mais confiantes que encontramos na Bíblia é Ester e sua história de resgate do povo judeu da morte certa nas mãos de um homem mau e cheio de ódio. Embora a sua beleza não atrapalhasse, foi o seu caráter e a sua confiança serena que a ajudaram a obter o favor do rei, Xerxes. Ela arriscou-se imensamente ao entrar na corte particular de Xerxes sem ser convidada. No final, Ester salvou o seu povo impedindo que ele perecesse.

Confiança é apegar-se a uma fé firme em Deus, uma fé que é sustentada pelo conhecimento e a compreensão total de que, com a ajuda de Deus, podemos fazer qualquer coisa. O medo gera falta de confiança em Deus e em você. É a convicção destruidora e debilitante de que você não é capaz. Como mulher, você pode fazer coisas espantosas, mas é preciso se tornar uma pessoa confiante. Substitua os seus medos pela confiança e veja o que Deus pode fazer!

Não creio que ninguém tenha prazer no confronto ou que aguarde ansiosamente o momento em que tenha de enfrentar algo. Com certeza não é aquilo que mais gosto de fazer. Muitos não gostam de balançar o navio e fazer ondas, mas posso lhe assegurar que dar os passos para fazer o que for preciso para desfrutar de uma vida de liberdade, definitivamente não é tão difícil quanto permanecer cativa pelo resto da vida. Você precisa se importar consigo mesma e com os seus entes queridos o bastante para confrontar o medo e começar a ser a pessoa que sempre quis ser. Faça isso, ainda que você tenha de "fazê-lo com medo".

Faça, Mesmo com Medo

Contei esta história em outros livros que escrevi, mas vale a pena repeti-la neste também. Havia uma mulher a quem chamaremos Joy, que literalmente havia vivido toda a sua vida, desde quando podia se lembrar, com medo. O medo a controlava. Ela não dirigia. Ela não saía à noite. Ela tinha medo de conhecer pessoas novas. Tinha medo de multidões, de coisas novas, de aviões, do fracasso, e de praticamente qualquer outra coisa que se possa imaginar. Seu nome era Joy (alegria), mas ela com certeza nunca havia experimentado qualquer alegria porque seus temores a aprisionavam e atormentavam. Ela queria desesperadamente ser ousada e corajosa. Queria ter uma vida empolgante e cheia de aventura, mas seus sonhos eram constantemente esmagados pelos seus medos.

Joy era cristã e, certo dia, lamentava-se mais uma vez para sua amiga cristã de longa data, Debbie. Debbie havia ouvido tudo aquilo muitas vezes, mas dessa vez respondeu de uma forma que a chocou. A amiga olhou Joy direto nos olhos e disse enfaticamente: "Bem, por que você simplesmente não faz isso, mesmo com medo?" Que verdade poderosa! Aquele foi o começo de uma nova vida para Joy porque, pela primeira vez, ela olhou o medo como ele era. O medo jamais iria simplesmente evaporar de sua vida. Ele havia sido uma fortaleza por tempo demais e suas raízes eram profundas demais também. Joy precisava confrontá-lo simplesmente indo em frente, e agindo do modo como queria agir ainda que fizesse isso sentindo medo.

Medo significa correr ou fugir, mas confronto significa enfrentar alguma coisa de cabeça erguida. Às vezes esses confrontos exigem que encaremos a nós mesmas – talvez tenhamos medo do fracasso ou do sucesso. Às vezes os seus temores ou preocupações exigirão que você confronte alguém; talvez um pai ou uma mãe ou um marido, ou talvez até um filho.

David Augsburger, em seu livro *Caring Enough to Confront* (Importe-se o Bastante para Confrontar), sugere formas pelas quais você pode expressar seus pensamentos ao mesmo tempo em que demonstra se importar com a outra pessoa.[5]

Confrontando	Importando-se
Sinto profundamente pelo que aconteceu.	Eu me importo com o nosso relacionamento.
Quero expressar meu ponto de vista com clareza.	Quero ouvir o seu ponto de vista.
Quero que respeite meu ponto de vista.	Quero respeitar o seu modo de pensar.
Quero que você confie em mim expressando os seus sentimentos sinceros.	Confio que você será capaz de entender os meus sentimentos sinceros.
Quero que continue interagindo comigo até que cheguemos a um novo entendimento.	Prometo continuar dialogando até que cheguemos a um entendimento.
Quero que você me passe a sua visão clara, sincera e sem pressão sobre as nossas diferenças.	Não vou trapacear, pressionar, manipular ou distorcer as diferenças que existem entre nós.
Quero obter uma resposta sua que confronta mas se importa.	Eu lhe dou o meu respeito amoroso e sincero.

Olhe-o Bem nos Olhos

Dois exploradores estavam em um safári na selva quando, de repente, um leão feroz saltou diante deles. "Fique calmo", sussurrou o primeiro explorador. "Lembra-se do que lemos naquele livro sobre animais selvagens? Se você ficar completamente imóvel e olhar o leão nos olhos, ele dará as costas e fugirá." "Certo", respondeu seu companheiro. "Você leu o livro e eu li o livro. Mas será que o leão leu o livro também?"

Quando decidimos não enfrentar uma situação ou fugir dela, muitas coisas passam pela nossa mente. Achamos que há menos risco de sermos feridos ou de que alguém seja ferido, ou talvez simplesmente não queiramos investir tempo para tratar com alguma coisa. Lembre-se, porém, que se você correr, terá de continuar correndo.

Quando Adão e Eva pecaram no Jardim do Éden, a primeira coisa que fizeram foi fugir e tentar se esconder da presença de Deus. Eles tentaram cobrir sua nudez com folhas de parreira. Aquilo não funcionou para eles e não funcionará para nós também. Deus teve de intervir com um plano para a redenção deles e Ele tem um plano para nós também.

> Deus nunca pretendeu que fugíssemos de nossos inimigos. O Seu plano era, e ainda é, que com Ele aonosso lado confrontemos qualquer questão em nossa vida que seja um problema.

Dê uma olhada em Efésios 6 na Palavra de Deus para o Seu povo e observe a armadura de guerra que Ele preparou para nós. Ele nos diz para ficarmos firmes com o cinturão da verdade, com a couraça da justiça, com os sapatos do Evangelho da paz, com o escudo da fé, com o capacete da salvação e com a espada do Espírito. Você percebeu que algo está faltando? Não há nada destinado a proteger as nossas costas! Isso porque Deus nunca pretendeu que fugíssemos de nossos inimigos. O Seu plano era, e ainda é, que com Ele ao nosso lado confrontemos qualquer questão em nossa vida que seja um problema. As pessoas são peritas em não encarar os problemas reais, e são ainda melhores em tentar mascará-los vivendo vidas de faz-de-conta e inventando personalidades falsas. É hora de ficar de pé e confrontar o medo!

Uma mulher que participou de uma de minhas conferências testemunhou que aquela era a primeira vez que ela havia saído de casa em trinta e cinco anos. Quando a entrevistamos e soubemos mais sobre a sua história, ficamos ainda mais impressionados. Quando criança, ela havia sofrido abuso, e embora houvesse se casado e tivesse filhos, ela decidiu que sua vida seria mais segura se ficasse dentro de casa, onde ninguém poderia feri-la. Ela arranjou várias formas pelas quais poderia conseguir as coisas de que necessitasse e, com a invenção dos computadores, tornou-se ainda mais fácil para ela viver uma vida de reclusão. Ela pedia as coisas pela Internet e se comunicava por correio e telefone.[6]

Um dia, ela começou a assistir ao meu programa diário pela televisão e descobriu, a partir do meu testemunho, que eu também havia sofrido abuso sexual por parte do meu pai. Ela decidiu que, se eu podia ficar diante de milhares de pessoas e falar corajosamente, o mínimo que poderia fazer era sair de sua casa. Ela tomou a decisão de ir à minha conferência e o fez. E embora estivesse trêmula e muito nervosa, ali estava ela. Aquele foi o seu primeiro passo para confrontar o próprio medo. Ela fez alguma coisa, ainda que tivesse medo. E ainda tinha um longo caminho a percorrer, mas ninguém pode dirigir um carro estacionado. Ela precisou dar um passo antes de poder dar dois. Espero que essa história a incentive e a motive a iniciar a sua própria jornada para se libertar do medo e começar a caminhar em direção a tornar-se a mulher confiante que você deseja ser.

A vida mudou imensamente para mim quando enfim compreendi que ter medo significava correr ou fugir. Agora entendo que, ainda que eu esteja tremendo de medo, não estou sendo covarde desde que eu continue prosseguindo para o alvo, a fim de fazer o que quer que o medo esteja tentando me impedir.

A maneira de desenvolver a autoconfiança é fazer aquilo que você teme, e assim construir uma lista de experiências de sucesso atrás de você. Henry Ford disse: "Uma das maiores descobertas que o homem pode fazer, e uma de suas maiores surpresas, é descobrir que ele pode fazer aquilo que tinha medo de não poder fazer".[7]

Dave e eu vimos recentemente um exemplo bem-humorado, porém instrutivo, de como o medo faz com que alguém queira correr e se esconder. Temos uma cadela maltês de 3 quilos que é muito branquinha e peluda. Seu nome é Duquesa, e ela é linda. Duquesa nunca gostou de tomar banho desde que era um filhote. Sempre que percebe que alguém vai lhe dar banho, ela começa a tremer e corre para outra parte da casa e se esconde. À medida que cresceu, pareceu ter superado o problema e ter menos medo do banho.

Mas, certo verão, estávamos em um apartamento que alguém havia nos emprestado em um condomínio e, quando Duquesa ouviu a palavra banho e me viu pegando o seu xampu e outros produtos que costumo usar para isso, ela desapareceu. Quando finalmente a encontrei, ela estava tremendo, escondida em outro aposento. A princípio eu não havia entendido o que tinha de errado com ela, já que não demonstrara ter medo de banho por algum tempo. Mas depois percebi que seu medo tinha a ver com a nova situação e o local diferente onde estávamos.

Até os animais reagem ao medo correndo e se escondendo. Eles vivem por instinto e sempre reagirão a esses instintos, mas graças a Deus porque em nossas vidas fazemos escolhas sábias, de acordo com o nosso conhecimento da Palavra de Deus. A Bíblia diz que não devemos ceder lugar ao medo e que, com a ajuda do Seu Espírito, podemos fazer a escolha certa.

Alguém é Imune ao Medo?

Será que algumas pessoas recebem a maldição de serem medrosas ao passo que outras são abençoadas para serem corajosas? Reconhecemos que nascemos com temperamentos diferentes. Nós não os escolhemos; Deus os escolhe para nos ajudar a cumprir o nosso propósito na vida. Algumas pessoas são apenas naturalmente mais determinadas, corajosas e ousadas do que outras, mas eu pessoalmente não acredito que alguém seja imune ao medo por completo. Até aquela pessoa que você conhece que parece ser a mais corajosa de todas tem medo de alguma coisa.

Algumas pessoas conseguem esconder o seu medo melhor do que outras. Elas podem até nem admitir para si mesmas que têm

A anatomia do medo

medo, mas a verdade é que Satanás ataca a todos através do medo. Podemos vencê-lo! Se não fosse possível vencer o medo, Deus não nos teria instruído em Sua Palavra dizendo "Não temas!"

Acredito que todos nós somos corajosos em algumas áreas e medrosos em outras. O pêndulo pode ir mais para um lado ou para o outro, mas todos nós temos um pouco das duas coisas. Por exemplo, uma mulher a quem chamaremos Teresa era tímida e envergonhada. Ela não falava muito e era introvertida. Ela ficava petrificada se tivesse de falar diante de uma multidão; no entanto, Teresa era muito corajosa para enfrentar a dor e a tragédia em sua vida. Ela teve câncer aos 32 anos e passou por uma cirurgia e pelos tratamentos dolorosos de radiação e quimioterapia. Teresa também sofreu três abortos antes de finalmente dar à luz uma criança saudável. Ela suportou essas dificuldades com graça, coragem, e sem muito se lamentar.

Janice, uma amiga de Teresa, era muito despachada, exteriormente falando. Janice era tão extrovertida que podia fazer amizade até com um poste telefônico. Ela era uma líder, falava facilmente diante de grandes grupos de pessoas e geralmente era admirada por todos. Superficialmente, Janice não parecia em nada ser uma pessoa medrosa. Ela trabalhou durante vinte anos em uma empresa e acumulou uma ótima aposentadoria investindo num plano para esse fim. Para surpresa de todos, a empresa passou a ser investigada por fraude com relação ao investimento do plano de aposentadoria dos funcionários e, de repente, Janice e muitos outros funcionários descobriram que não tinham nenhuma reserva. A empresa entrou com um pedido de falência e diversos executivos foram julgados e condenados à prisão. De repente, Janice não somente não tinha mais aposentadoria, como também não tinha mais emprego. Ela não conseguiu lidar com a sua tragédia com graça, mas demonstrou um medo que impressionou a todos os que a conheciam. A amiga de Teresa sempre parecera tão destemida, mas naquela situação, ficou quase que paralisada pelo medo com relação ao seu futuro e à sua segurança financeira.

Sou corajosa o bastante para falar diante de um milhão de pessoas durante horas. Não tenho medo de ser transparente e de compartilhar detalhes de minha vida que muitas pessoas não se sentiriam à vontade em partilhar. Por outro lado, se eu subisse em uma montanha russa em um parque de diversões, eu ficaria tremendo, e é possível que gritasse muito, mas não de prazer.

Durante nossas viagens, meu marido Dave experimenta todo tipo de comida que nunca viu ou comeu antes, mas eu estou sempre à procura de alguma coisa que me seja familiar. Tenho medo de experimentar algo novo e não gostar, e assim arruinar minha refeição. Meu ponto de vista é que ninguém é de todo imune ao medo. Os medos de alguns são mais óbvios do que de outros, mas acredito que todos nós os tenhamos.

É importante percebermos que não estamos sós na nossa batalha contra o medo. O diabo não quer nada mais do que convencê-la de que há algo de muito errado com você ou comigo, e que as pessoas normais não têm os mesmos tipos de problema. Não permita que ele faça isso; todos nós passamos pelo medo.

O general George Patton certamente foi considerado um homem muito corajoso e, ainda assim, ele admitiu que tinha temores. Ele apenas decidiu não lhes dar atenção.

Durante a Segunda Guerra Mundial, uma autoridade militar encontrou-se com George Patton na Sicília. Quando ele elogiou Patton enfaticamente por sua coragem e bravura, o general respondeu: "Senhor, não sou um homem bravo... A verdade é que sou um covarde absoluto. Jamais em toda a minha vida ouvi o ruído de tiros ou estive em batalha sem que ficasse tão apavorado a ponto de suar nas palmas das mãos". Anos mais tarde, quando a autobiografia de Patton foi publicada, havia no texto esta declaração expressiva feita pelo general: "Aprendi muito cedo em minha vida a nunca pedir conselho aos meus medos".

O espírito de medo não é exclusividade de quem ele visita ou de quando ele se apresenta. Às vezes o medo aparece em momentos muito inconvenientes, nos quais você preferiria se mostrar menos temeroso. Afinal, quem quer confrontar o medo e ter de lidar com ele? Ninguém! Simplesmente é mais fácil fugir, se esconder ou procrastinar. Gostaríamos que ele desaparecesse, oramos para que ele suma, mas, até que o confrontemos, o medo sempre nos alcançará. Se temos de correr, que seja em direção ao inimigo, e não para fugir dele.

Variedade! Variedade! Variedade!

A variedade de temores que o diabo apresenta às pessoas é interminável e impressionante. Diversas pessoas têm medo de tudo, desde poeira até a morte. Mencionarei alguns com os quais já tive de lidar ao tentar ajudar as pessoas ou dos quais já ouvi falar. Medo de ficar só, de ser rejeitado, abandonado, medo de que tirem vantagem de nós, medo da intimidade, medo do parto, medo de altura, medo de água, medo de abelhas, de cães, de gatos, de outros animais ou roedores. Algumas pessoas têm medo de doenças, e elas sempre imaginam que alguma nova doença está se desenvolvendo em seu corpo. O medo do homem é enorme e também o medo de que algo nos falte. O medo do fracasso atormenta muita gente, enquanto outros têm medo do sucesso. As mulheres, em especial, geralmente têm medo que seus maridos morram e que elas sejam deixadas sem nada, uma coisa chamada "a síndrome da mulher da mala". Algumas pessoas são quase que paranóicas a respeito de sua aparência. Outras têm medo de se afogar, medo de germes, de elevadores, de multidões, de voar ou do fogo. Conheço uma mulher adulta que nunca acendeu um fósforo porque tem medo deles. Algumas pessoas não podem construir relacionamentos significativos devido ao medo da intimidade.

> **De que Temos Medo?**
>
> Uma pesquisa Gallup feita em 2005 revelou os medos mais comuns entre os adolescentes dos Estados Unidos. Eles incluem:
>
> 1. Ataques terroristas
> 2. Aranhas
> 3. Morte
> 4. Fracasso
> 5. Guerra
> 6. Altura
> 7. Crime / violência
> 8. Ficar só
> 9. O futuro
> 10. Guerra nuclear

Eu poderia continuar, mas acho que você já entendeu onde quero chegar. Você pode até ser uma pessoa que tenha algum tipo de medo que seja tão estranho que jamais contaria a ninguém. Creia-me, alguém por aí tem um medo ainda mais estranho que o seu. Mas por que algumas pessoas têm um medo ao passo que outras têm outro? Alguém que cresceu na Flórida pode ter mais medo de furacões do que alguém que cresceu no Kansas ou no Tennessee que, por sua vez, tem um medo terrível de tornados. Alguém que mora na cidade pode ter mais medo de assaltos do que alguém que vive em uma fazenda. Por que uma pessoa pode ficar aterrorizada com cães, e outra adorá-los?

Sabemos algumas das respostas, mas certamente não sabemos todas elas. Não acho que precisamos compreender o medo tanto quanto precisamos simplesmente decidir que ele não vai mais nos dominar. Algumas pessoas passam a vida inteira tentando entender seus problemas e nunca chegam a superá-los. Mas Deus pode nos ajudar a superar esses medos que tentam nos congelar se apenas O procurarmos em busca de ajuda.

Enfrente os seus medos hoje e peça a Deus que a ajude a superá-los. É apenas por Sua graça que podemos vencê-los!

Capítulo Doze
O MEDO TEM PARENTES

Uma vez permitindo que o espírito de medo domine a sua vida, você abre a porta para outros espíritos que querem aprisionar o seu coração e fazer com que você congele, incapaz de seguir em frente com confiança e segurança. A preocupação e a fobia são parentes do espírito de medo. Ou então, veja deste modo: o medo é o pai e a preocupação e a fobia são os filhos. A Bíblia nos ensina claramente que os filhos de Deus não devem se preocupar. Quando nos preocupamos, nossa mente fica girando em torno de um problema e não obtemos respostas. Quanto mais fazemos isso, na verdade atormentamos a nós mesmos com um tipo de pensamento que não produz bons frutos. A preocupação começa em nosso pensamento, mas ela afeta o nosso ânimo e até o nosso corpo físico.

Tenha em mente que a preocupação também não espera até que estejamos crescidos. Um estudo no Reino Unido demonstrou que mais da metade das meninas adolescentes se preocupa com sua aparência, que uma entre três estão estressadas por causa da escola, e que aproximadamente 40% se preocupam com sua família. Não é de admirar que 80% dos preocupados crônicos também tenham uma auto-imagem negativa – a autoconfiança deles foi engolida pelo medo e pela dúvida disfarçados de preocupação![1]

Uma pessoa pode se preocupar tanto a ponto de se sentir deprimida e triste. A preocupação exerce estresse sobre todo o seu sistema e provoca uma série de indisposições físicas, como dor de cabeça, tensão muscular, problemas estomacais e outras. A única coisa que a preocupação não faz é algo de bom. Ela nunca ajuda nem resolve nossos problemas.

Jesus disse que não devemos nos preocupar com o dia de amanhã, pois cada dia por si só já trará problemas suficientes (Mateus 6.34)! Tentar resolver hoje os problemas de amanhã só rouba a energia que Deus preparou antecipadamente para que você desfrute do dia de hoje. Não desperdice o seu tempo se preocupando! É algo vão e inútil. Não seja como o tocador de fagote que procurou o seu maestro e disse, muito nervoso, que não conseguia atingir o mi bemol agudo. O maestro apenas sorriu e disse: "Não se preocupe. Não existe mi bemol agudo na música que você vai tocar hoje". Muitas das nossas preocupações são assim como esta – infundadas e desnecessárias.

Humilhe-se debaixo da poderosa mão de Deus e lance toda a sua ansiedade sobre Ele (1 Pedro 5.6,7). Desta forma, você estará dizendo para Deus: "Sei que não posso solucionar meus problemas e confio inteiramente em Ti para cuidar de mim e para dar-me as respostas de que preciso para a minha situação".

> A oração abre a porta para que Deus
> se envolva e atenda às nossas necessidades.

Você só pode ser uma mulher confiante se remover o medo e a preocupação da sua vida, e isso começa com a oração. A oração abre a porta para que Deus se envolva e atenda às nossas necessidades. O apóstolo Paulo disse que não devemos andar inquietos com coisa alguma, mas que em todas as coisas, orando, experimentaremos a paz de Deus (Filipenses 4.6,7). Ele não disse "em algumas coisas", nem disse "em uma coisa", mas disse em todas as coisas. A oração deve substituir a nossa preocupação.

Podemos nos preocupar com uma centena de coisas diferentes. Desde o que as pessoas pensam a nosso respeito até o que acontecerá conosco quando envelhecermos. Por quanto tempo seremos capazes de continuar trabalhando? Quem cuidará de nós quando envelhecermos se não pudermos cuidar de nós mesmos? O que acontecerá se a bolsa de valores despencar? E se o preço da gasolina subir? E se eu perder meu emprego? Com freqüência, a preocupação não tem nem mesmo base ou um mínimo de verdade. Não existe sabidamente nenhuma razão nem mesmo para pensarmos nas coisas que nos preocupam e assustam. A ansiedade pode até se tornar um mau hábito. E é isso que fazemos! Algumas pessoas se preocupam com alguma coisa o tempo todo. Se elas não têm seus próprios problemas, preocupam-se com os problemas de outras pessoas.

A única resposta é "parar de se preocupar e colocar a sua confiança em Deus". Ele já planejou todo o futuro e sabe a resposta para tudo. A Sua Palavra nos promete que Ele cuidará de nós se confiarmos nEle.

Alguém disse certa vez: "A preocupação são os juros pagos sobre o problema antes do vencimento". A preocupação acredita que haverá problemas antes que eles ocorram. Ela drena constantemente a energia que Deus nos dá para enfrentarmos os desafios diários e para cumprir com as nossas muitas responsabilidades. Portanto, é um desperdício pecaminoso. A preocupação é o fim da fé e a fé é o fim da preocupação.

Não se preocupe em ter um dia péssimo porque, se isso acontecer, você com certeza o saberá, e terá meios para lidar com isso. Você sabe que está tendo um péssimo dia quando...

O seu bolo de aniversário afunda com o peso das velas.
A sua irmã gêmea esquece o seu aniversário.
Você liga para o CVV (órgão que faz prevenção ao suicídio) e eles deixam você na espera.

A buzina do seu carro é acionada por acidente e fica travada quando você está atrás de um grupo de motoqueiros na estrada.

Seu chefe lhe diz que você não precisa se dar ao trabalho de tirar o casaco.

O pássaro que está cantando do lado de fora da janela é uma ave de rapina.

Você acorda e seu aparelho ortodôntico de cima está enganchado no de baixo.

Você coloca as duas lentes de contato no mesmo olho.

Seu marido diz "Bom dia, Judy", e o seu nome é Sally.

Quando Jesus nos instruiu a não nos preocuparmos com o dia de amanhã, Ele estava dizendo que devemos levar a vida um dia de cada vez. Ele nos dá a força que precisamos à medida que dela precisamos. Quando usamos a força que Ele nos dá e a aplicamos em preocupação em vez de ação, roubamos de nós mesmos as bênçãos que Deus pretendia que recebêssemos hoje – não amanhã ou depois, mas hoje. Perdemos coisas boas porque nos inquietamos com coisas más que podem nem vir a acontecer!

Durante vários anos, uma mulher tinha dificuldade em dormir à noite porque tinha medo de ladrões. Certa noite, seu marido ouviu um barulho na casa e desceu para investigar. Quando chegou lá, encontrou realmente um ladrão. "Boa noite", disse o dono da casa. "Prazer em vê-lo. Suba e venha conhecer minha esposa. Ela está esperando para conhecê-lo há dez anos".

A vida tem seus tropeços e buracos pelo meio do caminho. Haverá muitas coisas com as quais você terá de lidar simplesmente por estar viva e no planeta Terra. Por que alguém iria querer se preocupar com os problemas de amanhã? Aquilo com que nos preocupamos geralmente nunca acontece de modo algum e, se tiver de acontecer, a ansiedade não o impedirá. A preocupação não faz com que você fuja do problema, ela apenas faz com que você seja incapaz de lidar com ele quando chegar.

Deus é o nosso socorro nas tribulações (Salmo 46.1). Com a preocupação, você está sozinha. Quando você se preocupa, com o quê você se preocupa – com o que poderia acontecer ou com o que poderia não acontecer? Para os ansiosos, os escoceses têm um provérbio que diz: "O que pode ser pode não ser".

Uma mulher confiante não se preocupa porque ela vê o futuro de modo diferente das mulheres preocupadas. Ela acredita com absoluta segurança que com a ajuda de Deus pode fazer o que quer que seja, independentemente do que seja. Sua atitude positiva a capacita a esperar coisas boas do futuro, e não coisas más. A confiança é o fruto de termos fé em Deus. Quando confiamos nEle podemos não ter todas as respostas, mas cremos que Ele as tem.

Não se Preocupe com os Erros Passados

É inútil preocupar-se com qualquer coisa e é duplamente inútil preocupar-se com algo que está mais do que encerrado e a respeito do qual nada pode ser feito. Se você cometeu um erro no passado que pode ser consertado, vá em frente e tome a atitude necessária para corrigi-lo. Mas se você não pode fazer nada a respeito a não ser lamentar-se, então peça perdão a Deus e a qualquer pessoa a quem você possa ter ferido e não se preocupe mais com isso.

Deixe-me lembrar-lhe que a ansiedade é inútil... então, por que se preocupar? Deus nos deu sabedoria, e uma pessoa sábia não desperdiçará seu tempo fazendo algo que não produz nada de valor.

Existem muitas passagens maravilhosas na Bíblia que nos ensinam a enterrar o passado e olhar para o futuro. Elas nos lembram que devemos esquecer o que ficou para trás e manter nossos olhos voltados para a frente, focados em Deus e no Seu plano para nós (Filipenses 3.13). Podemos encontrar paz no conhecimento de que a compaixão e a bondade de Deus são novas a cada manhã e de que a Sua fidelidade é abundante (Lamentações 3.22,23). Não devemos nunca nos esquecer, também, que Ele é capaz de vencer e de fazer muito mais por nós do que podemos imaginar (Efésios 3.17,21). Deus providenciou um meio para que o seu passado não tenha nenhum poder sobre você, mas cabe a você receber o Seu dom gracioso do perdão, da misericórdia e de um novo começo.

Não permita que os erros do seu passado infeccionem e ameacem o seu futuro. Quando você pede a Deus que a perdoe por algo que você fez de errado, Ele é fiel e justo para fazer isso. Ele nos limpa continuamente de toda injustiça (1 João 1.9). Está perdoado e esquecido – mas você precisa fazer o mesmo!

Supere a Culpa!

Milhões de pessoas destroem suas vidas sentindo-se culpadas por alguma coisa que ficou no passado e a respeito da qual não podem fazer nada. Quando Deus perdoa o nosso pecado, Ele remove a culpa. Mas assim como precisamos receber o Seu perdão, também precisamos receber a libertação de todo peso e não permitir que o sentimento de culpa nos domine. Se Deus diz que estamos perdoados e que fomos declarados não culpados, então devemos acreditar na Sua Palavra mais do que no modo como nos sentimos.

Freqüentemente ouvimos as pessoas dizerem: "Vou sentir culpa por isso o resto de minha vida". Ou então isso: "Nunca superarei o que fiz". A Palavra de Deus diz que quando Ele nos perdoa, Ele esquece a ofensa, e não há mais penalidade pelo pecado onde há completa remissão do mesmo (Hebreus 10.17,18). Por que decidir se sentir culpada pelo resto da vida quando Deus providenciou um meio para que você viva livre da culpa?

Lembro-me de uma história do início dos anos 1900, sobre um garotinho que matou um dos gansos da família ao atirar nele uma pedra que o atingiu direto na cabeça. Imaginando que seus pais não perceberiam que uma das vinte e quatro aves estava faltando, ele enterrou a ave morta. Mas, naquela noite, sua irmã o chamou à parte e lhe disse: "Eu vi o que você fez. Se você não se oferecer para lavar os pratos esta noite, contarei à mamãe". Na manhã seguinte, porém, ele surpreendeu sua irmã ao dizer-lhe que era a vez dela. Quando ela calmamente lembrou a ele o que poderia fazer, o menino respondeu: "Eu já contei à mamãe, e ela me perdoou. Agora você lava a louça. Estou livre outra vez".

A culpa é uma preocupação que tem suas raízes no medo. Temos medo de que Deus esteja zangado, ou que o que fizemos de errado seja grande demais e mau demais até mesmo para Deus perdoar. Sentimos que não merecemos o perdão, e então não o recebemos. Ficamos preocupadas com o que as pessoas pensam de nossos pecados do passado. Temos medo de que elas nunca nos perdoem ou nos vejam como pessoas boas novamente. A culpa tem tudo a ver com o passado e ela tem o poder de arruinar o seu futuro. Supere-a!

Deus não tem nada contra você se estiver sinceramente arrependida do que fez e confia no sangue de Jesus para limpá-la da sua antiga maldade. No minuto em que você se arrepende, Deus perdoa e esquece, então por que não seguir o Seu exemplo, receber o Seu perdão e esquecer também?

Uma mulher confiante não vive no passado; ela o deixa para trás e olha para o futuro. Acredito que muitas mulheres que estão lendo este livro têm uma decisão a tomar agora mesmo. Talvez você tenha falhado com alguém, ou tenha feito um aborto, ou tenha cometido adultério, ou tenha roubado algo, tenha mentido ou feito uma série de coisas terríveis. Mas a pergunta de Deus para você é: O que está fazendo hoje? Você vai viver o resto de sua vida servindo a Deus e seguindo o plano que traçou para você? Se estiver pronta a fazer este compromisso, não haverá nada no seu passado que tenha poder suficiente para detê-la.

A Fobia Está Minando a Sua Alegria?

As pessoas têm muitas fobias de muitas coisas e a maioria delas nem percebe o que a fobia lhes faz. Ela elimina a alegria do momento presente. A vida que Deus programou para nós através de Jesus Cristo é um dom precioso e devemos apreciar cada momento dela.

Certa vez, eu estava fazendo um tratamento facial e estava gostando ao extremo. Olhei para a porta, vi minhas roupas penduradas no gancho e pensei: "Oh, que horror ter que me levantar, me vestir e dirigir todo o caminho até em casa". Então percebi que estava deixando que a fobia fizesse o seu jogo sujo outra vez. Ela estava roubando a alegria do momento presente.

Ore e peça a Deus para lhe mostrar toda vez que você começar a se apavorar com relação a qualquer tarefa ou algo que esteja lhe esperando no futuro a respeito do qual você não esteja bem segura. Simplesmente eliminando a fobia de sua vida você liberará mais da confiança que lhe foi dada por Deus e a ajudará a experimentar mais alegria.

Com que freqüência você se vê adiando coisas pelas quais sente aversão? Talvez seja aquela pilha de roupa suja, ou aquelas contas que precisam ser pagas, ou pior, talvez seja o seu imposto de renda anual! Treine a si mesma para não temer as tarefas desagradáveis, mas para realmente cuidar delas primeiro. Quanto mais cedo você fizer as coisas que não são as suas preferidas, mais energia terá para dar cabo delas. Se você esperar até o fim do dia quando a maior parte de sua energia já se esgotou, e então tentar fazer algo que realmente não gosta de fazer, será pior do que tê-lo feito antes. A fobia nos faz adiar, mas se você tem de fazer alguma coisa, agora é a melhor hora!

Adiar alguma coisa não faz com que ela desapareça, apenas permite que ela a atormente por mais tempo. Você pode temer ou pode tomar uma atitude de fé. Como cristãos que têm o poder do Espírito Santo dentro de si, certamente podemos conseguir realizar uma tarefa detestável sem nos apavorar e com uma boa atitude. O poder de Deus não está disponível apenas para eliminarmos as coisas desagradáveis de nossas vidas, ele está freqüentemente disponível para fazer-nos atravessá-las corajosamente.

Não Esquente a Cabeça por Pouca Coisa

É altamente provável que você sinta aversão mais por coisas pequenas do que por coisas grandes. Em primeiro lugar, temos muitas coisas pequenas com as quais lidamos o tempo todo, mas as coisas maiores aparecem menos e mais espaçadamente entre elas. Quando comecei a examinar o raio de ação da fobia em minha própria vida, percebi que ele operava em pequenas áreas diárias como ir à mercearia, lavar roupa, fazer um serviço particular ou procurar vaga no estacionamento de um shopping superlotado. Eu tinha horror de esperar porque meu histórico era não ter sido uma pessoa muito paciente. Esperar em filas, no trânsito, ou esperar que pessoas lentas terminassem um trabalho eram coisas que eu tinha fobia de fazer, e eu permitia que essas coisas me frustrassem.

Como muitas outras mulheres, tenho muito a fazer e não gosto de perder meu tempo esperando por pessoas e coisas. Mas, graças a Deus, aprendi que não ajuda em nada ter fobia de alguma coisa que tenho de fazer de qualquer jeito. Isso rouba a minha alegria atual. Já perdi muito dessa alegria em minha vida e não estou mais disposta a abrir mão dela nem um pouquinho. Você se sente assim? Você também perdeu muito da sua vida com medo, preocupação ou fobia, simplesmente porque não tinha conhecimento suficiente para saber como lidar com essas coisas? Se isso é verdade, acredito que esses dias estão chegando ao fim para você. Tenho fé que o conhecimento contido neste livro a capacitará a desfrutar de uma nova qualidade de vida, diferente da que você viveu até agora.

Em uma conferência numa igreja em Omaha, as pessoas da platéia receberam balões cheios de hélio e foram instruídas a soltá-los em um determinado momento do culto quando sentissem vontade de expressar a alegria em seus corações. Durante todo o culto, via-se balões subindo, mas quando ele terminou, um terço dos balões ainda não tinham sido soltos. Deixe o seu balão subir.[2] Deixe que vejam a sua alegria, mesmo nas pequenas coisas.

Para mim, virou um passatempo tentar vencer o sugador de alegria – a fobia – em seu próprio terreno. Quero provar ao diabo que posso ter prazer em todas as coisas que faço e que a tática dele para roubar minha alegria não irá mais funcionar. Maior é Aquele que está em mim do que aquele que está no mundo (1 João 4.4). Acredito que quando nos recusamos a viver com medo, preocupação, fobia, ou qualquer outro de seus parentes, glorificamos a Deus.

Quando me encontro em uma situação na qual preferiria não estar, seja esperando ou fazendo alguma tarefa pavorosa, tomo a decisão de fazer isso alegremente e sem irritação, e então exercito o domínio próprio. Utilizo os músculos da fé que Deus me deu, assim como deu a todas as pessoas no planeta. Se permitirmos o medo em nossas vidas, ele gerará mais medo, mas se praticarmos o andar por fé torna-se mais fácil fazer isso várias vezes seguidas.

Ungida para Fazer Coisas Naturais com Poder Sobrenatural

Quando penso na palavra ungida, penso em alguma coisa sendo esfregada em todo o meu ser. Somos ungidas (untadas completamente) com o poder de Deus. Ele nos ungiu com a presença e com o poder do Espírito Santo para nos ajudar a viver de forma sobrenatural.

Mesmo sendo pessoas espirituais, temos de lidar com coisas corriqueiras e naturais o tempo todo. Não permita que as coisas que derrotam as outras pessoas derrotem você. Não desanime quando você estiver diante de um trabalho que precisa ser feito; não desista antes mesmo de começar. Lembre-se que toda desorganização é gerada um pouco de cada vez durante um longo período e que leva tempo ajeitar tudo. Pense na bagunça que está seu armário, garagem ou porão – eles não ficaram assim da noite para o dia e provavelmente não serão limpos sem algum tempo e esforço. Existe uma área fora de ordem em sua casa que a irrita toda vez que você a vê, mas você fica adiando a arrumação porque não gosta de fazê-la? Se isso é verdade, é tempo de mudar. Quero que você ataque essa desordem com coragem e tenha a confiança de que pode colocar sua vida e sua casa nos eixos. Você é capaz de limpar armários, porões, garagens e qualquer outra coisa em sua vida que esteja precisando de uma boa faxina e pode fazer isso com alegria!

> Fobia é esperar que algo desagradável aconteça e isso não tem nada a ver com fé. A fé espera ansiosamente algo de bom.

O pensamento de cortar a grama a desanima? Você pensa: "Ah, meu Deus, gostaria de não ter de cortar a grama hoje, isso realmente me deixa em pânico. Gostaria de poder ir às compras ou de fazer alguma coisa divertida". Se pensa assim, você não é anormal. Todos nós somos tentados a pensar assim, mas as boas novas são que Deus lhe deu o espírito de autocontrole e você pode escolher o que vai pensar a respeito de qualquer situação. Você também pode decidir fazer o que sabe que é certo independentemente de como se sinta no momento.

Dale Carnegie disse: "Você pode vencer quase todos os medos se apenas tomar a decisão de fazê-lo. Pois, lembre-se, o medo não existe em nenhum lugar a não ser na mente".[3]

Porque Deus não nos tem dado espírito de covardia [de timidez, de um medo covarde e afetado que se encolhe], mas [Ele nos deu um espírito] de poder, de amor e de moderação [e de uma mente equilibrada, de disciplina e domínio próprio]. (2 Timóteo 1.7, AMP)

Podemos vencer a preocupação e o medo, e também podemos vencer a fobia. Deus nos deu um espírito de domínio próprio; tudo o que precisamos fazer é exercitá-lo, e seremos livres do medo e da fobia.

Fobia é esperar que algo desagradável aconteça e isso não tem nada a ver com fé. A fé espera ansiosamente algo de bom. Creio que a fobia é muito enganosa. Ela é tão sutil que geralmente é imperceptível. Até mesmo ao escrever este capítulo, precisei interromper minhas anotações para guardar minhas coisas e deixar o condomínio de uma amiga onde estava hospedada, já que teria de voltar para minha casa em St. Louis, Missouri. Separei meu computador e meu material de consulta e comecei a fazer as malas. Apenas alguns segundos se passaram até que eu percebesse que estava com fobia de ter de empacotar todas as minhas coisas. Aqui estava eu escrevendo o capítulo de um livro, encorajando os outros a não terem fobia, e a fobia estava tentando me engolir. Felizmente pude reconhecê-la e dizer "Essa não! Vou fazer as malas com prazer; não vou entrar em pânico por causa disso!"

Creio que esta é uma área muito importante com a qual as pessoas realmente precisam tomar cuidado. No instante em que você começa a ter fobia de alguma coisa, a sua alegria começa a desaparecer e um sentimento de depressão se instala. Tudo o que diz respeito ao diabo é depressivo. É tudo maldição e obscuridade, deprimente e desanimador, negativo e asqueroso. Não tenha fobia de fazer nada; em vez disso, encare tudo com coragem e acredite que você pode fazer qualquer coisa que precisar. E faça-o de bom ânimo.

Sabemos que a falta de confiança, a preocupação, a fobia e outras emoções que nos atormentam têm suas raízes no medo. O medo é a fonte desses problemas, mas existe alguma coisa que possamos fazer para evitar o medo?

Aprenda a Confiar

Os bebês não se preocupam e não têm fobia de nada, então por que isso acontece com os adultos? Quando éramos bebês, não éramos responsáveis por nada; cuidavam de tudo para nós. Quando amadurecemos e começamos a assumir responsabilidades, ou aprendemos a ser confiantes e colocamos a nossa fé em Deus, ou vivemos com medo, preocupação e fobia. Podemos buscar a Deus e confiar na Sua fidelidade e estarmos seguros de que Ele não nos desapontará ou decepcionará. Se não buscarmos a Deus e colocarmos a nossa confiança nEle, então levaremos um fardo que nunca deveríamos carregar sozinhos.

Agora, de repente, NÓS temos de garantir que tudo dê certo. NÓS temos de entender as coisas e aparecer com as respostas. A preocupação é simplesmente o medo de que as coisas não saiam do jeito que desejamos. Mas quem confia em Deus está seguro de que ainda que as coisas não saiam do jeito que deseja, Ele terá um plano melhor do que o seu. A confiança acredita que todas as coisas cooperam para o bem daqueles que amam a Deus e que são chamados segundo o Seu propósito (Romanos 8.28). A confiança em Deus é absolutamente maravilhosa porque ela lhe dá a certeza de que Deus tem respostas mesmo quando você não as tem.

A confiança nos dá ousadia e a ousadia não permite que o medo impeça o seu progresso. Ousadia é a ação diante do medo. Os bebês confiam naturalmente, mas à medida que vão tendo experiências na vida, infelizmente aprendem a ter medo. Eles aprendem que nem tudo e todos em sua vida são estáveis, e que nem sempre podem depender deles. As pessoas e as circunstâncias mudam. Uma criança pode confiar que seu pai e sua mãe sempre se amarão e estarão juntos. Mas se eles se divorciam, o mundo dessa criança começa a desmoronar porque algo que ela jamais imaginou que pudesse acontecer, aconteceu.

Quando a criança começa a amadurecer e a encontrar diversas circunstâncias decepcionantes, ou ela aprende a confiar cada vez menos ou aprende a confiar em Deus, que nunca muda e é sempre fiel. Isso não significa que Deus sempre faz o que esperamos que Ele faça, ou mesmo o que queremos que Ele faça, mas Ele é bom. Confiar nEle traz um descanso sobrenatural à nossas almas, que nos permite desfrutar da vida e viver livre da tirania do medo.

Busque o Conhecimento

Nossa cadelinha não tem responsabilidades. Ela fica deitada por aí ou dorme, brinca, come, bebe e vai ao banheiro. Quando algo de inusitado acontece, ela se assusta e começa a ficar nervosa e a tremer. Quando entende o que está havendo, começa a se acalmar.

Uma noite, eu estava deitada na cama, quando ouvi um barulho na parte de cima da casa. Quanto mais o ouvia, mais assustada ficava. Finalmente, subi as escadas, tremendo de medo, para ver o que era. Tive de rir quando descobri que eram cubos de gelo caindo na bandeja da máquina de fazer gelo. Acontece que eles estavam caindo de um modo que faziam um barulho que normalmente não fazem.

A falta de conhecimento gera medo, e o conhecimento destrói o medo.

Deixe-me contar-lhe uma história real, porém trágica. Uma mulher estava caminhando certa vez ao longo da margem de um rio com seu filho. De repente, a criança escorregou e caiu no rio. A mão gritou aterrorizada! Ela não sabia nadar e, além disso, estava nos últimos meses de gravidez. Finalmente, alguém a ouviu gritar e correu até a margem do rio. A tragédia ficou completa quando a pessoa entrou nas águas turvas para retirar a criança, agora morta, e descobriu que a profundidade não passava da altura da cintura! Aquela mãe poderia ter facilmente salvo seu filho, mas não o fez por falta de conhecimento.[4]

A mãe deve ter se sentido terrivelmente mal por não ter verificado qual a profundidade da água. Mas o medo nos faz agir de forma irracional. Entre o medo de que a criança se afogasse e o medo da água, ela ficou paralisada e não fez nada. O conhecimento poderia ter transformado toda essa trágica história. O conhecimento a ajudará a ter confiança. Se você vai fazer uma entrevista para um emprego, certifique-se de estar preparada e de ter todo o conhecimento necessário para responder às perguntas que eles possam lhe fazer. Vivemos em um mundo hoje onde o conhecimento está tão próximo quanto o seu computador. Você não apenas pode fazer pesquisas on-line sobre a companhia para a qual está se candidatando, como também pode encontrar dicas sobre como se sair bem em uma entrevista.

Em vez de ter medo de algo que não lhe é familiar, comece a familiarizar-se com aquilo. Faça pesquisas e perguntas. Talvez seja necessário um pouco de esforço, mas é melhor do que ser atormentada pelo medo.

Aprenda a Pensar de Modo Diferente

Você pode passar da dor ao poder apenas reeducando sua mente. A Bíblia se refere a este processo como a renovação da mente. Traduzindo em miúdos, devemos aprender a pensar de outro modo. Se você aprendeu a ter medo, pode aprender a ser ousada, corajosa e confiante. Em vez de permitir que o medo impeça o seu sucesso e a sua alegria, você pode aceitar que ele é um fato da vida. Durante toda a sua vida, você poderá fugir das coisas, com medo, ou encará-las com confiança. O medo possui uma enorme sombra, mas na verdade, ele é muito pequeno. Quando temos medo de sofrer, já sofremos as coisas que tememos. O medo traz tormento!

Em vez de pensar que você não pode fazer as coisas se tiver medo, decida-se a fazer o que for preciso ainda que se sinta amedrontada. Nós permitimos que o medo se torne um monstro em nosso pensamento, mas ele é um monstro que recuará rapidamente quando for confrontado. O medo é como o valentão do colégio. Ele anda por aí ameaçando todo mundo até que finalmente alguém o desafie.

A renovação da mente é a coisa mais importante que uma pessoa precisa fazer depois de receber a Jesus Cristo como seu Salvador. Jesus morreu por nossos pecados e Ele quer que desfrutemos da vida que Ele nos deu. A Palavra de Deus nos ensina que Ele preparou um bom plano para cada pessoa, no entanto, elas nunca o provarão a não ser que o conheçam e também saibam como alcançá-lo (Romanos 12.2). As pessoas perecem e suas vidas são destruídas por falta de conhecimento (Oséias 4.6). Conhecimento e compreensão representam poder quando aplicados corretamente.

Trisha era assombrada por um medo infundado de que seu marido Bob se envolvesse com outra mulher e a abandonasse. Seu medo tornou-a uma pessoa desconfiada, e ela acusava seu marido freqüentemente de coisas que para ele não faziam sentido algum. Por exemplo, se Bob precisasse fazer hora extra, ela ligava para o escritório para ter certeza de que ele estava lá, pois suspeitava que estivesse saindo com outra mulher. Se por algum motivo ele não atendesse ao telefone, ela entrava em pânico. E chegava ao ponto de entrar no carro e passar pelo local de trabalho dele só para ter certeza de que o marido estava lá.

Uma noite, ela ligou para ver se ele estava, e quando ninguém atendeu, correu até o escritório. Ele estava no banheiro quando ela ligou, e saiu imediatamente depois para voltar para casa. No momento em que Trisha chegou ao local de trabalho do marido, o carro dele não estava mais, e aquela pequena voz dentro dela começou a atormentá-la com acusações contra Bob. Ela ficou surpresa ao ver o carro dele na garagem, mas era tarde demais para recuperar o controle sobre suas emoções pois já estava cheia de ira e suspeita. Ao aproximar-se de Bob, ela disse tantas coisas que não faziam sentido que ele começou a duvidar de sua sanidade mental. Esta cena e outras semelhantes foram lenta, mas seguramente, minando o respeito de Bob por Trisha.

Certa vez, ele comprou para ela uma pulseira especial, desejando surpreendê-la. Eles estavam planejando sair para jantar naquele fim de semana e Bob havia escondido a pulseira. No meio da semana, enquanto arrumava uma gaveta que costumava usar, ela encontrou a pulseira e, mais uma vez, por causa do seu medo, pensou imediatamente que aquele fosse um presente que ele havia comprado para outra mulher. Não é natural do medo olhar as possibilidades positivas, mas, ao contrário disso, ele sempre supõe o pior.

Mesmo quando Bob lhe disse que havia comprado a pulseira para ela, de início ela não acreditou. O comportamento de Trisha começou a afetar seriamente o relacionamento dos dois, e seu marido lhe disse que ela tinha de dar um fim naqueles temores ridículos. Ele nunca havia lhe dado sequer um motivo para desconfianças e não conseguia entender qual era o problema dela. Para ser sincera, ela também não entendia, até que começou a orar a respeito. Deus lhe revelou que o seu medo era fruto de uma mudança repentina e trágica em sua própria vida, pois, quando criança, seu pai abandonara sua mãe por outra mulher com quem trabalhava.

Ter entendido de onde vinha o medo realmente ajudou Trisha a resistir-lhe. Ela começou a ler e a se instruir a respeito da natureza do medo. Por algum tempo, continuou a ter os mesmos pensamentos e sentimentos, mas agora ela era capaz de convencer-se a si mesma porque tinha conhecimento. Com o passar do tempo, o medo também se foi e o relacionamento de Bob e Trisha foi curado.

Muitos medos são o resultado de alguma coisa que aconteceu no passado e que tememos que aconteça de novo. Se a mãe de uma pessoa morreu de câncer ela pode ficar aprisionada pelo medo de morrer da mesma forma. Ela pode se tornar paranóica e apavorar-se com a possibilidade de que qualquer pequena dor, indisposição ou sensação estranha no seu corpo seja câncer. O medo de sofrer causa sofrimento já no momento em que você tem medo. O receio de que um determinado acontecimento vá ocorrer geralmente é pior do que se acontecesse mesmo. Não tenha medo de a sua vida terminar; em vez disso, acredite que ela está apenas começando.

> Quando nos lançamos ao dilema e confiamos na mão de Deus, retomamos o controle.

Em vez de combater um medo ou de simplesmente suportá-lo, comece a orar a respeito de como ele teve acesso à sua vida, principalmente se o medo for repetitivo. Eu sempre tinha medo quando Dave tentava corrigir nossos filhos, e isto porque fui corrigida de forma abusiva em casa quando era criança. Eu não entendia o motivo do meu medo até que Deus o revelou a mim em oração. É possível até que você precise de algum tipo de aconselhamento para chegar à raiz dos seus medos, mas, o que quer que você faça, não os aceite simplesmente. Deus tem uma vida maravilhosa esperando por você e você deve buscá-la com confiança.

John Ortberg conta a história de um esquiador que, depois de fazer os seus pontos na pista ao descer um declive pronunciado, perdeu rapidamente o controle e instintivamente fez peso para trás tentando reverter o desastre que estava próximo de acontecer. "Todos nós fazemos isto", diz Ortberg. "Mas na vida, assim como no esqui, a resposta não é reagir com medo e inclinar-se para trás tentando fugir da situação, mas sim inclinar-se em direção a ela. Quando nos lançamos ao dilema e confiamos na mão de Deus, retomamos o controle. O medo é uma cilada!". [5]

Lembre-se de não dar as costas para os seus medos; mova-se em direção a eles e você os vencerá.

Treinamento Inadequado

Pais, professores ou outras pessoas que servem de modelo podem ensinar às crianças a terem medo ou a serem corajosas. Uma mãe medrosa transmitirá medo a seus filhos. Ela será excessivamente cuidadosa com uma série de coisas e um medo silencioso penetrará no coração deles. Não devemos ensinar-lhes a viver de forma imprudente, mas sim a serem ousados, a tomarem atitudes e a nunca terem tanto medo de errar a ponto de não tentarem coisas novas. Creio que devemos ensinar aos nossos filhos e àqueles que estão debaixo da nossa autoridade a se arriscarem na vida. Se nunca nos arriscarmos, nunca progrediremos. O progresso requer sempre que andemos em direção ao desconhecido. A experiência nos dá confiança, mas nunca a alcançaremos a menos que saiamos e tentemos fazer coisas que nunca experimentamos antes.

Uma criança que ouve sempre "É melhor não tentar isso, você pode se machucar", muito provavelmente desenvolverá um medo profundamente enraizado de tentar coisas novas. Se uma criança escuta com freqüência demais a palavra "cuidado", ela pode aprender a tomar tanto cuidado que acabará vivendo uma vida limitada na qual não existe espaço para a aventura. Eu a encorajo a ensinar aos outros pela palavra e pelo exemplo a serem ousadas e corajosas. Diga às pessoas para experimentarem coisas, lembrando-lhes que cometer um erro não é a pior coisa que pode acontecer.

O Que o Futuro Nos Reserva?

Nenhuma de nós sabe com certeza o que o futuro nos reserva. Essa falta de conhecimento geralmente abre a porta para o medo. E se eu ficar incapacitada? E se meu cônjuge morrer? E seu meu filho morrer? E se tivermos outra guerra mundial? E quanto ao terrorismo? Em que espécie de mundo viverei daqui a vinte e cinco anos?

Perguntar a si mesma sobre coisas para as quais não temos resposta abre a porta para o medo. Em vez de se perguntar essas coisas, confie em Deus, sabendo que, seja o que for que o futuro lhe reserve, Ele a capacitará a lidar com o que vier quando chegar a hora. Para onde quer que esteja indo, Deus já esteve lá e preparou o caminho para você.

Vejo algumas coisas que as pessoas atravessam e penso comigo mesma: "Sinto que jamais poderia passar por isso com a graça e a coragem que essas pessoas demonstram". Então, lembro-me de que quando temos de passar por alguma coisa, Deus nos concede a força para isso. Quando simplesmente tememos passar por alguma coisa, fazemos isso sem nenhuma ajuda de Deus. Quando olho para trás e me lembro de algumas coisas que Deus me ajudou a atravessar, penso: "Como consegui fazer isso?" Foi por causa da graça e do poder de Deus. Ele me capacitou a fazer o que eu precisava fazer naquele tempo e sempre fará o mesmo por você se você pedir. Podemos não conhecer o futuro, mas se conhecemos Aquele que tem o futuro em Suas mãos, podemos aguardar por ele com esperança e sem medo. Se Deus levar você até ele, Ele a fará sobreviver.

Capítulo Treze

A RELAÇÃO ENTRE O ESTRESSE E O MEDO

O estresse é um dos maiores problemas que enfrentamos atualmente em nossa sociedade. Tudo hoje acontece tão rápido, é tão barulhento e excessivo que nosso sistema mental, emocional e físico fica sobrecarregado. Somos inundadas com informações. Temos jornais, revistas e redes de 24 horas de notícias que não apenas chegam a nós pela televisão como também por nossos telefones celulares e outros aparelhos móveis. Um mecanismo de pesquisa via web registrou certa vez 3.307.998.701 páginas na rede.[1] Já é difícil imaginar este número, quanto mais o conteúdo inserido nele. Recebemos uma sobrecarga de informações e não é de admirar que tenhamos dificuldades em acalmar a nossa mente para podermos descansar. Além do que o mundo despeja sobre nós, temos horários insanos. Nenhum dia tem o número de horas suficiente para realizarmos tudo o que tentamos fazer. Corremos e nos apressamos, nos sentimos frustradas e cansadas e somos as primeiras a dizer: "Estou tão estressada que estou a ponto de explodir".

Seria o medo a raiz de muito do nosso estresse? Acredito que sim. Acredito que geralmente nos envolvemos nas coisas apenas por medo de ficarmos de fora. Temos medo de não saber o que está se passando, ou que outra pessoa assuma o controle de uma situação se não estivermos lá para falarmos por nós mesmas. Temos medo de que possam nos criticar ou que nos diminuam pensando menos a nosso respeito se dissermos que não queremos nos envolver.

Queremos que nossos filhos sejam como todas as outras crianças, então permitimos que eles se envolvam em coisas demais, e a maioria delas exige o nosso envolvimento também. Temos medo de que eles sejam rejeitados, principalmente se tivermos passado por muita rejeição na infância também.

Quando eu era criança e adolescente, nunca senti que me encaixava em nada. Por causa do abuso que sofri em casa e de todos os segredos que precisava guardar, eu não conseguia desenvolver relacionamentos saudáveis. Tinha de recusar diversos convites simplesmente porque meu pai era rígido ao extremo, e o resultado foi que as pessoas pararam de me convidar. Sempre me sentia deixada de lado e um pouco esquisita.

Eu tinha medo de que meus filhos passassem pela mesma dor que eu, então achava que deveria encontrar um meio de fazer tudo o que queriam para que não se sentissem deixados de lado como eu me senti. As pessoas se colocam debaixo de estresse financeiro tentando ter tudo o que todo mundo tem. Você é uma das mães que comprou para seu filho um par de tênis de quase R$ 300,00 que não podia pagar, só porque "todo mundo tem um"?

Você tem tanto medo de desagradar às pessoas que diz "sim" para muitas coisas que sabe que deveria dizer "não"? Se é assim, seu estresse não é resultado de todas as coisas que você tem pra fazer; ele ocorre porque você tem medo da reprovação.

Temos medo de ser diferentes, então tentamos desesperadamente nos equiparar a todas as pessoas que nos cercam, e isso nos esgota. A verdade é que queremos apenas ir para casa e nos sentarmos em uma cadeira, mas não queremos que as pessoas pensem que somos um fracasso, então continuamos a nos forçar a fazer coisas que não estamos a fim de fazer.

Tire um minuto para parar e examinar de perto as razões pelas quais você está fazendo as coisas que faz atualmente. Se qualquer uma delas for motivada pelo medo, elimine-a. Você ficará espantada com o tempo que poderá ter disponível se tiver uma agenda dirigida pelo Espírito, em lugar de uma dirigida pelos outros.

Pessoas Confiantes Fazem Mais com Menos Estresse

Você poderia perguntar: "Então uma pessoa realmente confiante não se envolve em uma porção de coisas?". Sim, é provável que sim, mas não por medo. Sejam quais forem as coisas com as quais ela se envolva, sente-se confiante de que deve envolver-se com elas.

Quando fazemos as coisas com vontade e segurança, elas nos afetam de um modo inteiramente diferente do que quando o fazemos pelos motivos errados ou por medo. Deus não vai energizar os nossos medos, mas Ele nos encherá de energia se tivermos fé de que estamos fazendo a coisa certa e iniciarmos um projeto confiando nEle.

O medo esgota toda a energia que porventura você tenha e a deixa sentindo-se estressada ao máximo. Ao passo que a confiança e a fé realmente a enchem de energia. Uma pessoa confiante pode fazer mais com menos estresse porque ela vive com uma tranquilidade que as pessoas medrosas nunca experimentam.

Não acredito que o que fazemos gere tanto estresse quanto a forma como o fazemos. Se fazemos alguma coisa com medo e sob pressão, sem um desejo real de fazê-lo, então o resultado é estresse e ausência de alegria. Você fica infeliz. Se você tem estado sob muito estresse ultimamente, encorajo-a a fazer um inventário honesto não apenas de suas atividades, mas também do motivo pelo qual se envolveu com elas. Se o medo for o motivo, elimine algum estresse redefinindo suas prioridades. A sua prioridade não é agradar a todos ao seu redor – fazendo todas as coisas que esperam de você –, é viver uma vida que seja agradável a Deus e na qual você possa ter prazer.

Muitas pessoas não estão vivendo seus sonhos porque estão vivendo seus medos. Em outras palavras, em vez de fazer coisas que estão no seu coração, elas as fazem porque têm medo do que acontecerá caso não as façam. "Alguém pode ficar zangado!" "Serei deixada de lado!" "As pessoas vão falar de mim!" É tempo de você começar a ser a pessoa que realmente quer ser. É tempo de ir em busca dos seus sonhos. O que Deus colocou em seu coração? Existe alguma coisa que você queira fazer e pela qual tem esperado? Acredito que o tempo de Deus é algo muito importante e certamente não acho que devamos agir tolamente, mas algumas pessoas nunca fazem nada senão "esperar" a vida inteira. Elas esperam que alguma coisa aconteça quando deveriam estar fazendo alguma coisa acontecer.

Quando as pessoas estão frustradas e não se sentem realizadas, isso gera estresse.

> Muitas pessoas não estão vivendo seus sonhos porque estão vivendo seus medos.

Não há nada mais estressante do que fingir diariamente e ainda sentir, no fim do dia, da semana, do mês ou do ano, que você não está mais próxima de alcançar seu sonho ou objetivo. Deus nos criou para darmos bons frutos. Ele disse: "Sejam frutíferos e multipliquem-se". Se não estamos fazendo isso, nos sentimos frustradas.

"Apenas para não correr o risco"

Algumas pessoas nunca realizam seus sonhos porque estão sempre evitando se arriscar. Embora a segurança seja necessária, segurança demais é apenas uma manifestação do medo.

Certo dia, um fazendeiro estava sentado em frente ao seu portão, quando um amigo passou para visitá-lo.

"Como vai o seu trigo este ano?", perguntou o visitante.

"Não tenho nenhum", respondeu o fazendeiro. "Não plantei nenhum trigo. Tenho medo que o gorgulho coma tudo e eu fique arruinado".

"Ah, bem, e como vai o seu milho?"

"Não tenho nenhum", respondeu o fazendeiro. "Não plantei nenhum milho. Tenho medo que os corvos comam tudo e eu fique arruinado".

"Ah, bem, e como vão as suas batatas?"

"Não tenho nenhuma", respondeu o fazendeiro. "Não plantei nenhuma batata. Tenho medo que os bichos da batata as estraguem e eu fique arruinado".

"Bem, o que você plantou este ano?", perguntou o confuso visitante.

"Nada", respondeu o fazendeiro. "Só pra não correr o risco."

Pense em todos os produtos e serviços que nos faltariam se seus criadores decidissem nunca correr riscos em vez de perseguirem seus sonhos. O que aconteceria se Henry Ford se contentasse simplesmente em dirigir uma serraria em vez de ir em frente para conseguir ser um engenheiro e finalmente um dos criadores dos primeiros automóveis da nação americana?[2] E se Alexander Graham Bell tivesse dado ouvidos a seus amigos e à sua família e tivesse se concentrado no telégrafo em vez de dedicar-se à sua invenção, o telefone? E se Jonas Salk, o cientista que descobriu a vacina contra a poliomielite, tivesse seguido a sua "segura" inclinação inicial e se dedicado ao Direito e não às pesquisas médicas?[3]

Viver sempre na zona segura da vida e nunca se arriscar realmente faz de alguém um ladrão e assaltante. Você pode achar esta declaração um pouco forte, mas a verdade é sempre forte, e a verdade também nos liberta. Se passo minha vida mantendo-me em segurança, então privo os demais de meus dons e talentos simplesmente porque tenho excessivo medo de avançar e me dispor a descobrir o que posso fazer na vida. Tenho a sensação de que algumas de minhas leitoras nem mesmo começaram a viver e AGORA já é hora de parar com o joguinho da "mulher supercautelosa" e começar a ser ousada e corajosa.

A Inatividade Gera Cansaço e Estresse

Atividade demais sem nenhum descanso definitivamente é a culpada por trás de todo estresse, mas ausência de atividade também é um problema. Tenho certeza de que você já ouviu falar que exercícios físicos são ótimos para aliviar o estresse, e é realmente verdade. Prefiro estar fisicamente cansada por ter feito exercícios e me movimentado do que por não ter feito nada e ter ficado entediada.

Já percebi que se eu me sentar em uma cadeira por muito tempo, estarei extremamente cansada quando me levantar. Por quê? Deus nos deu todas as juntas que temos em nosso corpo porque Ele pretendia que nós nos movimentássemos! Movimento significa que estamos vivos!

A Bíblia adverte claramente contra o perigo da preguiça (Provérbios 12.27; 2 Tessalonicenses 3.6-10). O preguiçoso não tem nada e alcança exatamente o que merece, que é nada. Se você entrega coisas a um preguiçoso, ele não cuidará delas, e você perceberá que tudo ao redor dele está em ruínas. Seu carro (se ele tiver um) é sujo.

Sua casa (se ele tiver uma) é suja e caótica. Ele geralmente está endividado. Os preguiçosos passam a vida "desejando" que algo de bom aconteça com eles. Querem que os outros façam para eles o que deveriam estar fazendo por si mesmos. São seres humanos infelizes e suas vidas não dão bons frutos.

O trabalho é bom para todos nós. Na verdade, Deus disse que deveríamos trabalhar seis dias e descansar um. Isso demonstra o quanto o trabalho e a atividade são importantes aos olhos de Deus. Deus nos criou para trabalhar, não para nos sentarmos preguiçosamente sem fazer nada. Talvez algumas de vocês se encontrem em uma certa altura da vida em que necessitem simplesmente "se levantar e pôr mãos à obra". Há diversas histórias boas na Bíblia sobre pessoas que tinham problemas sérios e, quando pediram ajuda a Jesus, Ele disse: "LEVANTE-SE!"

Em João capítulo 5, vemos um exemplo. Um homem era aleijado e ficou à beira do poço de Betesda por trinta e oito anos esperando pelo seu milagre. Quando Jesus foi até ele e perguntou-lhe há quanto tempo estava naquela situação, o homem respondeu e depois contou a Jesus como ele não tinha ninguém que o colocasse no poço na hora certa e como os outros aleijados sempre chegavam antes dele. Jesus disse ao homem: "LEVANTA-TE, TOMA O TEU LEITO, E ANDA!" (João 5.8). O homem sentia pena de si mesmo, então só ficava ali deitado e não fazia nada. A resposta ao seu problema veio à tona quando ele fez um esforço para se mexer.

Você está cansada de estar cansada? Bem, não seja como a história do velho morador das montanhas e sua esposa, que estavam sentados diante da lareira uma noite apenas matando o tempo. Depois de um longo silêncio, a mulher disse: "Jed, acho que está chovendo. Levante-se e vá lá fora ver".

O velho homem continuou a olhar para o fogo por um segundo, suspirou, e depois disse: "Ói, Ma, por que a gente não chama o cachorro pra dentro e vê se ele está molhado?"[4]

LEVANTE-SE e comece a fazer o que for preciso para dar um jeito no que estiver fora do lugar em sua vida. Se houver desordem em seu casamento, faça a sua parte. Não se preocupe com o que o seu cônjuge não está fazendo, apenas faça a sua parte e Deus a recompensará. Se a sua vida financeira está em desordem, pare de gastar e passe a pagar suas dívidas. Consiga um emprego extra por algum tempo se for preciso. Se você não puder fazer isso, peça a Deus para lhe mostrar o que pode fazer. Lembre-se, você não pode ter uma colheita sem primeiro semear algum tipo de semente. Lembre-se do que eu já disse: "Se você fizer o que pode fazer, Deus fará aquilo que você não pode".

Muito da preguiça tem suas raízes no medo. As pessoas têm tanto medo de fazer alguma coisa que adquirem o hábito de não fazer nada. Elas se sentam preguiçosamente e ficam com ciúmes das pessoas que têm a vida que gostariam de ter. Elas ficam ressentidas porque as coisas nunca funcionam para elas. E não percebem que "as coisas não podem funcionar para elas se elas mesmas não funcionarem!"

Somente a Mudança Pode Aliviar o Estresse

Se você está estressada o tempo todo, algo precisa mudar para que o estresse seja aliviado. Ele não irá simplesmente embora enquanto você continuar fazendo a mesma coisa. Não podemos esperar que continuemos a fazer a mesma coisa seguidamente e obtenhamos um resultado diferente. Se você quer resultados diferentes, precisa mudar os ingredientes.

Assim que mencionei a palavra "mudança", algumas de vocês ficaram tensas porque têm medo de mudanças. Quase cem anos atrás, o clérigo do Presbitério de Abbington apresentou algumas porcentagens relativas aos tipos de atitudes que as pessoas têm com relação à mudança, e creio que elas ainda se aplicam hoje:

1. Inovadores Pioneiros (2.6%): são os que correm com novas idéias.
2. Adaptadores Pioneiros (13.4%): são influenciados pelos primeiros, mas não são inovadores.
3. Maioria Lenta (34%): seguidores do rebanho.
4. Maioria Relutante (34%).
5. Antagonistas (16%): jamais mudam.[5]

A relação entre o estresse e o medo

Se você é como os 84% de pessoas da parte inferior da lista, você não gosta de mudanças, e quer a segurança da mesmice. É impressionante, a meu ver, como algumas pessoas passam a vida resistindo a mudanças, enquanto outras são bem-sucedidas com elas. A mudança mantém a vida renovada e cheia de aventura.

> Dê alguns passos corajosos de fé e mude qualquer coisa que o Senhor a conduza a mudar.

Dê alguns passos corajosos de fé e mude qualquer coisa que o Senhor a conduza a mudar. Se o que você está fazendo com o seu tempo não está dando bons frutos, mude isto. Se você não está descansando o suficiente, mude isto. Se não está disciplinando seus filhos e o comportamento deles está lhe gerando muito estresse, mude isto. Se não está cuidando de si mesma, então mude isto. Se está entediada, mude isto. Se seus amigos estão usando você, então mude isto! Você está conseguindo captar a idéia? O estresse pode ser aliviado se você não tiver medo de mudar as coisas.

Você pode ter medo de mudanças, mas também é possível que, mesmo que você encontre a coragem para fazer as mudanças necessárias, as outras pessoas ao seu redor não gostem das mudanças que você fizer. Não tenha medo delas. Você se acostumará às mudanças e elas também. Se não tomar uma atitude agora, ainda estará reclamando das mesmas coisas daqui a um ano, e no ano seguinte, e daqui a dez anos, e a sua infelicidade não terá fim. A hora é AGORA! A coragem toma atitudes, mas o medo gera inatividade e procrastinação. A escolha é sua!

Capítulo Quatorze
ESCOLHENDO A OUSADIA

Talvez você tenha me acompanhado até aqui e ainda esteja pensando consigo mesma: "Joyce, sou uma pessoa tímida e envergonhada, esta é a minha natureza. Simplesmente não creio que eu possa mudar". Você pode ser tímida e envergonhada, mas pode decidir passar pela vida com ousadia. A principal coisa que quero que você se lembre é que você pode sentir medo, pode ser tímida, pode se sentir uma covarde completa, e ao mesmo tempo escolher andar com ousadia como se o medo não existisse! O seu livre arbítrio é mais forte do que os seus sentimentos, se você exercitá-lo. Você pode ser como milhares de outras pessoas que deram atenção especial aos seus sentimentos por tanto tempo que eles agora as controlam. A sua vontade, assim como um músculo, se torna fraca se não é exercitada. À medida que você começa a pedir a Deus para ajudá-la a exercitar sua força de vontade contra os seus sentimentos, será cada vez mais fácil ser a pessoa que você realmente deseja ser, a pessoa que Deus programou você para ser.

Quando penso na aparência que a ousadia tem, penso em alguém que é audaz, corajoso, bravo e destemido. Algumas pessoas acham que são ousadas, mas são simplesmente rudes, prepotentes e atrevidas. Elas fariam muito melhor se fossem sinceras e admitissem que têm medo, e continuassem indo em frente, em vez de tentarem fingir que são corajosas e viverem uma mentira.

Escolhendo a ousadia

Devo reconhecer que fui assim durante muitos anos. Eu me achava uma mulher ousada, mas a verdade é que eu era muito medrosa. Eu não enfrentava os meus temores e fingia para mim mesma e para o resto do mundo que não tinha medo de nada. Há uma diferença entre encarar o medo realmente e apenas ignorá-lo, fingir que não o sente e encobri-lo com uma ousadia falsa que é pura prepotência e atrevimento.

> Quando penso na aparência que a ousadia tem, penso em alguém que é audaz, corajoso, bravo e destemido.

Eu era rápida para dizer o que me vinha à cabeça, mas o que eu dizia geralmente eram tolices e coisas inadequadas. Eu assumia o controle das situações achando que iria me levantar com ousadia e fazer alguma coisa, já que ninguém mais parecia estar fazendo nada, só para perceber depois que eu havia assumido uma autoridade à qual não tinha direito.

Eu me movimentava em geral de forma impaciente e rápida demais, pensando, mais uma vez, que era ousada, mas cometi muitos erros e feri muitas pessoas porque não investi tempo em buscar a sabedoria. Eu era realmente muito imatura e não sabia nada sobre a verdadeira ousadia.

Se alguém me ofendesse ou me insultasse, eu era rápida para me defender e "colocá-los no seu lugar". Eu deixava claro que não seria destratada. Entretanto, quando me tornei uma estudante da Palavra de Deus, esforçando-me para endireitar uma vida extremamente caótica, fui corrigida por passagens como:

A ira do insensato num instante se conhece, mas o prudente oculta a afronta. (Provérbios 12.16).

Não vos vingueis a vós mesmos, amados, mas dai lugar à ira [de Deus]; porque está escrito: A Mim me pertence a vingança; Eu é que retribuirei [recompensarei], diz o Senhor. (Romanos 12.19, AMP).

É necessário ter coragem e ousadia verdadeiras para andar em fé e esperar que Deus vingue você quando for maltratada. O que eu pensava ser ousadia não tinha nenhuma habilidade para fazer isso. Uma pessoa sincera estaria em melhor situação dizendo a verdade – "Estou com medo, mas vou fazer com medo mesmo" –, do que fingindo não ter medo, vivendo em falsidade e enganando a si mesma. Pessoas realmente corajosas não apenas têm coragem de agir; elas também ousam esperar quando é preciso.

O Coração do Homem Traça o Seu Caminho

Eu sempre tinha um plano e sempre era rápida em executá-lo, mas entretanto muitos dos meus planos falhavam. Provérbios 16.9 nos diz que o coração do homem traça o seu caminho, mas somente o Senhor torna os seus passos precisos e certos. Provérbios diz muitas coisas sábias que faríamos bem em ouvir. Provérbios também nos diz que a soberba precede a ruína, e a altivez do espírito, a queda (Provérbios 16.18). Muitas pessoas acham que são ousadas, mas são simplesmente orgulhosas e arrogantes. Elas pensam alto demais a respeito de si mesmas, e sempre acabam olhando as outras pessoas de cima para baixo e ferindo-as.

Meus planos sempre organizavam todas as coisas a meu favor sem considerar seriamente as necessidades dos outros, mas o plano de Deus prevê as necessidades de todos. Precisamos aprender a esperar que o plano de Deus se desenvolva. Ele aperfeiçoa tudo o que nos diz respeito. A verdadeira ousadia se move no tempo de Deus; ela se move no tempo certo.

Escolhendo a ousadia

Durante os três anos do ministério de Jesus na terra, as pessoas achavam que Ele era louco. Até Seus próprios irmãos ficavam constrangidos com Ele, e em um esforço para salvar a própria reputação, disseram a Jesus que Ele precisava ir para algum outro lugar a fim de realizar Suas obras. Caso não estivesse disposto a fazer isso, tinham uma outra opção para Ele. Disseram-lhE para tomar uma atitude e parar de fazer as Suas obras secretamente. Eles tentaram convencê-lO de que era hora de mostrar-se ao mundo, assim como as Suas obras. Em outras palavras, eles queriam que Jesus impressionasse as pessoas com o que podia fazer.

Ele lhes respondeu dizendo: "O meu tempo (oportunidade) ainda não chegou..." (João 7.6).

Quantas de nós podemos demonstrar esse tipo de domínio próprio? Se você pudesse fazer os milagres que Ele fazia e estivesse sendo ridicularizada e desafiada a mostrar as suas habilidades, o que faria? Você esperaria até ter certeza absoluta de que aquele era o momento certo, ou tomaria uma atitude que não estivesse sancionada por Deus?

É bom ter planos, e acredito que devemos planejar com ousadia e determinação, mas devemos ser sábios o bastante para saber que eles falharão completamente sem Deus.

Se o Senhor não edificar a casa, em vão trabalham os que a edificam. (Salmo 127.1).

Podemos construir sem Deus como nosso fundamento, mas assim como qualquer prédio que não tem uma base forte, finalmente iremos desmoronar.

A Tolice da Auto-suficiência

Já que estou escrevendo um livro sobre como se tornar uma mulher confiante, quero declarar mais uma vez, como fiz no início deste livro, que não estou falando de auto-suficiência. Não quero que você confie em si mesma a menos ser que, antes de tudo, esta confiança tenha suas raízes em Deus. Se a nossa confiança é um fruto enraizado primeiramente em Deus, então temos o tipo de confiança que produz a verdadeira ousadia.

Como disse Paulo, "somos confiantes na confiança dEle".

Aquelas que se acham ousadas devem perguntar a si mesmas se o que têm é confiança ou arrogância. Bill Crawford disse: "A diferença entre autoconfiança e arrogância é simples como amor e medo. Jesus era confiante... Hitler era medroso".

Quando estou ensinando sobre a confiança, as pessoas geralmente expressam preocupação com a diferença entre autoconfiança e arrogância. Elas contam que foram ensinadas a não dizer (ou mesmo pensar) coisas positivas a respeito de si mesmas. Caso o fizessem, isso soaria egocêntrico e egoísta. Bons pais ensinam seus filhos a não se gabarem, e isso está certo. Ninguém gosta de um fanfarrão que está apaixonado por si mesmo e que acredita ser a resposta para todos os problemas da humanidade. Algumas pessoas acham que sabem tanto que fica óbvio que não sabem absolutamente nada. Nós mal começamos a adquirir conhecimento até que percebemos que nada sabemos em comparação com o que precisamos saber.

Ao ensinarmos nossos filhos a não se gabarem, não devemos ensinar-lhes que é errado reconhecer os aspectos positivos de quem eles são. Se você vai se candidatar a um emprego, mas, por medo de soar arrogante, fala de suas habilidades somente pela metade, provavelmente não conseguirá o emprego. Seja confiante, mas deixe que sua confiança tenha raízes em Deus. Somos o que somos devido à Sua graça e misericórdia.

> Encare cada elogio que receber como uma rosa e, no final do dia, pegue todo o buquê e ofereça-o de volta para Deus, sabendo que veio dEle.

Escolhendo a ousadia

Confiança gera confiança. Quando alguém se apresenta de forma confiante, isso faz com que eu também confie em sua capacidade para fazer o que precisa ser feito. Ele não precisa necessariamente ficar repetindo para mim que sabe que não é nada sem Deus, mas deve dizer isso a Deus regularmente.

Lembro-me de ter elogiado um amigo por fazer um bom trabalho na grelha durante o jantar de uma festa. Ele era um homem de Deus, e imediatamente respondeu que não havia sido ele, mas o Senhor. Na minha opinião, seria muito melhor se tivesse dito "Obrigado pelo elogio", e no seu momento de oração tivesse agradecido a Deus por ajudá-lo. Quando alguém nos elogia, devemos receber o elogio com graça. Encare cada elogio que receber como uma rosa e, no final do dia, pegue todo o buquê e ofereça-o de volta para Deus, sabendo que veio dEle.

O livro de Provérbios tem muito a dizer sobre a auto-suficiência e não poupa palavras para afirmar que só o tolo põe toda a sua confiança em si mesmo.

Como a neve no verão e como a chuva na ceifa, assim, a honra não convém ao [que confia em si mesmo] insensato. (Provérbios 26.1).

O tolo está sempre apanhando do diabo de alguma forma porque ele abre a brecha através da auto-suficiência. Deus é nossa defesa e proteção, mas a nossa confiança deve estar nEle e não em nós mesmas. Quando confiamos em Deus inteiramente para nos dar toda a força de que precisamos em todos os assuntos da vida, experimentamos uma proteção divina espantosa.

O homem e a mulher auto-suficientes podem passar pela derrota financeira. Eles fazem maus negócios, são enganados, investem em ações que perdem o valor, e tudo porque agem segundo o seu próprio conhecimento em vez de buscarem a sabedoria de Deus.

O tolo pode experimentar uma derrota mental. A pessoa que confia somente em si mesma vive às voltas com preocupações, ansiedades e com o medo, e precisa raciocinar muito. Ela depende de si mesma para solucionar seus problemas, então precisa calcular as coisas.

Os tolos também passam por derrotas emocionais. Nada realmente dá certo quando as pessoas dependem de si mesmas. Elas sempre acabam ficando preocupadas porque seus planos não funcionam e passam a maior parte do tempo frustradas. Nada é mais frustrante do que fazer o seu melhor para solucionar os problemas e, no entanto, sempre falhar. Começamos a pensar que alguma coisa está errada conosco e que Deus está simplesmente impedindo o nosso sucesso e esperando que finalmente fiquemos esgotados e peçamos a Sua ajuda.

Se fôssemos parafrasear 1 Pedro 5.5 na Bíblia, diríamos: "Todos vocês devem se vestir de humildade. Vistam-na como uma roupa e nunca deixem que ela seja retirada de vocês. Vivam libertos do orgulho e da arrogância uns para com os outros porque Deus está contra os orgulhosos e os soberbos (os presunçosos e prepotentes) e Ele se opõe a eles e até mesmo os frustra e derrota, porém ajuda os humildes".

Superestimar-se e não ver a si mesma como realmente é sem Deus gera uma reação de problemas em cadeia. Gera um altíssimo padrão moral, exclusividade e incapacidade de se ajustar e de se adaptar aos outros; falta de habilidade para se relacionar com as pessoas... basicamente porque seu padrão moral não a deixa enxergar as suas próprias imperfeições, o que a impede de suportar as imperfeições dos outros.

É Possível Ser Humilde e Ousada?

Não apenas é possível ser humilde e ousada, como é impossível ser realmente ousada sem humildade. Josué era um homem que possuía as duas qualidades. Deus lhe disse para completar o trabalho que

Moisés havia começado e conduzir os israelitas até a Terra Prometida. Imediatamente após ter dado a ordem a Josué, Deus anunciou que seria com ele assim como havia sido com Moisés (Josué 1.5).

A confiança de Josué descansava no fato de que Deus estava em sua companhia, e por isso ele foi capaz de ir em frente a fim de fazer algo que provavelmente se sentia desqualificado para fazer. Josué deve ter sentido medo porque Deus disse a ele repetidas vezes "Não temas", o que significa "Não fuja!"

Deus disse a Josué que se ele fosse forte, confiante e cheio de coragem, faria com que as pessoas herdassem a terra que Ele havia prometido a elas.

> *Ninguém te poderá resistir todos os dias da tua vida, como fui com Moisés, assim serei contigo; não te deixarei, nem te desampararei.*
> *Sê forte [confiante] e corajoso, porque tu farás este povo herdar a terra que, sob juramento, prometi dar a seus pais.*
> *Tão somente sê forte e mui corajoso para teres o cuidado de fazer segundo toda a lei que meu servo Moisés te ordenou; dela não te desvies, nem para a direita nem para a esquerda, para que sejas bem-sucedido onde quer que andares. (Josué 1.5-7).*

Observe a ênfase que Deus coloca em Si mesmo. Josué deveria manter os olhos em Deus e na Sua ordem. Não deveria ficar embaraçado com outras coisas que pudessem assustá-lo, mas permanecer concentrado no seu alvo. Se ele obedecesse a Deus, estaria ajudando não apenas a si mesmo, mas também teria o privilégio de liderar multidões de pessoas para uma vida melhor.

E, para o caso de precisar de um último incentivo, Deus basicamente se repete em Josué 1.9, dizendo:

> *Não to mandei eu? Sê forte e corajoso, não temas, nem te espantes, porque o Senhor, teu Deus, é contigo por onde quer que andares. (Josué 1.9)*

Acredito que o discurso de Deus para Josué é a evidência de que haveria razões naturais para que ele temesse, se espantasse e quisesse retroceder. Quando damos passos de fé para progredir na vida, não há garantia de que não enfrentaremos oposição. Mas temos a garantia de Deus de que Ele estará sempre conosco e isso realmente é tudo de que necessitamos. Não precisamos saber o que Deus vai fazer, como Ele vai fazê-lo, ou quando vai fazê-lo. Só precisamos saber que Ele está conosco.

Não Tenha Medo

Jeremias era um jovem rapaz a quem foi dada uma tarefa muito grande. Deus lhe disse que ele havia sido chamado como profeta às nações. Ele deveria ser um porta-voz de Deus. Apenas pensar nisso assustava Jeremias, então começou a dar todo tipo de desculpa a respeito de como não poderia fazer o que Deus estava pedindo. Ele estava olhando para si mesmo e precisava olhar para Deus. Ele olhava para as pessoas imaginando o que pensariam e fariam se ele desse o passo de ousadia que Deus o estava encorajando a dar.

Em resposta aos comentários temerosos de Jeremias, Deus lhe disse que parasse de falar e apenas fosse fazer o que Ele estava mandando. Deus disse: "Não temas diante deles (do rosto deles), porque Eu Sou contigo para te livrar" (Jeremias 1.8). Jeremias recebeu o mesmo discurso de Josué. *Não olhe para as circunstâncias: apenas lembre-se que Eu estou com você e isso é tudo de que precisa.*

Jeremias estava sentindo o mesmo medo que um menino de cinco anos sentiu no dia em que sua mãe lhe pediu para ir até a despensa da cozinha e pegar para ela uma lata de sopa de tomate. Ele não queria entrar ali sozinho. "Lá é escuro e eu tenho medo." Ela pediu novamente, e ele insistiu. Finalmente, ela disse: "Está bem — Jesus estará lá com você". Johnny andou com relutância em direção à porta e abriu-a lentamente. Ele espiou lá dentro, viu que estava escuro e começou a dar meia-volta, quando de repente teve uma idéia e disse: "Jesus, se você está aí dentro, poderia me passar a lata de sopa de tomate?"

Próximo ao final de Jeremias 1, Deus diz ao profeta que, se ele continuasse a ter medo (fugindo em vez de confrontá-lo), Ele permitiria que fosse vencido. Lembre-se de que Deus quer que enfrentemos as coisas, e não que fujamos delas. Aquilo de que você está fugindo estará sempre esperando por você em algum outro lugar. A nossa força para vencer está em prosseguir para o alvo com Deus. O Senhor disse a Jeremias, no versículo final do capítulo 1, que as pessoas lutariam contra ele, mas que elas não prevaleceriam por uma única razão... "Eu Sou contigo".

É interessante notar que Jeremias foi advertido de que haveria luta, mas mesmo assim ele não deveria temer, porque, no fim, teria vitória.

A Ousadia Falsa Substituída pela Verdadeira

O apóstolo Pedro foi um homem que começou com uma pretensa coragem. Ele pensava que era ousado, mas, na verdade, era prepotente, presunçoso, rude e tolo em muitas ocasiões. Pedro geralmente era o primeiro a falar, mas o que ele dizia era sempre cheio de orgulho e completamente inoportuno. Pedro tinha pensamentos mais elevados a respeito de si mesmo do que deveria. Ele precisava substituir a arrogância pela confiança em Deus.

Jesus tentou advertir Pedro de que ele O negaria três vezes dali a muito pouco tempo, mas o discípulo achou que aquilo era absolutamente impossível. Depois que Jesus deixou-se capturar, Pedro foi reconhecido como um de Seus seguidores. Ele imediatamente negou até mesmo que O conhecia. Continuou dando a mesma resposta temerosa, até que rapidamente chegou ao ponto de negar Jesus três vezes. Pedro, que parecia ser tão ousado, literalmente desabou de medo durante uma autêntica crise (Lucas 22).

Jesus prometeu a Seus discípulos que após a Sua morte e ressurreição enviaria o Espírito Santo para enchê-los do verdadeiro poder. Eles experimentariam a verdadeira ousadia que estaria enraizada e fundamentada em sua fé nEle. Pedro, juntamente com os outros, recebeu este poder do alto no dia de Pentecostes, e em Atos 1 o encontramos pregando com ousadia nas ruas de Jerusalém, sem se importar nem um pouco com o que pensavam a seu respeito. Pedro viu a si mesmo como o hipócrita e pecador que era. Ele se arrependeu, foi perdoado, e foi cheio de uma ousadia santa que só pode vir de Deus.

O Que Você Está Enfrentando?

Examinamos as circunstâncias desafiadoras na vida de Josué, Jeremias e Pedro, mas o que você está enfrentando hoje? Existem circunstâncias ameaçadoras que se agigantam diante de você? Se isso está acontecendo, lembre-se de que Deus está com você e que Ele nunca a deixará ou abandonará. Peça-lhe que a ajude, e Ele o fará. Você não precisa fingir que é corajosa; se estiver amedrontada, diga a Deus como se sente. Se preocupada, entregue essas preocupações a Deus. Afinal, Ele sabe de tudo, de qualquer forma. Você pode dizer que sente medo, mas eu a encorajo a também dizer que não permitirá que isso a impedirá de ir em frente. Eu a desafio a dizer: "Sinto medo, mas escolho a coragem!"

■ *Capítulo Quinze* ■

OS VENCEDORES NUNCA DESISTEM

Desistir não é uma opção para a mulher confiante. Ela precisa resolver o que quer ou precisa fazer e então decidir que irá até o fim. Não importa o que tente fazer na vida, você enfrentará uma certa oposição. O apóstolo Paulo disse que, quando as portas da oportunidade se abriam para ele, geralmente vinha também a oposição (1 Coríntios 16.9). A confiança acredita que pode lidar com o que quer que venha a atravessar o seu caminho; ela não teme o que ainda não aconteceu.

Ainda me lembro do primeiro domingo de manhã em que ministrei em uma igreja que havíamos aberto no interior da cidade de St. Louis. Nosso objetivo era ajudar as pessoas daquela área que estavam sofrendo e dar-lhes esperança. Fiquei de pé no púlpito naquele dia e anunciei em alta voz: "Estou aqui para ficar". Eu sabia que outros haviam tentado fazer obras semelhantes e que, depois de algum tempo, desistiram. Decidi que, quando começasse aquilo, iria até o fim.

Enfrentamos oposição. As igrejas locais ficaram irritadas porque uma nova igreja estava chegando na área. Tinham medo de que nós tirássemos os membros de suas congregações. O comentário delas era: "Não precisamos que um ministério grande venha para cá e leve as pessoas embora". Atitudes como esta são tolas e estão baseadas no medo.

Um dos membros de nossa equipe foi ferido quando um carro passou atirando, mas ainda não saímos de lá, e ele também não. Ocasionalmente, os membros da congregação tinham os vidros dos carros quebrados durante o culto da igreja, mas eles não foram embora. Chegaram a roubar alguns carros, mas ficamos assim mesmo.

O pastor foi pego tendo um caso com uma funcionária da igreja, e nós ficamos mais determinados do que nunca. Dissemos: "Ainda que tenhamos que começar tudo de novo, não sairemos daqui". O medo disse: "As pessoas da congregação irão embora quando souberem disso". Eu disse: "Se alguém sair, Deus enviará mais dois para substituí-lo". Dirigi-me à congregação e compartilhei abertamente a verdade com eles. Disse a eles que conseguiríamos um homem bom para pastorear a igreja, que Satanás queria usar aquela situação para dividir aquela igreja local, mas que nós não permitiríamos que isso acontecesse. As pessoas realmente admiraram a nossa honestidade e ninguém partiu. A igreja cresceu e hoje tem mil membros.

Quando você tenta fazer algo e o medo mostra a sua cara feia, você deve se lembrar que o objetivo dele é paralisá-la. O medo quer que você fuja, recue e se esconda. Deus quer que você termine o que começou.

O apóstolo Paulo recebeu uma tarefa e estava determinado a realizá-la, embora soubesse que isso significava prisão e sofrimento. Ele manteve os olhos na linha de chegada, não naquilo que teria de atravessar. Ele disse que não se abalava com a oposição, mas que seu objetivo era completar a carreira com alegria. Paulo não queria apenas terminar o que havia começado, ele queria também apreciar a jornada. Esse tipo de prazer não é possível se tivermos medo o tempo todo. O medo traz tormento, aqui e agora, acerca de situações futuras que podem jamais acontecer. Paulo sabia que, houvesse o que houvesse, Deus seria fiel para fortalecê-lo a fim de que pudesse passar por tudo com paciência.

Cuidado Com o Que Você Olha

Se olharmos demais para os nossos gigantes, o medo que temos deles nos assolará. Mantenha seus olhos no prêmio e não na dor. Na Bíblia, Paulo explica como eles foram pressionados de todos os lados, perturbados e oprimidos de todas as formas. Eles não viam qualquer saída, mas se recusaram a desistir. O apóstolo explica em 2 Coríntios 4.9 como foram perseguidos, mas não desamparados ou abandonados por Deus: "Somos abatidos e lançados ao chão, mas nunca destruídos". Posso sentir meu coração arder de coragem apenas ouvindo Paulo. Ele decidiu que, não importava o que acontecesse, completaria a sua carreira. Paulo explicou que não ficava desanimado (completamente abatido, sem forças e esgotado pelo medo) porque não olhava para as coisas que se vêem, mas para as coisas que não se vêem (2 Coríntios 4.8,9,16,18).

> Se olharmos demais para os nossos problemas,
> e pensarmos e falarmos demais neles,
> provavelmente eles nos derrotarão.
> Olhe de relance para os seus problemas,
> mas olhe fixo para Jesus.

Se olharmos demais para os nossos problemas, e pensarmos e falarmos demais neles, provavelmente eles nos derrotarão. Olhe de relance para os seus problemas, mas olhe fixo para Jesus. Não negamos a existência dos problemas, não os ignoramos, mas não vamos permitir que eles nos governem. Qualquer embaraço que você tenha está sujeito a mudanças. Tudo é possível com Deus!

Quando Davi foi combater Golias, ele não ficou horas olhando para o gigante e pensando em como vencer a batalha. A Bíblia diz que ele correu rapidamente para a linha de combate, falando o tempo todo sobre a grandeza de Deus e declarando a sua vitória antes da hora. Davi não fugiu do seu gigante; ele correu corajosamente em direção a ele.

Robert Schuller disse: "Se você der ouvidos aos seus medos, morrerá sem saber a grande pessoa que poderia ter sido".[1] Se Davi tivesse fugido de Golias, jamais teria sido rei de Israel. Ele foi ungido por Deus para ser rei vinte anos antes de colocar a coroa. Durante aqueles anos, enfrentou os seus gigantes e provou ter a tenacidade para suportar as dificuldades sem desistir. Davi sentiu algum medo quando se aproximou de Golias? Acredito que sim. Nos escritos de Davi, ele nunca declarou estar livre do sentimento de medo. Na verdade, ele falou sobre ter medo.

> *Em me vindo o temor, hei de confiar em ti.*
> *Em Deus [com a ajuda de Deus], cuja palavra eu exalto, neste Deus ponho a minha confiança e nada temerei.*
> *Que me pode fazer um mortal? (Salmo 56.3,4, AMP)*

Davi estava dizendo claramente que, muito embora *sentisse* medo, ele decidiu *ser* confiante!

Levante-se Novamente

Paulo disse que cada um de nós está correndo uma corrida e que devemos corrê-la para vencer. Vencer requer preparação, treinamento, sacrifício e a disposição de ultrapassar nossos opositores. E, em geral, requer que caiamos muitas vezes e que continuemos a nos levantar tantas vezes quantas for preciso.

Nunca Desista

Em 1921, Peter Kyne escreveu uma história emocionante sobre um homem que sabia o que era nunca desistir. *The Go-Getter* (O Faz-tudo) é uma história que continua a inspirar as pessoas atualmente.[2] Eu gostaria de partilhar um breve resumo dela com você.

Bill Peck volta para casa, retornando da Primeira Guerra Mundial, mancando, sem o braço esquerdo e com um espírito de determinação maior que o de dez homens saudáveis reunidos. Depois de ser entrevistado duas vezes pela Ricks Logging & Lumbering Company e não conseguir o emprego, Bill telefona para o fundador da empresa, Alden Ricks, e o encoraja a persuadir o restante da diretoria a dar-lhe uma chance.

"Quero que você reveja a decisão da diretoria e me dê um emprego", diz Bill a seu futuro empregador. "Não me importo em absoluto com o que seja, desde que eu possa executá-lo. Se eu puder fazê-lo, farei melhor do que jamais foi feito, e se eu não puder fazê-lo, isso lhe poupará o trabalho de ter que me despedir."

Apesar de sua relutância em interferir nas decisões das contratações tomadas pelos homens que havia colocado na direção, Alden deixa-se influenciar pelo jovem veterano. Ele admira a capacidade de Bill de vender o seu peixe e fica duplamente impressionado com sua forma calma e agradável de recusar-se a aceitar um "não" como resposta. Alden convence o seu braço direito na empresa, o Sr. Skinner, a contratar Bill, dando ao veterano a advertência inflexível de que ele terá apenas três chances e nada mais.

"Quando devo me apresentar para o trabalho, senhor?", Bill pergunta e começa naquela mesma tarde.

Mas Bill recebe um trabalho feito sob medida para ele. O Sr. Skinner, aconselhado em particular por Alden Ricks, lhe apresenta a sua tarefa: vender rabo de gambá, um tipo de madeira "áspera, fibrosa, úmida e pesada" que, por algum tempo depois de cortada, "cheira exatamente como um gambá". É um tipo de madeira que poucos compram, e o Sr. Skinner tem certeza de que estará dispensando o novo vendedor quando ele não for capaz de vendê-la. Mas Bill encara a sua missão "do pesada" com determinação e aceita-a com sua resposta típica: "Será feito".

Dois meses se passam e ninguém ouve falar de Bill, que havia sido enviado aos territórios de Utah, Arizona, Novo México e Texas para ver que vendas ele inacreditavelmente pudesse conseguir para a madeira. Não se ouve falar de Bill, mas seus pedidos começam a jorrar. "Dois carregamentos de lariço rústico" para Salt Lake City e "um carregamento de pranchas de abeto gambá, de comprimento e classificação aleatórios, e a um dólar acima do preço dado por Skinner", para o pátio da empresa varejista em Ogden – com a qual o Sr. Skinner havia tentado fazer negócio por muitos anos. Quando Bill chega ao Texas, seus pedidos de rabo de gambá estão entrando com tamanha rapidez que o Sr. Skinner é obrigado a pedir-lhe que concentre seus esforços na venda de uma madeira melhor, como o abeto Douglas e a sequóia canadense.

Quando retorna ao escritório, Bill havia ultrapassado o melhor vendedor da empresa e recebe até um salário melhor que o dele, devido ao seu sucesso. Alden Ricks decide que talvez Bill mereça passar por um novo teste. Tudo bem para o Sr. Skinner, que está certo de que Bill fracassará e será retirado da folha de pagamentos de uma vez por todas.

Alden Ricks chama Bill e pergunta se o jovem veterano de guerra se importaria em fazer um serviço particular para ele. Alden havia visto um vaso azul na janela de uma determinada loja e precisa que Bill vá comprá-lo, para que ele possa dá-lo de presente à sua filha, que mora fora da cidade, naquela noite, como aniversário de casamento.

Mas o estabelecimento não era onde Alden Ricks havia dito que era. Quando Bill não consegue falar com Alden por telefone, ele começa a procurar a loja andando a pé, e finalmente a encontra várias quadras depois, já fechada. Mas o nome do proprietário está escrito na porta, e logo Bill dá início a uma série de telefonemas, usando a lista telefônica, ligando para tantos B. Jonsens quantos havia na lista. Finalmente, ele consegue falar com a pessoa certa, que o coloca em contato com uma assistente que vai encontrá-lo na loja.

O preço do vaso é exorbitante – dois mil dólares – e a assistente se recusa a aceitar cheques. Decidido a se sair bem em seu compromisso, Bill telefona para o Sr. Skinner, que se recusa a ajudá-lo de qualquer forma. Bill é obrigado a calcular uma outra forma de conseguir o vaso, deixando um anel especial que possuía como garantia.

Depois de finalmente adquirir o vaso, ele corre até a estação onde deveria encontrar Alden Ricks. O trem havia partido da estação várias horas antes, então Bill procura por um amigo que é piloto e que o leva até um certo ponto, ao lado da ferrovia. Ali Bill senta-se e espera. Quando vê o trem se aproximando, ele acena com um jornal de domingo que havia torcido e acendido como uma tocha. Ele obriga o trem a parar e convence o maquinista a deixá-lo subir. Embora esteja um pouco atrasado, ele finalmente entrega o vaso na cabine de um Alden Ricks atônito, que explica ao homem exausto que o vaso era o seu "teste supremo de um faz-tudo".

"É uma tarefa que muitos outros antes de você deixaram de lado ao primeiro sinal de obstáculo", disse Alden Ricks. "Você pensou que estava carregando para esta cabine um vaso de dois mil dólares, mas, cá entre nós, o que você trouxe foi um emprego de dez mil dólares como nosso gerente em Xangai".

Que história comovente! Ela não a encoraja? Ela não faz com que você queira dar cabo de todos os desafios da sua vida? O que mais gosto nessa história é que Bill poderia ter desistido em qualquer momento. Ele poderia ter arrombado a loja ou voltado para casa. Mas ele usou de integridade, desembaraço e determinação para concluir a tarefa. Ele nunca desistiu. Covardes desistem, mas a confiança e a coragem vão até o fim.

Os vencedores nem sempre alcançam o primeiro lugar, mas eles precisam terminar o que começam. Depois de perceber que não alcançaria o trem a tempo, Bill poderia facilmente ter dito: "Que pena. Tentei e falhei". Mas ele não fez isso – e ganhou um emprego de prestígio e com um alto salário como recompensa por sua realização!

Você está tentada a desistir de alguma coisa agora mesmo? Não faça isso! Concluir o seu desafio aumentará sua confiança. Você acreditará mais em si mesma, e isso é importante.

Quando você escolhe o caminho mais fácil, sua consciência é abalada. Você pode tentar ignorar isso, mas a sua consciência lhe diz que você não deu o melhor de si.

Então, quando tiver de encarar decisões que a atormentam ou a esgotam, confie na sua capacidade de ser bem-sucedida. E repita o que Bill Peck sempre dizia: "Será feito!"

Os vencedores nem sempre alcançam o primeiro lugar, mas eles precisam completar a corrida. Você está sendo tentada a desistir de alguma coisa agora mesmo? Não faça isso! Finalizar a corrida aumentará a sua confiança. Você acreditará mais em si mesma e isto é importante. Quando tomamos decisões que sabemos, dentro do nosso coração, que não são as melhores, isso afeta a nossa consciência. Podemos tentar ignorar a voz da consciência, mas ela nos diz baixinho que não fizemos o nosso melhor.

Uma Consciência Culpada Destrói a Confiança

Aprendi por experiência própria que uma consciência culpada impede o fluir da confiança. Confiança é fé em Deus e a convicção de que, porque Ele está lhe ajudando, você pode ter êxito naquilo que precisar fazer. No entanto, se nos sentimos culpadas, recuaremos e nos afastaremos de Deus, em vez de esperarmos com destemor que Ele nos ajude. Desistiremos em vez de enfrentarmos nossos desafios na vida porque nos sentimos mal conosco mesmas.

Uma mulher a quem chamaremos Stephanie ouviu dizer que havia um cargo em aberto na sua empresa e ela queria candidatar-se a ele. Ela precisava ganhar mais e gostava da idéia e do prestígio que aquela promoção significaria. Stephanie perguntou a seu supervisor se ele poderia entrevistá-la para o novo emprego, e ele respondeu que ela deveria preparar-se para fazê-lo no dia seguinte. Durante toda aquela noite, algo preocupava Stephanie; ela não estava certa do que era, mas tinha uma vaga sensação de medo de não conseguir o emprego. No dia seguinte, quando chegou a hora da entrevista, ela não tinha nem mesmo certeza se deveria candidatar-se. Sua confiança havia desaparecido e ela não estava ansiosa por responder às perguntas de seu supervisor. Durante a entrevista, ficou óbvio que não estava segura de si. Quando indagada se acreditava que podia realizar o trabalho, ela respondeu: "Espero que sim". No instante em que seu supervisor percebeu que Stephanie estava insegura, ela também perdeu a confiança em si mesma e rapidamente encerrou a entrevista. Mais tarde, Stephanie recebeu em sua caixa de correio o aviso de que outra pessoa havia preenchido a posição.

Stephanie começou a orar a respeito do que havia acontecido com a sua autoconfiança. Por que de repente ela parecia tão insegura? Depois de algum tempo de introspecção e oração, ela lembrou-se de algumas coisas que haviam ocorrido no trabalho nos últimos meses. Ela estivera dando telefonemas pessoais desnecessários durante o expediente, sabendo que aquilo era contra a política da companhia. Sua consciência a incomodava quando ela o fazia, mas alegava que a empresa não lhe pagava o suficiente de qualquer forma e que ela merecia ter alguns bônus a mais. Ela também tirava horas de almoço prolongadas nos dias em que seu supervisor estava fora do escritório. Sua consciência novamente a incomodava, mas ela desculpava seu comportamento para si mesma e seguia em frente. A Bíblia diz que ficar usando a ponderação como artifício nos leva ao engano, que está contrário à verdade. A verdade era clara e simples. As atitudes de Stephanie estavam erradas! Nenhuma ponderação ou desculpa poderia mudar isso. Ela estava roubando sua empresa e muito embora tentasse ignorar sua consciência, lá no fundo ela se sentia culpada por seus atos. Agora ela entendia por que não pôde concorrer com confiança para a posição que desejava. Ela aprendeu que confiança e condenação não funcionam bem juntas.

Se você quer andar com confiança e segurança, e de cabeça erguida, então esforce-se para manter sua consciência livre de ofensas contra Deus e contra os homens.

Até mesmo desistir quando você sabe que deve seguir em frente afetará a sua consciência. Deus não nos deu o Seu Espírito Santo para que ficássemos cativos do medo. Ele não enviou o poder do Seu Espírito para as nossas vidas para que tivéssemos uma vontade fraca ou para que fôssemos frouxas, ou o tipo de pessoa que desiste quando as coisas apertam. Lembre-se: Deus não nos deu espírito de medo, mas de poder, amor e uma mente sadia (2 Timóteo 1.7, KJV).

Sempre Haverá Oposição

No começo de meu ministério, Deus me deu um sonho. Nele, eu estava dirigindo por uma estrada e observei alguns carros encostando. Alguns estavam estacionando e outros estavam dando meia-volta e retornando ao lugar de onde vieram. Presumi que houvesse algum problema à frente, mas eu não conseguia ver o que era. Continuei seguindo em frente destemidamente, e então vi uma ponte com água que subia do rio e comecei a atravessá-la. Percebi que as pessoas dentro dos carros tinham medo de se machucar ou de chegar a algum lugar de onde não conseguiriam voltar. Meu sonho terminou comigo sentada no carro olhando, primeiramente, para a ponte coberta de água, para a estrada de onde eu havia vindo, e para o acostamento, tentando decidir se deveria estacionar, recuar ou continuar seguindo em frente. Então, acordei.

Deus usou este sonho para me mostrar que, quando prosseguimos para um alvo, sempre haverá oposição. Sempre haverá a oportunidade de estacionar e não seguir em frente ou de voltar e desistir. Cabia a mim decidir, a cada vez, se eu desistiria ou insistiria. Aquele sonho ajudou-me muitas vezes a prosseguir quando as dificuldades chegavam e eu era tentada a entregar os pontos. Decidi que, muito embora nem sempre eu faça tudo certo ou tenha o resultado que espero, jamais desistirei! A determinação a levará muito mais longe que o talento. Então, se você acha que não tem talento, anime-se. Tudo o que você precisa ganhar na vida é mais determinação.

■ *Capítulo Dezesseis* ■

TORNE-SE UMA MULHER DE CORAGEM

Todas nós, em um momento ou outro, gostaríamos de ter mais coragem. Pense na coragem que Joquebede, a mãe de Moisés, demonstrou. Ela desafiou a ordem de Faraó de matar todos os meninos hebreus e escondeu o seu filho por três meses antes de finalmente colocá-lo em um cesto, orando e confiando que Deus cuidaria dele. Sua filha, Miriam, demonstrou grande coragem enquanto observava o barquinho provisório de seu irmãozinho flutuar justamente em direção à filha de Faraó. Em vez de se esconder ou de fugir, ela se aproximou da princesa com ousadia e ofereceu-se para conseguir uma ama hebréia (a mãe de Moisés) para ajudar a cuidar da criança.

Ter coragem significa ser bravo, destemido e aventureiro. É uma qualidade como esta que existe no exemplo de Joquebede e Miriam – permite que uma pessoa encare o perigo e a dificuldade com firmeza e determinação.

Todas nós precisamos de coragem. A coragem vem de Deus, ao passo que o medo é o que Satanás tenta nos dar. Eu estava sempre com medo, até que desenvolvi um relacionamento firme com Deus. Eu fingia não ter medo, mas tinha.

Na Bíblia, vemos a frase "tende bom ânimo" (tome coragem). A coragem está disponível, assim como o medo, mas podemos decidir rejeitar o medo e tomar coragem.

Torne-se uma mulher de coragem

Estas coisas vos tenho dito para que tenhais [perfeita] paz [e confiança] em mim. No mundo, passais por aflições [sofrimento e frustração]; mas tende bom ânimo [tende coragem, sejam seguros e destemidos]; eu venci o mundo [Eu tirei dele o poder de vos ferir e o venci por vós.] (João 16.33, AMP)

Se você acaba de pular a passagem acima, volte e leia-a. Olhe para cada palavra e medite nela para captar o significado real do que Jesus está dizendo. Ele está nos dizendo que durante nossas vidas passaremos por tempos difíceis, por lutas e por coisas que nos frustrarão, mas não devemos deixar que a preocupação ou a depressão façam parte dela porque Ele nos deu coragem (se quisermos tomar posse dela), confiança e segurança. Não importa o que venha contra nós, se tivermos confiança que poderemos vencer, isso não nos incomodará tanto. Não são realmente os nossos problemas que nos tornam infelizes; mas a forma como reagimos a eles.

Quando surgem os testes e as tribulações, Satanás oferece o medo, mas Deus oferece a fé, a coragem e a confiança. Qual deles você está aceitando? A resposta a esta pergunta pode revelar a raiz de muitas frustrações.

O livro de Jó diz que aquilo que tememos nos sobrevém (Jó 3.25). Este é um pensamento sensato. Satanás nos oferece o medo; se o recebermos, pensarmos nele e falarmos nele por muito tempo, daremos ao medo um poder criativo.

Observe também o que mais Jesus disse na passagem acima de João 16.33: Ele disse "Tenham confiança". Observe que Ele não disse "Sintam-se confiantes". Como já mencionei diversas vezes neste livro, podemos decidir ser confiantes, ainda que não nos sintamos nem um pouco assim. Comece hoje a decidir ser confiante em qualquer situação e você começará a mandar o medo de volta para o Hades, de onde ele veio. Quanto Satanás tentar lhe colocar medo, mande-o de volta para ele. Você não tomaria veneno se alguém lhe oferecesse, certo? Então pare de aceitar o medo e comece a escolher a coragem.

Desânimo

Quando penso no desânimo, penso em um espírito opressor que extingue a coragem e nos priva da confiança que Deus quer que tenhamos. O desânimo certamente não vem de Deus, então ele deve ser outra das ofertas do diabo. Deus dá coragem, o diabo dá desânimo. Ele pode tentar nos desanimar por meio de lutas ou provocações sucessivas. Ele tenta nos desanimar por meio de pessoas que nos põem para baixo em vez de nos colocarem para cima. Pessoas negativas podem nos desanimar.

Hoje ouvi falar sobre um homem de família de 42 anos que foi ao médico com dor nas costas e descobriu que tinha câncer em diversas partes do corpo. O moral dele permaneceu "pra cima", e ele nunca perdeu a coragem até que um médico lhe disse: "Não há esperança". Que coisa estúpida para se dizer. Entendo que um médico precisa contar os fatos reais ao seu paciente, mas ele poderia ter dito isso de um modo que não fosse tão grosseiro. Além disso, sempre há esperança. Não existem casos sem esperança quando uma pessoa tem Deus do seu lado.

Não perca tempo com pessoas que a põem para baixo e que sempre lhe dão o pior panorama sobre todas as coisas. É muito mais fácil ficar de pé em uma cadeira e fazer com que alguém a derrube do que puxar esse alguém para ficar de pé com você. Precisamos estar constantemente de guarda contra o desânimo.

Encorajamento

O Duque de Wellington, o líder militar britânico que derrotou Napoleão em Waterloo, não era um homem fácil para quem estava sob o seu comando. Ele era brilhante, exigente, e não era de se derramar em elogios para os seus subordinados. No entanto, até mesmo Wellington entendia que seus métodos deixavam a desejar. Na sua velhice, uma senhora idosa perguntou-lhe o que ele faria de diferente, se fosse possível viver sua vida novamente. *Wellington pensou por um instante e depois respondeu: "Eu faria mais elogios", disse ele.*[1]

> Se um fazendeiro planta sementes de tomate, ele colherá tomates. Se plantarmos o ânimo na vida das pessoas, teremos uma colheita de ânimo em nossa própria vida.

Todas nós precisamos de ânimo. É uma ferramenta que aumenta a nossa confiança e nos inspira a agir com coragem, vigor ou força. É disso que precisamos! Não precisamos ter ninguém por perto para nos desanimar... em vez disso, precisamos de "encorajadores" em nossa vida. A Bíblia nos instrui a nos encorajarmos e edificarmos uns aos outros.

Consolai-vos [encorajai, alertai, exortai] pois, uns aos outros, e edificai-vos [fortalecei-vos e levantai-vos] reciprocamente... (1 Tessalonicenses 5.11)

Pelo fato de encontrarmos dificuldades enquanto corremos a nossa carreira e tentarmos atingir os nossos alvos, todas precisamos de incentivo. Quanto mais ânimo temos, mais fácil se torna continuar nos trilhos, evitando desperdiçar dias ou semanas em depressão e desespero. Uma das melhores formas que conheço de obter algo que quero ou preciso é dar aquilo de presente a alguém. A Palavra de Deus nos ensina a semear para podermos colher. Se um fazendeiro planta sementes de tomate, ele colherá tomates. Se plantarmos o ânimo na vida das pessoas, teremos uma colheita de ânimo em nossa própria vida.

O que fazemos acontecer para alguém, Deus fará com que aconteça para nós. Você às vezes se vê desejando ter mais encorajamento, talvez por parte de sua família ou amigos ou de seu patrão? Mas com que freqüência você encoraja outros? Se você não tem certeza, faça um esforço extra agora mesmo. Você pode ser um canal usado por Deus para fazer com que alguém prossiga confiantemente para o sucesso em vez de desistir. Você sabia que o Espírito Santo é chamado de Encorajador? A palavra grega *parakletos* é traduzida pela palavra Espírito Santo e inclui, como parte de sua definição, consolo, edificação e encorajamento. Através do Espírito Santo, Jesus nos enviou um Consolador, um Auxiliador, um Fortalecedor, um Edificador, e um Encorajador, e Ele O enviou para estar em íntimo relacionamento conosco. Ele vive dentro daqueles que são crentes em Jesus Cristo, e você não tem como chegar mais perto dEle do que isto. Deixe que Deus a encoraje através do Seu Espírito. Ele nunca lhe dirá que você não vai conseguir. Ele nunca lhe dirá que o seu caso é um caso sem esperança.

Deus nos corrige e castiga quando preciso, mas Ele também nos encoraja ao longo do caminho. É assim que devemos criar os nossos filhos. Na verdade, Paulo disse em sua carta aos Colossenses que os pais não deveriam impor castigos indevidos e desnecessários aos seus filhos para que eles não ficassem desanimados ou se sentissem inferiorizados, não ficassem frustrados e seu espírito não se abatesse (Colossenses 3.21). Se Deus dá aos pais da terra essa instrução, Ele certamente não agirá de modo diferente com Seus próprios filhos.

Então, por favor, lembre-se de que quando o desânimo vier, de qualquer fonte, não é Deus que o está enviando para você! Rejeite-o imediatamente, e se você não tiver nenhuma outra fonte de encorajamento, faça o que Davi fez. A Bíblia diz que ele se reanimou no Senhor. Quando você sentir que está começando a perder a coragem, fale consigo mesma! Diga a si mesma que você já superou dificuldades no passado e que irá fazê-lo de novo. Lembre-se das vitórias passadas. Faça uma lista das suas bênçãos e leia-as em voz alta a qualquer momento em que você sinta que está começando a afundar emocionalmente.

Uma das formas pelas quais você pode se animar é lendo histórias que falam de uma coragem fora do comum. Quando você vê o que outros fizeram, isso a encoraja, mostrando-lhe que você pode fazer o que é preciso ser feito.

Coragem Incomum

Somos inspiradas por pessoas que têm uma coragem fora do comum. Elas nos ajudam a extrair o melhor de nós. Quando ouvimos as histórias dos outros, isso nos inspira e encoraja a fazer o mesmo. Eis uma coleção de histórias das quais podemos obter uma compreensão mais clara disso. Espero que elas ministrem ao seu coração tanto quanto ministraram ao meu.

Todos Votaram para Morrer

Nos tempos da guerra, um policial japonês que tinha poder absoluto exigiu que, dentro de três dias, todos em uma certa aldeia das montanhas de Formosa se apresentassem na delegacia de polícia e blasfemassem contra o Cristianismo. Quem assim não fizesse, teria os pés e as mãos amarrados, teria pedras presas ao corpo e seria lançado do alto da ponte para dentro do rio revolto logo abaixo.

Os cristãos se reuniram à meia-noite para decidir o que fazer. Alguns disseram: "Vamos ter de desistir. Não podemos ser cristãos agora. Ele certamente nos matará".

Então um garoto se levantou. "Mas vocês não se lembram que Jesus disse para não termos medo daqueles que só podem matar o corpo, mas para termermos aquele que mata a alma e o corpo? Se ele nos matar, será somente nossos corpos. Nossas almas vão estar com Jesus." Todos eles disseram: "É verdade". Fizeram uma votação e todas as mãos se levantaram – todos votaram para morrer. No dia seguinte, o policial riu cruelmente e disse: "Amanhã vocês morrerão".

> O policial gostava de pescar e entrou no rio caminhando pela água. Uma pedra ou árvore que estava dentro d'água bateu em sua perna, quebrando-a. Enquanto os moradores da montanha estavam orando, um mensageiro entrou correndo e disse: "O homem que deveria matá-los amanhã afogou-se no rio".[2]

Teria sido uma coincidência? Acredito que não. Quando o povo da aldeia escolheu a coragem em lugar do medo, sua fé em Deus abriu uma porta para a libertação. É típico de Deus afogar o inimigo no mesmo rio onde ele pretendia afogar os servos de Deus. O plano de Satanás volta-se contra ele quando continuamos agindo com fé e confiança.

Enfrentando uma Ameaça

> Na guerra entre os Estados americanos, um coronel do 7º Regimento de Rhode Island havia se tornado muito impopular entre seus homens. Chegou até ele a notícia de que, na próxima atividade militar, seu próprio regimento iria procurar oportunidades de atirar contra ele. Ao ouvir isso, ele deu ordem aos homens que marchassem para limpar seus mosquetes; e posicionando-se sobre um monte de terra, e encarando o regimento, deu a ordem: "Preparar! Apontar! Fogo!" Qualquer homem poderia tê-lo morto sem o menor risco de ser descoberto; mas todos os soldados admiraram a sua imensa coragem, e quem quer que estivesse disposto a matá-lo, recuou.[3]

Aquele coronel poderia ter vivido debaixo de um medo atormentador de que, a qualquer momento, qualquer um de seus homens pudesse atirar nele. Em vez disso, preferiu confrontar a ameaça de cabeça erguida, e mais uma vez podemos ver que a coragem venceu.

Não devemos temer ameaças. Satanás gosta de intimidar as pessoas ameaçando-as com pensamentos maus acerca do futuro. Se enfrentarmos as ameaças com destemor, em geral o inimigo recuará. Os valentões só conseguem intimidar aqueles que não estão dispostos a confrontá-lo. Não importa o que nos ameace, nunca poderá nos separar do amor de Deus.

> Uma grande mulher não permite que o medo seja o seu senhor. Ela o encara corajosamente e o derrota com Deus ao seu lado.

Se houver alguma coisa que permaneça com você depois que guardar este livro, por favor, lembre-se disto: não viva com medo do que pode acontecer. Talvez você tenha ouvido falar da ameaça de uma demissão no trabalho, ou de uma queda no mercado de ações, ou tenha recebido um diagnóstico ruim do médico. Todas essas coisas podem estar sujeitas a mudanças. Sem qualquer aviso, Deus pode mudar qualquer coisa na sua situação! Mantenha a esperança e não permita que o medo domine. Confronte-o e você descobrirá que ele não é tão poderoso quanto você pensava. Lembre-se, a coragem não é ausência de medo, mas a atitude diante dele. Não existe coragem onde o medo não está presente. Uma grande mulher não permite que o medo seja o seu senhor. Ela o encara corajosamente e o derrota com Deus ao seu lado.

Coragem Apesar da Adversidade

Paul Partridge mora no subúrbio de Chicago. Ele perdeu ambas as pernas em uma mina no Vietnam em 1966. Ele morava do outro lado da rua, próximo de uma mulher que, certo dia, gritou com todas as suas forças: "Meu bebê! Meu bebê!" Sentindo que havia algo de extremamente errado, este veterano e sua mulher saíram de casa – ele em sua cadeira de rodas, e a esposa correndo. Depois de cinqüenta metros de solavancos, a cadeira de rodas parou. Ele se arrastou para fora daquela cadeira de rodas... e, puxando o seu corpo, subiu os dezoito metros de degraus até o deck em redor da piscina. Ali estava uma garotinha. Sua mãe a havia retirado da piscina onde a havia encontrado, aparentemente morta... seu coraçãozinho havia parado. Partridge fez uma ressuscitação cardiopulmonar na criança, e falou com ela: "Garotinha, você vai viver. Você vai conseguir. Sei que você vai conseguir". De repente, a criança começou a respirar, e ele gritou para que chamassem uma ambulância.[4]

Esse é o tipo de nobreza que o Senhor plantou neste pó ao qual chamamos carne. É por isso que Ele nos fez só um pouco menores do que os anjos, com o potencial de arriscarmos nossas vidas por outras pessoas – como aquele herói fez pelo seu país, e com grande angústia e agonia arrastou-se dezoito metros degraus acima para salvar aquela garotinha.

Partridge poderia ter feito uma escolha diferente quando a mulher gritou por socorro. Ele poderia simplesmente ter dito: "Sou um aleijado. Não posso fazer nada para ajudá-la". E se ele tivesse feito isso, ninguém teria pensado mal algum a seu respeito. Na verdade, a maioria das pessoas concordaria com ele. Mas ele fez o oposto porque é um homem de coragem fora do comum. Ele inspira os demais entre nós a enfrentarmos nossos desafios sem reclamar e a nos preocuparmos menos conosco e mais com os outros.

Eis outra história semelhante:

Certo domingo de manhã, quando Ray Blankenship preparava o café da manhã, ele olhou de relance pela janela e viu uma garotinha sendo levada pelo canal de escoamento inundado pela chuva ao lado de sua casa em Andover, Ohio. Blankenship sabia que, mais adiante, o canal desaparecia em um buraco debaixo de uma estrada e depois era lançado no bueiro principal. Ray lançou-se porta afora e correu ao longo do canal, tentando chegar na frente da criança que afundava. Então, atirou-se nas águas profundas e barulhentas. Blankenship subiu à tona e conseguiu agarrar o braço da criança.

Eles foram dando cambalhotas de um lado para outro. A um metro da boca do bueiro, a mão livre de Ray sentiu algo – provavelmente uma pedra – fazendo uma saliência em uma das margens. Ele subiu ali desesperadamente, mas a força tremenda da água tentava separá-lo da criança. "Se ao menos eu conseguir agüentar até que chegue socorro", pensou ele. Ele fez melhor que isso. Quando os bombeiros chegaram, Blankenship havia retirado a menina em segurança. Ambos receberam tratamento por causa do choque. Em 12 de abril de 1989, Ray Blankenship recebeu a Medalha de Prata por Salvamento de Vidas da Guarda Costeira. O prêmio é merecido, pois essa pessoa altruísta correu um risco pessoal muito maior do que a maioria das pessoas tinha conhecimento. Ray Blankenship não sabe nadar. [5]

Se não estivéssemos tão ocupadas tentando evitar a nossa dor pessoal, o medo não poderia dominar nossas vidas. Talvez devêssemos de uma vez por todas nos colocar nas mãos capazes de Deus, dizendo-lhE que o que acontece conosco é problema dEle, não nosso. A nossa alegria aumenta quando ajudamos os outros, mas não estenderemos tanto a mão ao próximo se estivermos com medo do que nos possa acontecer.

Importando-se com os Outros

Barbara Makuch pagou caro por sua disposição em ajudar os judeus na Polônia ocupada pelos nazistas. Ela ajudou dois judeus a se esconderem no internato de meninos onde ensinava. Um deles era um garoto judeu que havia se passado, com sucesso, por um aluno polonês cristão. O segundo era uma médica que se tornara a cozinheira da escola. Embora vivessem com recursos limitados em um apartamento minúsculo, Barbara e sua mãe aceitaram responsabilizar-se por uma menina judia de sete anos de idade que havia sido deixada com elas pela mãe desesperada da garota. Temendo serem descobertas em uma comunidade tão pequena, Barbara levou a menina em uma jornada perigosa até Lvov, onde a deixou no abrigo seguro de uma escola de freiras.

Em Lvov, Barbara juntou-se à sua irmã Halina em seu trabalho em favor da organização clandestina Zegota, um núcleo de resistência estabelecido para auxiliar judeus poloneses a se esconderem. Em uma missão como emissária de Zegota, Barbara foi descoberta e posteriormente presa, primeiramente em uma cadeia famosa, e mais tarde no campo de concentração de Ravensbruck, na Alemanha. Durante seus anos na prisão e no campo, Barbara enfrentou o pior teste de coragem e resistência. De forma notável, ela não apenas sobreviveu, como também conseguiu ajudar a salvar a vida de suas companheiras de cárcere. [6]

Pense nisso. Barbara poderia ter temido por sua própria segurança e não ter feito nada. Estou certa de que milhões de pessoas fizeram exatamente isso. Mas ela era uma mulher que possuía uma coragem fora do comum. Ela arriscou sua própria vida por outras pessoas e o resultado foi que muitas vidas foram poupadas.

Minha Vida é Uma Oração

Mary Khoury tinha dezessete anos quando ela e sua família foram forçadas a ajoelhar-se diante de sua casa em Damour, Líbano, durante a Guerra Civil Libanesa (1975-1992).

O líder dos fanáticos muçulmanos que atacaram a aldeia agitava sua pistola descuidadamente diante do rosto deles. O ódio dele pelos cristãos ardia em seus olhos. "Se vocês não se converterem à fé muçulmana", ameaçou, "serão mortos".
  Mary sabia que a mesma opção havia sido apresentada a Jesus. "Abra mão do seu plano de salvar os pecadores, ou será crucificado". Ele escolheu a cruz.
  Mary fez uma escolha semelhante. "Fui batizada cristã, e a Palavra dEle veio a mim: 'Não negue a sua fé'. Vou obedecer a Ele. Pode atirar". O som de uma arma vindo de trás dela ecoou no vale e o corpo de Mary caiu fracamente ao chão.
  Dois dias depois, a Cruz Vermelha chegou à sua aldeia. De toda a sua família, Mary era a única ainda com vida. Mas a bala havia

rompido sua coluna vertebral, deixando seus dois braços paralisados. Eles estavam estendidos para os lados e dobrados na altura do cotovelo, lembrando Jesus em Sua crucificação. Ela não podia fazer nada com eles. "Todos têm uma vocação", disse ela. "Jamais poderei me casar ou fazer qualquer trabalho físico. Então oferecerei minha vida pelos muçulmanos, como aquele que cortou o pescoço de meu pai, amaldiçoou minha mãe e esfaqueou-a, e depois tentou me matar. Minha vida será uma oração em favor deles." [7]

É necessário uma coragem fora do comum para se dispor a morrer por aquilo que você crê, mas também é necessário uma coragem fora do comum para se dispor a perdoar e orar pelos seus perseguidores. Em nosso mundo hoje existe uma multidão que está ofendida, irada, amarga e ressentida. Se mais pessoas tivessem a coragem de perdoar, nosso mundo seria um lugar melhor.

Tomando Posição

Ele veio andando pelo corredor entre as fileiras com suas pequenas pernas gordas e morenas, com uma séria determinação em seus olhos. Parei de falar e a congregação ficou silenciosa como a morte. "Você me perguntou o que eu faria se estivesse na multidão e Jesus caísse sob o peso da Sua cruz." Ele olhou para mim com seriedade. "Eu o teria ajudado a carregá-la". Ele era um garotinho mexicano de oito anos de idade. Seu pai era um mineiro e sua mãe era uma mulher que havia sido excomungada da sociedade decente. Eu estava pregando sobre Simão de Cirene; e quando pedi aos ouvintes que definissem em seus próprios corações suas reações individuais àquela cena, o pequeno Pedro veio em minha direção.

Levantei meu braço e gritei: "Sim, e se você o tivesse ajudado a carregar a cruz, os cruéis soldados romanos teriam batido em suas costas com seus chicotes até o sangue escorrer até seus calcanhares!". Ele não hesitou nem por um segundo. Encontrando o meu olhar com uma coragem serena, ele disse, com os dentes cerrados: "Não me importo. Eu o teria ajudado a carregá-la assim mesmo". Duas semanas depois, no final do culto no mesmo prédio, eu estava na porta, cumprimentando as pessoas que saíam. Quando Pedro passou, eu lhe dei um tapinha carinhoso nas costas. Ele se encolheu com um pequeno grito. "Não faça isso, minhas costas estão machucadas." Fiquei atônita. Eu mal tinha tocado em seus ombros. Levei-o até o vestiário e tirei sua camisa. Do pescoço até a cintura, havia marcas feias e sangrentas em forma de cruz. "Quem fez isto?", gritei com raiva. "Foi a mamãe. Ela me bateu com o chicote porque eu vim à igreja."[8]

No nosso mundo de hoje, a maioria das pessoas prefere fazer concessões a tomar uma posição em defesa do que é certo. Jesus disse que seríamos perseguidos por causa da justiça e a maioria das pessoas não está disposta a isso. Jesus também prometeu uma recompensa; no entanto, a maioria das pessoas quer recompensa sem compromisso. Se fizermos o que Deus nos pediu para fazer, teremos o que Ele prometeu que teríamos. A salvação é gratuita e a sua única condição é "crer", mas os benefícios de ser um cristão vêm com condições. Deus disse simplesmente: "Se você fizer, Eu farei". A maioria dos cristãos vive muito aquém do destino e dos privilégios ordenados por Deus simplesmente porque fazem concessões em vez de tomarem uma posição.

O pequeno Pedro sentia que era certo ir à igreja e estava disposto a sofrer para fazer a coisa certa. Muito poucos adultos fariam o que ele fez. Aquele garotinho era um futuro líder e empreendedor, desses que transformam o mundo. Pessoas que têm coragem incomum transformam o mundo à sua volta. Elas não se conformam com o mundo; elas o transformam e fazem dele um lugar melhor de se viver.

> Se você é a única pessoa que conhece
> que está disposta a fazer o que é certo,
> então será aquela que fará a diferença

Você está reclamando sobre a situação do mundo de hoje? Pergunte a si mesma: "O que eu vou fazer para mudar isto?". Se a sua resposta for "nada", então pare de reclamar e ponha mãos à obra! Se você é a única pessoa que você conhece que está disposta a fazer o que é certo, então será aquela que fará a diferença. Sim, pode ser uma jornada solitária, pode haver perseguição ao longo do caminho, mas a recompensa vale a pena. Você terá a satisfação de saber que viveu sua vida plena e completamente e que se recusou a permitir que o medo fosse seu senhor.

Faça Tudo O Que Puder

Alguns indivíduos passam pela vida silenciosa e timidamente, e nunca fazem nada para tornar o mundo um lugar melhor. Elas estão tão preocupadas com a autopreservação que nunca estendem a mão para as milhões de almas ao seu redor que estão clamando por ajuda. Apenas pense nisso... A mulher no trabalho cujo filho de quatorze anos é morto por um carro que passa atirando. O homem cuja mulher o abandona por outro. A vizinha que acaba de descobrir que tem câncer em fase terminal. E há a família de que você ouvir falar na igreja que corre o risco de ficar sem a casa porque o marido perdeu o emprego e não consegue encontrar outro há cinco meses. O banco está prestes a executar o pagamento da hipoteca e eles realmente não têm outro lugar para onde ir. Estão desesperados e não sabem o que fazer. Todos lhes dizem que Deus proverá, mas ninguém está fazendo nada.

Precisamos entender que Deus age por meio de pessoas. Nós somos as Suas mãos, pés, braços, boca, olhos e ouvidos. Deus faz milagres, mas Ele os faz através de pessoas que têm uma coragem fora do comum. Aqueles que se esquecem de si mesmos por tempo suficiente perceberão que Deus colocou alguém em seu caminho que está sofrendo e passando necessidade. Oramos para que Deus nos use e, quando Ele tenta fazê-lo, em geral estamos ocupados demais para sermos incomodados.

Quando Deus criou Adão e Eva, Ele os abençoou, lhes disse para serem frutíferos, se multiplicarem e usarem todos os vastos recursos da terra que haviam recebido a serviço de Deus e do homem. Você está sendo frutífera? Sua vida está gerando algum progresso? Quando você se envolve com pessoas e coisas, elas aumentam e multiplicam? Algumas pessoas só recebem na vida, e nunca acrescentam nada. Recuso-me a ser esse tipo de pessoa. Quero tornar a vida das pessoas melhor. Quero colocar sorrisos nos rostos. Você está usando os recursos que tem a serviço de Deus e do homem? Todos devemos ter certeza de que não somos como o homem rico da Bíblia que tinha tanto que em todos os seus celeiros abarrotados não havia lugar para mais nada. Em vez de dar um pouco do que tinha, ele decidiu demolir seus celeiros e construir outros maiores e juntar mais coisas para si. Acho que ele era o homem mais tolo da Bíblia.

Ele poderia ter decidido usar o que tinha para abençoar outros, mas ele deve ter sido um homem medroso e egoísta, que só tinha lugar para si mesmo em sua vida (Lucas 12.16-20). Deus chamou o homem de louco, e disse: "Louco, esta noite te pedirão [os mensageiros de Deus] a tua alma; e o que tens preparado, para quem será?". O homem ia morrer naquela noite e tudo o que ele deixaria para trás eram "coisas". Ele teve a oportunidade de tornar o mundo um lugar melhor. Poderia ter contribuído com muitas vidas e colocado sorrisos em milhares de rostos. Em vez disso, medrosa e egoisticamente, preocupou-se somente consigo mesmo.

Seja corajosa. Esqueça-se de si mesma e comece a fazer tudo o que puder para ajudar os outros. Estabeleça um novo alvo: "Colocar sorrisos nos rostos". Encoraje, edifique, levante, console, ajude, dê esperança, alivie a dor e carregue fardos.

Jesus disse que, se quisermos ser Seus discípulos, devemos nos esquecer de nós mesmos e de todos os nossos interesses pessoais (Marcos 8.34). No instante em que ouvimos isso, o medo atinge nosso coração e ouvimos claramente em nossa mente: "E eu? Se eu me esquecer de mim mesma, quem vai cuidar de mim?" Minha amada, não tenha medo, o próprio Deus cuidará de você. Tudo o que você faz pelos outros voltará para você muitas e muitas vezes, com alegria. Se estiver disposta a dar-se por amor, terá uma vida muito melhor do que jamais teria se tentasse manter sua vida do jeito que está.

As mulheres são sensíveis às necessidades dos outros. Elas têm discernimento, percebem as coisas. Acredito que Deus dá a você e a mim a capacidade de sermos tocadas pelas enfermidades dos outros com o claro intuito de ajudá-los. Mulheres são peritas em consolar. Mulheres corajosas são generosas. Não passe por esta vida egoística e tolamente, mas faça tudo o que puder, de todas as formas que puder, para todos a quem puder, tantas vezes quantas puder. Se este for o seu alvo, você será um daqueles raros indivíduos que realmente fazem do mundo um lugar melhor e colocam um sorriso em cada rosto.

Capítulo Dezessete
VÁ EM FRENTE, GAROTA!

Compartilhei muito do que sei sobre como você pode se tornar uma mulher confiante, e agora creio que você vai agir com base nestas informações e começar a viver corajosa e destemidamente. Não importa como você vivia antes, este é um novo começo. A misericórdia de Deus é nova a cada dia e ela está disponível a nós hoje. Não olhe para trás, olhe para a frente!

Seja decisiva, siga o seu coração e não se preocupe demasiadamente com o que as outras pessoas pensam de você e das suas decisões. De qualquer forma, muitas delas não estão pensando em você tanto quanto você imagina.

Não viva comparando-se constantemente com os outros; seja o ser único que você é (2 Coríntios 10.12). Celebre a pessoa que Deus criou você para ser. Só existe uma pessoa que possui as características e as habilidades singulares que fazem de você quem você é. Aprecie o fato de que Deus sabia o que estava fazendo e descanse no pensamento de que certamente Ele agiu com relação a você do mesmo modo quando chamou o mundo à existência. "E Deus viu tudo o que havia feito, e tudo havia ficado muito bom" (Gênesis 1.31).

Uma Postura Confiante

Muitas vezes nossa aparência exterior demonstra o modo como estamos nos sentindo por dentro. Mas também pode ocorrer o contrário! Quando parecemos confiantes exteriormente, podemos nos sentir mais confiantes interiormente. Quando andar, fique ereta. Não curve os ombros nem ande de cabeça baixa. Você está cheia da vida de Deus, portanto, aja de acordo! Viva com paixão, zelo e entusiasmo. Não tente apenas "ir levando" mais um dia. Celebre o dia. Diga: "Este é o dia que o Senhor fez, eu me regozijarei e me alegrarei nele" (Salmo 118.24). Não fique apreensiva pelo dia que começa; entre nele de cabeça. Saiba o que você quer realizar hoje e vá em frente.

Sorria

Isto costuma ser dito muitas vezes, mas vale a pena mencionar aqui. Só precisamos de dezessete músculos para sorrir, mas precisamos de quarenta e três para franzir a testa. Em outras palavras, você precisa fazer muito mais esforço para ter uma aparência zangada do que para ter uma aparência feliz! Então, decida-se a sorrir mais. Sorria muito. Quanto mais você sorrir, melhor se sentirá. O seu sorriso não faz apenas com que você pareça e se sinta mais confiante, como também dá aos outros mais confiança. Eles se sentem aprovados e aceitos quando sorrimos para eles. Na verdade, falamos mais com a nossa expressão corporal do que com palavras. Geralmente, posso dizer se uma pessoa é confiante apenas pela sua postura e pela aparência do seu rosto. Algumas pessoas sempre parecem inseguras e até assustadas; outras parecem confiantes e à vontade.

Você pode pensar que não há nada a ser feito com relação à sua aparência, mas há. Eu era uma pessoa que raramente sorria. Sofri abusos e muitas decepções em minha vida e, por isso, eu tinha uma aparência eternamente solene. Na verdade, eu estava sempre esperando secretamente que o próximo desastre acontecesse em minha vida. Eu tinha perdido a esperança, tinha uma atitude negativa, tinha medo, e isso podia ser visto em meu rosto e na minha postura. Comecei a mudar as coisas simplesmente sorrindo. Agora, costumo sorrir muito.

Você sabia que o sorriso é uma arma maravilhosa? Ele é tão poderoso que você pode quebrar gelo com ele! Se uma pessoa é fria com você, apenas comece a sorrir e veja-a começar a se aquecer. Se você tiver um sorriso no rosto, você terá amigos; se andar com o rosto fechado, tudo o que terá serão rugas. O sorriso é uma linguagem que até os bebês entendem. O sorriso é poliglota; ele é entendido em qualquer idioma. Certa vez ouvi alguém dizer: "Você não está totalmente vestido até que tenha colocado um sorriso no rosto".

Sorrir realmente faz com que você se sinta melhor e mais para "cima". Estudos comprovam que quando você sorri, seus batimentos cardíacos diminuem e sua respiração fica mais lenta, principalmente se você estiver se sentindo estressada. Quando você se levantar de manhã, mesmo que não sinta vontade de sorrir, force-se a sorrir assim mesmo e você terá um dia mais feliz. Um sorriso de incentivo no momento certo pode ser o momento decisivo de uma vida atribulada. Um sorriso não custa nada, porém dá muito. Se você não está sorrindo, você é como um milionário que tem dinheiro no banco, mas não tem nenhum cheque.

A maioria das mulheres se preocupa com a sua aparência, e o sorriso é uma forma não dispendiosa de melhorar a sua aparência instantaneamente. Ziggy disse: "O sorriso é um *lifting* de rosto que cabe no orçamento de qualquer pessoa".

Ao nascer, você estava chorando e todos ao seu redor estavam sorrindo; viva a sua vida de modo que, quando morrer, você esteja sorrindo e todos os demais, chorando.

Você deve ter ouvido falar de Joel Osteen, um pastor de Houston, Texas. Joel tornou-se popular em pouco tempo. Ele não só pastoreia a maior igreja dos Estados Unidos, como também está na televisão em muitas partes do mundo. Joel é conhecido como o "pregador sorridente". Ele literalmente sorri o tempo todo. Já almocei e jantei com ele diversas vezes e ainda estou tentando entender como pode comer e sorrir ao mesmo tempo, mas ele faz isso. Joel é um grande pastor e mestre da Palavra de Deus, mas creio que uma das principais coisas que o tornam popular é o seu sorriso. As pessoas querem se sentir melhores, e sempre que sorrimos para elas isso as ajuda. Um sorriso acalma as pessoas e as coloca à vontade.

Um Modo de Falar Confiante

Segundo a Bíblia, o poder da vida e da morte está na língua e muitas vezes temos de engolir nossas palavras.

A morte e a vida estão no poder da língua; o que bem a utiliza come do seu fruto [para a morte ou para a vida]. (Provérbios 18.21)

Imagino quantas vezes em nossa vida dizemos "Tenho medo de...". "Tenho medo de pegar essa gripe que está por aí." "Tenho medo de que meus filhos se metam em encrencas." "Tenho medo que neve, e se nevar, tenho medo de dirigir na neve." "Do jeito que os preços estão subindo, tenho medo de não ter dinheiro suficiente." "Tenho medo de que, se eu não for àquela festa, as pessoas pensem mal de mim." "Tenho medo de não conseguirmos um bom lugar no teatro." "Tenho medo de que alguém invada minha casa enquanto eu estiver fora da cidade." Se ouvíssemos uma gravação de todas as vezes na vida em que dissemos "Tenho medo", provavelmente ficaríamos impressionados pelo fato de a nossa vida estar indo tão bem quanto está.

Se realmente entendêssemos o poder que existe nas palavras, creio que mudaríamos o nosso modo de falar. O nosso modo de falar deve ser confiante e destemido, e não temeroso. Um falar temeroso não somente nos afeta negativamente, como também afeta às pessoas ao nosso redor.

Quero fazer uma declaração ousada neste instante. Se você simplesmente mudar o seu modo de falar, você começará imediatamente a se sentir mais forte, mais ousada, mais corajosa e menos medrosa. Tiago disse que a língua é como uma fera selvagem que não pode ser domada por ninguém (Tiago 3.2-10). Certamente precisamos da ajuda de Deus com relação a este assunto! Estamos tão acostumadas a dizer coisas sem prestar nenhuma atenção ao que dizemos que precisamos da ajuda de Deus apenas para reconhecer o nosso falar acanhado, tolo, néscio e pecaminoso.

Mesmo depois que reconhecemos os erros de nossas condutas, ainda precisamos formar novos hábitos. Formar e quebrar hábitos requer tempo, então não desanime consigo mesma se não tiver vitória imediata nessa área. Insista nisso e pouco a pouco você desenvolverá o hábito de dizer coisas que acrescentam à sua vida, e não roubam dela.

Transmita Vida a Si Mesma

Sou uma grande fã de declarar a Palavra de Deus em voz alta. Até escrevi um livro sobre isso chamado *O Poder Secreto de Declarar a Palavra de Deus*. Nessa obra, relaciono passagens das Escrituras por categoria e apresento-as como confissões feitas na primeira pessoa que facilitam as pessoas a adotarem tal prática.

Não fale de si mesma conforme você se sente ou conforme a sua aparência. Declare a Palavra de Deus sobre a sua vida. Não diga a respeito de si mesma o que os outros dizem, a não ser que o que eles dizem valha a pena ser repetido. Talvez os seus pais tenham lhe falado de um modo que lhe fez perder a confiança. Pode ser que eles não soubessem fazer melhor, mas as boas novas são que você não tem de ser afetada pelas palavras deles pelo resto da vida. Você pode mudar a sua própria imagem a partir de agora!

Não diga coisas como "Eu simplesmente não tenho autoconfiança" ou "Nunca conseguirei vencer os meus medos". Diga aquilo que você quer, não aquilo que você tem. Você pode ter qualquer coisa que Deus diz que pode. Mas você precisará entrar em acordo com Ele. Davi disse: "A minha confiança está no Senhor", e você pode dizer o mesmo. Paulo disse: "Podemos todas as coisas em Cristo que nos fortalece". Então você pode dizer: "Posso fazer o que quer que Deus me diga para fazer na vida porque Cristo me fortalecerá". Deus diz na Sua Palavra que Ele não nos deu espírito de medo, então podemos dizer: "Não temerei, Deus não me deu espírito de medo". Estou certa de que você captou a idéia agora.

Quando você declara a Palavra de Deus em voz alta, você renova a sua própria mente. Lembre-se, Romanos 12 nos ensina que, embora Deus tenha um bom plano para a nossa vida, devemos renovar totalmente as nossas mentes e aprender a pensar do modo certo antes de vermos esse plano acontecer.

Pare de dizer "Estou deprimida, estou desanimada"; "Estou a ponto de desistir"; ou "Nada de bom nunca acontece comigo". Esse tipo de fala é inteiramente inútil. São palavras que não podem edificar a sua vida, mas elas podem certamente impedi-la de viver.

> Se realmente entendêssemos o poder que existe nas palavras, creio que mudaríamos o nosso modo de falar.

Se você se considera uma pessoa que tem baixa auto-estima, nenhuma confiança, que é covarde, tímida, envergonhada e medrosa, acredito que este é um momento de decisão para você. Entretanto, você terá de ser persistente. Não é o que fazemos certo por uma ou duas vezes que faz diferença em nossas vidas, mas sim o certo que fazemos constantemente.

O Falar Confiante Contagia

Quando você fala de forma confiante, isso contagia as pessoas ao seu redor. Elas confiarão em você se virem que você parece acreditar em si mesma. Não seja arrogante, mas confiante.

Há uma mulher que trabalha em meu escritório que é o tipo de mulher que parece ser capaz de fazer qualquer coisa que você lhe peça para fazer. Não sei se ela é tão confiante quanto parece, mas ela me deixa à vontade. Sempre que lhe pedimos para fazer alguma coisa, a sua resposta imediata é: "Sem problemas". Ela não faz isso de uma forma arrogante, mas está simplesmente dizendo que o fará e que não precisamos nos preocupar mais com aquilo. Pessoas atarefadas como eu precisam de pessoas como ela em suas vidas.

Tenho certeza de que, mesmo que não soubesse como fazer alguma coisa, ela descobriria. Ou arrumaria alguém que soubesse para fazer aquilo. Outra coisa que ela sempre diz quando lhe pedimos para fazer algo é: "Eu cuido disso", e ela sempre o faz.

Não estou sugerindo que as pessoas devam tentar fazer coisas para as quais não têm talento e apenas finjam. Obviamente, devemos fazer o que Deus nos capacita a fazer, mas devemos fazê-lo com confiança. Creio que sou uma ótima mestra da Bíblia. Se não fosse, então eu realmente não deveria tentar ensinar. De que vale tentar fazer alguma coisa durante toda a vida se você não acredita que é boa naquilo?

> Não podemos pedir com medo e esperar receber. Devemos nos apresentar diante do trono de Deus com ousadia.

Vá em frente, garota – comece a falar e a andar com confiança! É hora de você olhar para cima, e não para baixo. É hora de você esperar que grandes coisas aconteçam em sua vida.

Tenha uma Expectativa Confiante

Não temos o direito de esperar por aquilo pelo qual que não oramos. A Bíblia diz que não temos porque não pedimos (Tiago 4.2). Então peça e continue pedindo (Mateus 7.7).

A maneira como você pede também é importante. A Bíblia diz em Tiago 5.16 que a oração fervorosa e eficaz de um justo disponibiliza um poder tremendo. De que tipo de homem? Do homem justo! Não de um que se sinta culpado, condenado, que acha que não é bom e que age como se Deus estivesse zangado com ele. Não de um que seja medroso, covarde, tímido, indeciso, e cuja mente vacila entre dois extremos.

A Bíblia não diz que a nossa justiça é como trapo de imundícia e que todos pecaram e estão destituídos da glória de Deus? Sim, ela diz isto. Mas não é a nossa justiça própria que vestimos no closet da oração, mas a justiça de Jesus Cristo. Aquela que é dada a todo verdadeiro crente em Jesus.

Ele levou nossos pecados para a cruz com Ele e nos deu a Sua justiça (2 Coríntios 5.21). Podemos nos chamar de mulheres justas porque Ele nos dá a posição correta diante de Deus por meio do Seu sacrifício de sangue.

Não podemos pedir com medo e esperar receber. Devemos comparecer diante do trono de Deus com ousadia. Diversas passagens das Escrituras nos dizem para fazermos exatamente isso.

Acheguemo-nos, portanto, confiadamente, junto ao trono da graça [ao trono do favor imerecido de Deus a nós, pecadores], a fim de receber misericórdia [por nossos erros] e acharmos graça para socorro [ajuda adequada e em todo momento] em ocasião oportuna [que virá exatamente quando precisamos]. (Hebreus 4.16)

Com base nesta passagem, vemos com que atitude devemos nos apresentar. Sem medo! Confiantes! Ousadas! Nós nos apresentamos assim porque sabemos com certeza que Deus é fiel, é bom, e quer atender às nossas necessidades.

Não precisamos agir como se Deus fosse um pão-duro e precisássemos torcer o Seu braço para tentar convencê-lo a nos ajudar. Ele está esperando para ouvir o seu clamor!

Algumas pessoas são incapazes de orar com ousadia porque sua consciência as incomoda. Há coisas das quais elas precisam se arrepender e compromissos que precisam assumir para fazerem as coisas de modo diferente. Se este é o seu caso, então faça-o. Se alguma coisa está errada em sua vida, não passe o resto de seus dias se sentindo mal a respeito... tome uma atitude!

Amados, se o coração [nossa consciência] não nos acusar [se eles não fizerem com que nos sintamos culpados e nos condenarem], temos confiança [completa certeza e ousadia] diante de Deus. (1 João 3.21, AMP)

Efésios 3.20 nos diz que Deus é capaz de fazer infinita e abundantemente mais, e além de tudo o que poderíamos ousar esperar, pedir ou pensar. Você é ousada em suas orações? Você está esperando apenas o suficiente? O diabo quer que acreditemos que temos de comparecer diante de Deus de cabeça baixa, dizendo a Ele o quanto somos horríveis. Ele quer que acreditemos que não devemos ousar pedir muito porque, afinal, não merecemos nada. Satanás tem medo da oração arrojada, ousada, confiante, destemida e esperançosa.

Amo a passagem que vou citar a seguir, então, dedique tempo para examiná-la cuidadosamente.

Pelo qual temos ousadia [coragem] e [livre] acesso [uma aproximação irrestrita a Deus com liberdade e sem medo], com confiança, mediante a fé nele. (Efésios 3.12).

UAU! UAU! E outro UAU! Temos livre acesso. Podemos nos apresentar diante de Deus a qualquer momento que quisermos. Não precisamos de um convite especial. A sala do trono está sempre aberta, Deus está sempre em casa, Ele nunca está tirando um cochilo nem falando ao telefone. Podemos entrar com ousadia, esperando que Ele atenda à nossa necessidade e que o faça de boa vontade e com alegria.

Sem dúvida, milhões de pessoas oram, mas a pergunta para a qual queremos resposta é: Como elas oram? Elas oram com expectativa, ousadia, sem medo, confiantemente, decididamente, ou envergonhadas, com sentimento de culpa, pedindo meramente o suficiente para ir levando, e duvidando solenemente se um dia conseguirão o que pediram?

Vá em frente, garota! Comece a orar como você nunca orou antes. Creia que Deus quer atender às suas necessidades porque Ele é bom, e não necessariamente porque você é boa. Nenhuma de nós que vive em um corpo de carne tem um histórico perfeito, todas cometemos erros, e os seus provavelmente não são piores do que os de ninguém. Então, pare de se martirizar e comece a esperar que Deus seja Deus em sua vida.

SEJA confiante mesmo quando você não se SENTE confiante e veja Deus operar!

Este É um Novo Dia

Muitas das atitudes erradas para com as mulheres mudaram ou estão em processo de mudança. Ainda temos uma estrada pela frente mas, como se costuma dizer, "Já percorremos um longo caminho!".

Como eu disse antes, apreciamos as mulheres que foram as pioneiras do movimento pelos direitos das mulheres. Sentimos muito pelas mulheres que viveram no passado e não conheceram a liberdade que desfrutamos hoje. Lamentamos em memória dos milhões de mulheres em toda a história cujos destinos traçados por Deus foram roubados. Se não for por nenhuma outra razão, devemos prosseguir para o alvo e ser tudo o que pudermos ser, por elas.

Vá em frente, garota! Este é um novo dia. Não há impedimentos. A porta está bem aberta para você realizar os seus sonhos. Entre confiantemente no seu futuro e nunca olhe para trás!

NOTAS FINAIS

Introdução

1. Greenberg, Susan H. & Anna Kuchment, "The Family Moon." *Newsweek*, Jan. 9, 2006, pág. 47.
2. *Parenting*, Feb. 2006, pág. 100.
3. *Parenting*, ibid, pág. 99.
4. *Newsweek*, ibid, pág. 98.
5. *Parenting*, ibid, pág. 98.
6. ibid, pág. 98.
7. ibid, pág. 30.
8. ibid, pág. 30.
9. ibid, pág. 29.
10. ibid, pág. 100.

Capítulo 1. A Confiança

1. *God's Little Devotional Book for the Workplace*, de Todd Hafer. Colorado Springs: Honor Books, 2001. Págs. 310,311.
2. www.en.wikipedia.org/wiki/Golden_Gate_Bridge. Último acesso em 15/06/06.
3. *Daily Grace for Teens*, de Richard Baxter, Brother Andrew, et. al, Colorado Springs: Honor Books, 2005.
4. Charles Swindoll, *Kindred Spirit*, Vol. 22, No. 3, Autumn, 1998, p. 3.
5. *God's Little Devotional Book for the Workplace*, de Todd Hafer. Colorado Springs: Honor Books, 2001. pp. 182,183.

6. "The Journal of John Wesley," *www.ccel.org/ccel/wesley/journal.toc.html*. Último acesso em 16/06/06.

CAPÍTULO 2. ACABANDO COM OS MAL-ENTENDIDOS

1. Loren Cunningham, David Joel Hamilton, com Janice Rogers. *Why Not Women: A Fresh Look at Scripture on Women in Missions, Ministry and Leadership*. Seattle: YWAM Publishing, 2000. Pg. 17.
2. Cunningham, Hamilton, p.72.
3. Cunningham, Hamilton, p. 73.
4. "Trafficking In Persons Report," The Office to Monitor and Combat Trafficking in Persons, U.S. Department of Justice, 3 de Junho de 2005. *http://www.state.gov/g/tip/rls/tiprpt/2005/46606.htm*. Último acesso em 16/06/06.
5. Ibid
6. "Female genital circumcision: medical and cultural considerations," Cindy M. Little. *Journal of Cultural Diversity*, Primavera 2003.
7. "2004 National Crime Victimization Survey." The Rape, Abuse & Incest National Network (RAINN). *http://www.rainn.org/statistics/*. Último acesso em 16/06/06.
8. "Criminal Victimization, 2003." Washington, DC: Bureau of Justice Statistics, U.S. Department of Justice. *www.ojp.usdoj.gov/bjs/abstract/cv03.htm*. Último acesso em 16/06/06.
9. Ibid
10. *In Her Own Right: The Life of Elizabeth Cady Stanton*, de Elisabeth Griffith. New York: Oxford University Press, 1984.
11. O Departamento de Recenseamento dos Estados Unidos relatou no Suplemento Anual Sócio-Econômico de Pesquisa Populacional Atual de 2005 que o rendimento médio real dos homens de 15 anos para cima que trabalhavam em tempo integral, ao longo do ano, foi reduzido em 2.3 por cento, entre 2003 e 2004, para $40,798. As mulheres com experiência de trabalho similar experimentaram uma redução de 1.0 por cento em seus rendimentos, para $31,223. Refletindo o maior declínio nos rendimentos dos homens, a relação de rendimentos mulher-homem para os trabalhadores em tempo integral, durante o ano todo, foi de 77 centavos de dólar, contra 76 centavos em 2003.

Notas finais

CAPÍTULO 3. DEUS USA MULHERES NO MINISTÉRIO?

1. *www.sermonillustrations.com/a-z/f/faith.htm*. Último acesso em 20/06/06.

CAPÍTULO 6. VENCENDO AS DÚVIDAS A RESPEITO DE SI MESMA

1. *Reader's Digest*, Out., 1991, p. 62.
2. Barbara L. Fredrickson, "The Value of Positive Emotions: The Emerging Science of Positive Psychology Is Coming to Understand Why It's Good to Feel Good." *American Scientist*, Vol. 91, Julho-Agosto de 2003. O artigo menciona a realização de um estudo que monitorou os sentimentos e atitudes de um grupo de freiras católicas nos anos 30. O estudo descobriu que "as freiras que expressavam as emoções mais positivas viviam até 10 anos mais do que as que expressavam emoções menos positivas".

CAPÍTULO 7. O PODER DA PREPARAÇÃO

1. RWD, "Grass on Your Path," *Our Daily Bread*, 18 de Novembro de 1996.
2. " 'Entitlement Generation' expects it all," Patricia Breakey, The Daily Star, 2 de Julho de 2005. *www.thedailystar.com/news/stories/2005/07/02/gen1.html*. Último acesso em 16/06/06

CAPÍTULO 8. QUANDO O MUNDO DIZ NÃO

1. "No More Ms. Nice Guy! Confessions of a Recovering People Pleaser." Nancy Kennedy. *Today's Christian Woman*, Novembro/Dezembro 2002, Vol. 24, No. 6, Pág. 70.
2. "A Quick Biography of Benjamin Franklin," *www.ushistory.org/franklin/info/index.htm*. Último acesso em 16/06/06
3. "Alexander Graham Bell-Biography," *http://inventors.about.com/library/inventors/bltelephone2.htm*. Último acesso em 16/06/06.
4. "Semmelweiss, Ignaz Philipp," *http://www.answers.com/topic/ignaz-semmelweis*. Último acesso em 16/06/06.
5. "Margaret Knight—Queen of Paper Bags," de Mary Bellis, *http://inventors.about.com/library/inventors/blknight.htm*. Último acesso em 16/06/06.

6. "Female Inventors: Hedy Lamarr." *http://www.inventions.org/culture/female/lamarr.html*. Último acesso em 16/06/06.
7. "Getting What You Deserve," de Steve Goodier. *http://www.inspirationalstories.com*. Último acesso em 16/06/06.

CAPÍTULO 9. AS MULHERES SÃO MESMO O SEXO FRÁGIL?

1. "U.S. Census Bureau Report." *www.census.gov*. Último acesso em 16/06/06.
2. *A Box of Delights*, compilado por J. John and Mark Stibbe, Canadá: Monarch Books, 2002, pg. 121.
3. *Bartlett's Familiar Quotations*, eds. John Bartlett e Justine Kaplan. Boston: Little, Brown and Company, 1996, pgs. 144,145.
4. ibid, p. 654.
5. *100 Women Who Shaped History*. Gail Meyer Rolks, San Francisco: Bluewood Books, 1994.
6. *World Book Encyclopedia* Chicago: Chicago World Book, Inc. 1996, p. 275.
7. *www.brainyquotes.com/quotesauthors/m/margaret_thatcher.html*. Último acesso em 19/06/06.
8. *100 Women Who Shaped History*. Gail Meyer Rolks, San Francisco: Bluewood Books, 1994.
9. *International Dictionary of Women's Biography*. The Continuum Publishing Co., 1982.
10. Stowe, Harriet Beecher, Uncle Tom's Cabin, (New York: Signet Classic 1966), pgs. v-vi, 20,21
11. *www.webster.edu/~woolflm/dorotheadix.html*. Último acesso em 19/06/06.
12. *World Book Encyclopedia*. Chicago: World Book, Inc. 1996. pp.171,172.
13. "Yes, Women Are Different from Men," de Jane Everhart. *International Journal of Humanities and Peace*, Vol. 16, 2000. p. 96.
14. *Love and Respect*. Dr. Emerson Eggerichs, Nashville: Integrity Publishers, 2004, pg. 30.
15. *For Women Only*, de Shaunti Feldhahn, Sisters: Multnomah Publishers, Inc. 2004. pg. 25.
16. Sparks, citado em *Homemade*, Dezembro 1984. Acessado em: *www.bible.org/illus.asp?topic_id=1695*. 19/06/06.

Notas finais

CAPÍTULO 10. PASSOS PARA A INDEPENDÊNCIA

1. Scarf, Maggie. *Unfinished Business: Pressure Points in the Lives of Women*. New York: Doubleday, 1980.
2. Barbara Hatcher, *Vital Speeches*, 1º de Março de 1987. Acesso em: *http://www.sermonillustrations.com/a-z/s/speech.htm*. 20/06/06.
3. "Engaging Your Employees." James K. Clifton, SHRM Online. *www.shrm.org/foundation/engaging.asp*. Último acesso em 19/06/06.
4. "How a Country Music Superstar Found Her Real Self," de Carol Crenshaw, 1º de Dezembro de 2005. *www.wynonna.com*. Último acesso em 19/06/06.

CAPÍTULO 11. A ANATOMIA DO MEDO

1. "The Numbers Count: Mental Disorders in America," National Institute of Mental Health. *http://www.nimh.nih.gov*. Último acesso em 19/06/06.
2. *Confidence Booster Workout*, de Martin Perry. Berkeley, CA: Thunder Bay Press, 2004.
3. "Runaway bride's pastor to publish book on 'foolish decisions.'" Greg Bluestein. *The Macon Telegraph*, 6 de Janeiro de 2006. *http://www.macon.com*. Último acesso em 20/06/06.
4. *Our Daily Bread*, 6 de Abril de 1995. Acesso em: *http://www.iclnet.org/pub/resources/text/Our.Daily.Bread/db950406.txt*.20/6/06.
5. *Caring Enough to Confront*, de David Augsburger, Ventura, CA: Regal, 1980.
6. História do Dr. Jeff Ginn, que serve como pastor na Mount Pleasant Baptist Church, Colonial Heights, Va.
7. *www.cybernation.com/quotationcenter*. Último acesso em 19/06/06.

CAPÍTULO 12. O MEDO TEM PARENTES

1. "Teenage girls suffer in silence. They really are worried sick." The Observer. 28 de Junho de 1998. Accessado em: *http://www.childrensexpress.org/dynamic/public/d299901.htm*.19/06/06.
2. *Preacher's Commentar #26: Luke*, de Bruce Larson, Nashville: Nelson Reference and E-publications, 2003. p. 43.

3. *www.cyberntion.org/quotationcenter*. Último acesso em 19/06/06.
4. *Hell's Best Kept Secret*, de Ray Comfort, New Kensington: Whitaker House, 1989. pp. 160,161.
5. Adaptado de *The Great Stories CD*, John Ortberg, South Barrington, Il.

CAPÍTULO 13. A RELAÇÃO ENTRE O ESTRESSE E O MEDO

1. *Surviving Information Overload*, de Kevin A. Miller, Grand Rapids, MI: Zondervan, 2004. pg. 27.
2. "The Life of Henry Ford." *http://www.hfmgv.org/exhibits/hf/default.asp*. Último acesso em 19/06/06.
3. "People & Discoveries: Jonas Salk 1914–1995," *http://www.pbs.org/wgbh/aso/databank/entries/bmsalk.html*. Último acesso em 19/06/06.
4. *Bits & Pieces*, 29 de Abril de 1993. p. 3
5. Howard Hendricks, in *The Monday Morning Mission*. Acessado em: *www.sermonillustrations.com/a-z/c/change.htm*. 19/06/06.

CAPÍTULO 14: ESCOLHENDO A OUSADIA

1. *Victory in the Valleys of Life*, de Charles Allen, Old Tappan: Revell, 1981.

CAPÍTULO 15. OS VENCEDORES NUNCA DESISTEM

1. *www.cybernation.com/quotationcenter*. Último acesso em 19/06/06.

CAPÍTULO 16. TORNE-SE UMA MULHER DE CORAGEM

1 *Bits & Pieces*, 31 de Março de 1994, p.24. Acessado em: *www.bible.org/illus.asp*. 19/06/06.
2. "Courage: They All Voted to Die," em *Child Evangelism*. Acessado em: *www.elbourne.org/sermons/index.mv?illustration+3928*. 19/06/06.
3 "Courage: Facing Down a Threat", de McCartney. Acessado em: *www.elbourne.org/sermons/index.mv?illustration+3925*. 19/06/06.
4. "Courage." Acessado em: *www.elbourne.org/sermons/index.mv?illustration+1285*. 19/06/06.

5. Paul Harvey, Los Angeles Times Syndicate. Acessado em: *www.sermonillustrations.com/a-z/c/courage.htm.*19/06/06.
6. "To Save a Life: Stories of the Holocaust Rescue," Sinopses da história, The Barbara Makuch Story. Acessado em: *www.humboldt.edu/~rescuers/book/synopses.html.* 19/06/06.
7. *In the Face of Surrender: Over 200 Challenging and Inspiring Stories of Overcomers*, de Richard Wurmbrand, New Brunswick, NJ: Bridge-Logos Publishers, 1998. pp. 219,220.
8. Contada por Harold Dye, em *The Teacher.* Acessado em: *http://elbourne.org/sermons/index.mv?illustration+3930.* 20/06/06

JOYCE MEYER tem ensinado a Palavra de Deus desde 1976, exercendo o ministério em tempo integral desde 1980. Ela é autora de mais se setenta best-sellers inspirativos, incluindo *Campo de Batalha da Mente* e *Eu e Minha Boca Grande*. Ela também publicou milhares de ensinamentos em áudio, assim como uma livraria completa em vídeo. Os programas de rádio e televisão de Joyce, *Desfrutando a Vida Diária*®, são transmitidos em todo o mundo, e ela viaja intensamente ministrando conferências. Joyce e seu marido, Dave, são pais de quatro filhos adultos e vivem em St. Louis, Missouri.